saturday's master

1604

토요일의 주인님
saturday's master

섬온화 장편소설

2

차례

끈

평일 오전이었는데도 작은 동네 내과의 대기실에는 사람이 있었
다. 두어 살 정도 되어 보이는 아이를 무릎에 앉히고 졸고 있던 수수
한 차림새의 여자는 내가 문을 열자 화들짝 고개를 들었다. 카운터
뒤의 마른 남자 직원은 올려다보지도 않고 신분증 보여 주세요, 라
고 말했다.

"앉아서 오 분 정도 기다리시면 될 거예요. 이전 환자분 나오시면
들어가세요."

"네."

여자와 아이로부터 멀리 떨어진 곳에 엉덩이를 붙였다. 정면으로
보이는 커다란 벽시계가 째깍째깍 건조한 소리를 냈다. 회사에서는
오전 회의가 막 시작했을 시간이었다.

아이가 칭얼거렸다. 눈을 감은 채로 젊은 엄마는 손을 들어 아이
의 뺨을 매만지고 다독였다. 히터가 돌아가고 있는 대기실이 습하

고 더웠다. 소독약처럼 희미하게 맵고 서늘한 향이 서려 있었다.

목도리를 천천히 벗었다. 달칵, 문 열리는 소리가 들리고, 카운터 옆쪽의 문에서 한 남자가 나왔다. 기다리던 여자가 벌떡 일어섰다. 막 잠이 들었던 아이가 고막을 파고드는 소리로 울음을 터뜨렸다.

"처방전 인쇄될 때까지 잠시만 기다려 주시고요. 아래층에 약국 있으니까 그대로 가져가시면 되고, 진료비는…… 아, 이서단 님 지금 들어가시면 돼요."

세 명이 카운터 앞에 모여 있었다. 지친 얼굴의 남자가 아이를 어르는 것을 지켜보다가 나는 조금 열려 있는 문에 노크하고, 틈새로 몸을 들였다.

원목으로 된 책상은 익숙했는데, 책상 뒤에 앉아 있는 하얀 가운의 여자는 처음 보는 사람이었다. 나도 모르게 뒤를 돌아보자 익숙한 반응이라는 듯이 여자가 건조하게 말했다.

"김 선생님은 지금 개인 사정으로 쉬고 계시고, 제가 대신 진료 보고 있습니다."

"……네."

"앉아 보세요."

귀찮게 될 것 같다는 예감이 어렴풋이 들었다. 앞에 있는 의자에 천천히 엉덩이를 붙였다. 의사가 내 진료 기록을 넘겨 보는 동안 뻑뻑한 눈을 가만히 깜박거렸다. 실내에서는 소독약 냄새가 더욱 독하게 났다.

"불면증으로 수면제를 여러 차례 처방받으셨네요."

"네."

앞장을 다시 넘겨 본 여자가 귀 뒤로 머리를 넘기면서 미간을 찌푸렸다. 나를 올려다보더니 말했다.

"김 선생님이 여기 내성 주의, 라고 적어 놓으셨는데, 제가 보기에는 처방받아 가시는 양만 봐도 내성은 생긴 지 오래된 것 같고, 이 정도 증상이면 신경정신과를 한번 가 보시는 게 맞을 것 같은데요. 김 선생님이 그동안 그런 말씀은 없으셨나요?"

"네, 그렇게 말씀하셨지만……."

깜박여도 시야가 흐릿했다. 며칠 전부터 가시지 않던 두통이 소독약 냄새에 이빨을 드러내듯 자근자근 관자놀이를 갉아먹었다. 의사는 펜 뚜껑을 벗겨 꽁지에 매달고 나를 올려다봤다.

"증상이 언제부터 있으셨나요?"

"……금요일 밤부터였던 것 같아요."

"오늘이 화요일이니까 네 밤 정도 되셨네요? 그동안 몸에 다른 이상은 없으셨고요?"

"네, 특별한 건 없었던 것 같아요. 머리 아픈 거랑, 이명이랑……. 못 참을 정도는 아닌데, 제가 일에 집중해야 하는 시기여서…… 지금은 밤에 못 자면 곤란해서요."

빈칸에 의사가 휘갈긴 글씨로 뭔가 적었다. 드디어 처방전인 줄 알고 반쯤 몸을 일으켰는데 아니었다. 꼼꼼하게 기록을 마친 의사는 다음 칸 위로 펜촉을 대고 물었다.

"수면제나 수면유도제를 처방받아 사용하신 지는 얼마나 되셨나요? 저희한테 처방받으신 것 말고, 통틀어서요."

"아…… 대학교 때부터요."

"맥박을 좀 재 볼까요?"

의사가 청진기를 귀에 꽂고 내 심장 소리에 귀를 기울이더니 혀를 찼다.

"지금 혈액순환도 잘 안 되시고, 심박수도 많이 높아요. 불면증도 이 정도면 심각한 수준이고. 몸이 수면제에 많이 의존하게 된 것 같은데, 빠른 시일 내에 상담 한번 받아 보시는 걸 권장 드리고요. 수면 관련 질환은 특히 감정 상태에 민감하니, 스트레스 조절 잘하시는 것도 중요하고요."

"네, 알겠습니다."

대답이 미심쩍었는지 여자가 눈을 가늘게 좁혔다. 펜을 들더니 클립보드 위의 종이에 뭔가 빠르게 휘갈겼다. 저게 처방전이기를 바라면서 나는 눈을 감았다가 떴다.

적는 것을 마친 여자가 다시 펜을 내려놓았다. 종이를 반으로 접어 내게 밀어 주며 말했다.

"일단 평소대로 처방은 해 드리는데, 근처 대학병원 신경정신과 위치와 번호 적어 드렸으니 시간 나시는 대로 찾아가 보세요."

"네, 감사합니다."

"또, 제대로 잠들 수 있는 시간과 환경을 마련하시는 게 필요해요. 증상이 들쭉날쭉하다고 말씀하셨으니, 최근에 가장 푹 주무셨던 때를 기억해 내서, 그때의 환경이나 몸 상태를 그대로 재현해 보도록 노력하셔서도 될 것 같아요."

"……아."

나는 불현듯 떠올렸다. 침대 하나 달랑 있던 계단 위의 침실이나, 넓은 침대가 있는 16층의 호텔방 같은 장소. 거기까지 생각하자 무릎 위에 올린 손이 꼭 움츠러들었다.

"감사합니다."

고개를 숙여 한 번 더 인사했다. 문을 열고 나가자 대기실에는 그새 두어 명의 사람이 더 앉아 있었다.

카운터에서 돈을 내고 내려가 아래층의 약국에 처방전을 내고 익숙한 약봉지를 받아 들었다. 묵직한 종이봉투를 가방에 아무렇게나 밀어 넣었다. 유리문을 열고 나오자, 벌어진 코트 깃 사이로 매서운 칼바람이 들이닥쳤다. 꽃샘추위의 끝자락이었다.

"아, 이서단 씨."

회의실 문손잡이를 막 잡았는데, 등 뒤에서 누군가 나를 불렀다. 돌아보니 박 대리였다. 복도를 성큼성큼 걸어온 그가 나 대신 사원 증을 대고 회의실 문을 젖혀 열어 주며 물었다.

"반차 냈다고 들었어요. 지금 막 왔어요?"

"네."

"얼굴이 왜 그래, 근데? 새하얗게 질렸네."

박 대리는 문턱에 나를 세워 놓고는 찬찬히 얼굴을 뜯어보았다.

"반차 낸 게 병원 다녀오려고 그런 거였어요?"

"……컨디션이 좀 안 좋아서 약 받아 왔습니다. 오전에 좀 쉬었으니까 이제 괜찮을 것 같아요."

"점심은 먹고 들어왔어요?"

입을 열었는데, 표정만으로도 대답이 된 모양이었다. 박 대리는 대놓고 혀를 찼다.

"밥도 안 먹고 일할 작정이었어요? 그러니까 몸이 축나지."

"……죄송합니다."

"이서단 씨 안 되겠네. 가서 점심 먹고 와요."

"대리님은……."

"나는 잠깐 자료 보다가 부서 사람들이랑 나가서 먹기로 했어요. 아, 지금 김 주임도 그렇고 팀원들 몇 명 구내식당 내려가 있을 텐데. 간 지 얼마 안 됐으니까 이서단 씨도 내려가서 조인해요."

박 대리는 아예 내 어깨를 잡아 돌려세웠다. 점심시간이라 비어 있는 복도를 향해 방향을 조준하고 내 등을 쭉쭉 밀었다. 나는 저항을 하기에는 지쳐 있었다. 입맛이 없다거나 속이 안 좋다는 말도 내뱉지 못하고 고분고분 떠밀려 갔다. 박 대리는 엘리베이터 앞까지 나를 밀고 가서 버튼까지 눌러 주었다. 고개 숙인 내 인사를 대충 받아 넘기며 손을 흔들어 주었다.

엘리베이터 안이 서늘하고 한산했다. 층수 표시기의 빛이 눈꺼풀 뒤로 멍울졌다. 지하 1층에서 문이 열리자 막 식사를 마친 듯한 사람들이 기다리다가 엘리베이터 안으로 쏟아져 들어왔다. 아는 얼굴은 없었다.

사원증을 찍고 식판을 받아 들었다. 메뉴 선정을 고민하지 않고 기계적으로 짧은 줄에 서서 반찬과 밥을 받았다. 점심시간이 시작한 지 얼마 안 돼서 그런지 넓은 식당 안이 시끌벅적했다. 테이블마다 사람들이 가득했다. 이 난리통에서 어떻게 김 주임을 찾아내야 했을까. 주머니에 핸드폰이 있었고, 그 안에는 김 주임을 비롯해 모든 팀원의 번호가 저장되어 있었지만, 꺼내 들 생각은 들지 않았다. 박 대리가 말을 하지 않았더라면 굳이 찾아볼 생각도 하지 않았을 것이다.

그래도 식판을 든 채로 멍하니 늘어선 테이블 옆을 스쳐 지났다. 낯선 얼굴들을 스치듯이 훑으며 걸음을 옮겼다. 누군가 떨어뜨린 젓가락이 발끝에 찰캉 채였다.

그때였다. 누군가 내 팔을 잡았다. 들고 있던 식판이 흔들릴 정도로 강한 힘이었다.

"이게 누구야. 오랜만에 보네요."

고개를 돌린 곳에 낯익은 얼굴이 있었다. 이전 팀에서의 사수가 나를 보고 입꼬리 양쪽을 당겨 웃고 있었다.

사수의 옆과 건너편에는 부장님을 제외하고 예전 팀의 팀원들이 전부 앉아 있었다. 파티션 건너편이었던 강 주임, 그 옆이었던 이 대리. 내가 서 있는 쪽에서 가장 먼 자리에 송 주임이 있었다. 나를 불러 세우는 사수의 목소리가 어지간히 컸는지, 모든 시선이 일제히 나를 향해 있었다.

사수는 내 팔을 툭툭 치면서 나를 테이블 옆으로 세워 놓았다. 여전히 웃는 얼굴로 권하듯이 부드럽게 말했다.

"혼자 먹을 생각이면 앉아서 같이 먹어요. 그동안 통 얼굴도 못 봤는데, 안부라도 나눌 겸."

"……괜찮습니다. 팀원들 같이 드시는데……."

"뭐 어때, 이서단 씨도 우리 팀원이었는데. 앉아서 프로젝트 잘되어 가나, 그런 얘기나 좀 해 봐요. 아, 저기 송 주임 옆에 자리 비었네."

자리가 비어 있는 건 이 대리 옆도 마찬가지였다. 송 주임은 말없이 의자에 놓았던 목도리를 들어 자신의 등받이로 옮겼다. 나를 쳐다보지 않고 식판을 응시하는 얼굴이 무표정했다.

"워낙 또 이서단 씨가 송 주임이랑 친했으니까. 아무리 바빠도 그렇지 밥 정도는 가끔 우리랑 먹으면 좋잖아요? 앉아요. 이제 먹기 시작했는데, 뭐."

"그래요, 앉으세요."

강 주임이 끼어들어 말했다. 활달한 표정이었다.

"부장님도 안 계시는데요. 프로젝트 실제로 해 본 사람이 주변에 없어서 궁금했거든요. 소문만큼 대단한지."

"……그럼 잠깐 앉았다가 가겠습니다."

빠져나갈 길이 없었다. 송 주임의 자리에서 티 나지 않게 의자를 조금 물리며 식판을 내려놓았다. 하얀 손이 나를 피하듯이 슥 무릎 위로 숨어들었다. 내내 나를 보고 있던 사수는 내가 의자에 엉덩이를 붙이기도 전에 질문했다.

"그래서, 그 프로젝트 팀에서 이서단 씨 역할은 뭐예요? QA 하다가 가서 겹치는 분야도 하나도 없을 텐데."

"맞아요, 나도 그래서 이서단 씨 뽑혔다고 들었을 때 신기하긴 하더라고요."

"어딜 가나 막내 하는 일은 비슷할걸. 복사하고 커피 열심히 타겠지, 뭘 물어요."

"아, 그런가?"

이 대리의 시큰둥한 말을 들은 강 주임이 웃었다. 샐러드 같은 것을 포크로 찍어서 그게 손가락이라도 되는 것처럼 나를 가리켰다.

"그러고 보니 이서단 씨 없어지고 송 주임이 다시 우리 팀 막내 됐잖아요. 안 하다가 하면 그건 또 힘들다?"

"다 거치는 과정이지, 뭐가 힘들겠어."

"그래도 안 하다 다시 하면 은근히 자존심 상할걸요. 안 그래요? 솔직히 우리도 뭐 시키기 좀 미안하고. 인턴이나 하나 오면 좋은데."

"이서단 씨는 왜 밥 안 먹어요?"

사수의 채근에 뒤늦게 젓가락을 들었다. 차가운 마카로니 같은 게 식판 귀퉁이에 담겨 있었다. 입에 무엇이라도 넣으면 당장 구역질이 치밀 것처럼 머리가 아팠다.

목이 말랐는지, 목을 뒤로 젖히고 물컵이 빌 때까지 비워 낸 사수가 컵을 탁 내려놓으며 등받이에 몸을 기댔다. 비뚜름하게 든 시선

15

이 송 주임을 지나 나를 찾아냈다. 그가 쓴 것을 먹은 듯이 입맛을 다시면서 느리게 입을 열었다.

"근데 이서단 씨가 거기 뽑히고 나서 나중에 들은 얘긴데, 원래 한 팀장 사람 보는 취향이 그렇다고 하더라고."

"한 팀장님이요?"

"그 양반이 원래 트러블메이커를 좋아한대요. 막 크리에이티브하고 독창적이고, 시스템에 반항하고, 이런 게 한 팀장 인재상인가 봐. 본인도 몇 번 거하게 사고 쳤잖아, 왜. 나중에 얘기 들어 보니까 그렇겠구나 싶더라고. 그러니까 이서단 씨가 뽑힌 건 말하자면 전화위복인거지."

달칵, 옆에서 날카로운 소리가 났다. 젓가락을 내려놓던 송 주임이 한쪽을 떨어뜨린 모양이었다. 테이블 밑으로 고개를 숙이는 그녀를 강 주임이 잡아 말렸다.

"냅둬요, 가서 새로 가져와요."

"일어날 거면 가져오는 김에 물도 좀 받아와 줘요. 아, 이서단 씨 물도 없으니까 이왕 가는 길에 갖다 주면 좋겠네."

쇠로 된 빈 물컵을 옆으로 내밀며 사수가 말했다. 이 대리는 아, 그럼 나도, 하면서 남은 물을 마시고 컵을 송 주임에게 툭 밀어 주었다. 그나마 상식적인 사람들과 한 달 반이나 일해서일까. 나는 불현듯 조금이라도 더 오래 눈앞의 사람들을 버텨야 한다면 식판을 뒤집어엎거나 일어나서 그냥 나가 버릴 것 같은 강렬한 피로감에 사로잡혔다.

송 주임은 테이블을 더듬어서 몸을 지탱하고 일어섰다. 끝까지 나를 쳐다보지 않고 몸을 틀었다. 그때 물컵을 빨리 받아 가라는 듯이 손바닥에 받쳐 높이 들고 있던 사수가 느른하게 말했다.

"생각해 보니까, 이서단 씨가 다녀와도 되지 않나? 이제 우리 팀 막내는 아니지만, 오랜만에 왔으니 서비스하는 셈치고 송 주임 대신 다녀와요."

"원래 이서단 씨가 기사도 정신이 있고 그러잖아요. 여자들 도와주는 거 좋아하고 그랬지 않나?"

강 주임이었다. 생글거리며 나를 올려다보는 눈에 들어찬 것은 찌꺼기처럼 새까만 악의였다.

악문 입안에서 피 맛이 돌았다. 일어나서 아무와도 눈을 마주치지 않고 사수와 이 대리의 물컵을 집어 들었다. 송 주임은 아직도 일어서 있었다. 앉아, 하고 강 주임이 그녀의 팔을 잡아 내렸다. 나는 의자를 뒤로 밀고 송 주임의 자리를 스쳐 지났다. 테이블 사이로 빠져나왔다. 사수는 지나가는 내 허리를 격려하듯 여러 번 힘주어 툭툭 쳤다.

그때였다. 컵을 들고 있는 손목이 누군가에게 붙잡혔다. 멍이 잡히는 게 느껴질 정도로 강한 힘이었다.

"뭐 하는 짓입니까."

올려다본 곳에 한 팀장이 있었다. 싸늘하게 굳어 있는 얼굴을 보고 나는 끓어오르던 머릿속의 생각이 한순간에 전부 흩어졌다.

"왜 여기 앉아 있어요."

"아, 한 팀장님."

사수가 서둘러 일어나서 고개를 숙였다. 방금 전의 느른함은 어디로 갔는지 각이 잘 잡힌 인사였다.

"지나가는 이서단 씨가 보이길래 같이 먹자고 권했습니다. 워낙 오랜만이어서―"

"이서단 씨는 이제 QA팀 사람 아닙니다."

한 팀장이 그의 말을 잘랐다. 단정한 손가락이 내 양손에 들려 있는 물컵을 빼내서 사수 앞으로 탁 내려놓았다.

"내 팀원한테 물심부름시키지 마세요."

"⋯⋯죄송합니다. 그냥 장난삼아."

"그리고 쓸데없이 붙들어서 이서단 씨 시간 낭비하지 마세요. 저쪽에 멀쩡하게 자리 잡아 두고 이서단 씨 기다리는 TF 팀원들 있습니다. 회사가 가족도 아니고, 예전에 같은 팀이었던 게 무슨 상관입니까."

"네⋯⋯ 죄송합니다."

"이서단 씨."

"네."

나는 반사적으로 대답했다. 한 팀장은 여전히 서늘한 시선으로 팀원들을 내려 보며 내 팔을 놓아주었다. 피가 확 몰리듯이 팔뚝이 욱신거렸다.

"식판 들고 따라오세요. 가방 챙기고."

나는 눈을 내리깐 채로 자리로 돌아가 식판을 집어 들었다. 송 주임은 시선이 못 박힌 것처럼 본인의 식판을 내려다보고 있었다. 아직까지도 고개를 조금 숙이고 서 있는 사수를 지나쳤다. 한 팀장은 내가 테이블 옆으로 빠져나오자 먼저 등을 돌렸다. 들어가세요, 라고 팀원들의 인사가 자그맣게 우수수 쏟아졌다. 한 팀장은 돌아보지도 않았다.

수고하세요, 라고 작게 인사만 남기고 나는 한 팀장을 서둘러 뒤따라갔다. 걸음이 워낙 빨라서 맞출 수가 없었다. 빈 식판을 들고 이동하는 무리를 피해서 겨우 그를 따라잡으니, 그는 어느새 컵이 들어 있는 소독기 앞에 서서 나를 기다려 주고 있었다.

"아, 물 드실 거면 제가……."

"그렇게 식판 들고 설치다 쏟습니다."

말끝이 냉랭했다. 그는 컵을 하나 꺼내 정수기에서 냉수와 온수를 섞었다. 몇 번 가볍게 흔들더니 내 앞으로 컵을 내밀었다.

"식판 이리 주고 물부터 마셔요. 입술 갈라진 채로 돌아다니지 말고."

"……감사합니다."

목이 마른 것은 아니었지만 이미 손에 물컵이 들려 있었다. 하는 수 없이 입술을 대고 한 모금 마시자 미지근한 물이 식도를 타고 흘러들어 왔다.

내가 물 한 컵을 비워 내는 것을 지켜보던 한 팀장은 내뱉듯이 낮게 말했다.

"병신도 아니고 왜 거기 가서 앉아 있어."

"……죄송합니다."

"이전에도 이런 적 있습니까? 프로젝트 시작한 이후로?"

"아니요, 이번이 처음입니다."

"다음엔 내 이름 대고 거절하세요. 내가 불렀다고 하든, 내 심부름 중이라고 하든. 프로젝트에만 집중해도 모자랄 판에 어딜 다른 데 가서 스트레스받고 와. 멍청하게 거기 붙들려서는……. 상종할 사람 알아서 잘 가리세요. 애새끼도 아니고."

말끝마다 날이 서 있었다. 그의 차 안도, 호텔도 아닌 구내식당에서 듣는 말 치고는 말투와 수위가 센 편이었다. 나는 잠자코 입을 다물었다. 상사가 할 만한 조언은 아니었을 것이다. 그도 그것을 알고 있는지 숨을 짧게 내쉬면서 잠시 고개를 돌렸다.

"김 주임님은…… 어디 계세요?"

"김 주임은 왜 찾아."

심기 불편한 답이 곧바로 돌아왔다. 나는 그의 손에 들려 있는 식판을 받아 들려고 손을 뻗었지만 그는 놓아주지 않았다.

"밥 먹어야 하니까……. 팀원들이랑 먹으려고요."

"가뜩이나 먹는 속도도 느린데, 지금부터 먹어서 다 이서단 씨를 기다리게 만들 셈입니까?"

"……그럼 혼자 먹고 금방 올라가겠습니다."

"밥은 둘째치고……."

내 얼굴을 가까이에서 내려다보던 그가 말을 아무렇게나 중간에 끊었다. 그답지 않은 일이었다. 손목시계를 확인한 그가 눈을 잠시 감았다 떴다. 바지 주머니에 손을 넣더니 내 셔츠 주머니 안으로 무언가를 떨어뜨려 주었다. 쇠로 된 둥근 고리가 시야 끝에 잡혔다.

"어디 앉아서 천천히 먹고, 내 차 내려가서 눈 붙이고 와요. 반차 낸 것 꽉 채워서."

"……괜찮습니다. 그렇게는……."

"내가 지금 이서단 씨 일이 조금이라도 덜 밀려 있으면 오늘 아예 쉬고 집에 가서 자라고 할 텐데, 본인 업무 로드는 본인이 더 잘 알 테니 말 않겠습니다. 회사에 구급차 부를 생각 없으니까 가서 조금이라도 자고 와요. 보는 사람 답답하게 하지 말고."

짜증이 여실히 묻어나는 목소리 앞에서 가만히 입술 안쪽을 깨물었다. 시간과 장소가 주어진다고 잘 수 있으면 애초에 문제가 아니었을 것이다. 하물며 의무실에도 침대는 있었다. 내가 무거워진 주머니를 내려다보고 있자 한 팀장은 내 손에서 컵을 가져가서 다시 물로 채웠다. 가까운 테이블 위로 식판과 컵을 내려놓고 나를 앉혔다.

"억지로 먹지는 말고, 남길 거면 남기세요."

"……팀장님은 먼저 올라가세요. 저도 금방 가겠습니다."

그가 건너편 의자에 앉았기 때문에 하는 말이었다. 한 팀장은 귓등으로라도 들리지 않는다는 듯이 핸드폰을 들여다보고 있었다. 아무래도 내가 다 먹을 때까지 앉아 있을 것 같아 나는 하는 수 없이 수저를 들었다. 밥알을 입안에 넣고 씹었다. 미지근한 물을 마시며 잘게 다지다시피 해서 삼켰다. 나물로 보이는 것을 무더기로 집어 먹었다. 아무 맛도 나지 않았다.

"천천히 먹어요."

핸드폰에서 눈을 떼지 않고 한 팀장이 말했다.

"나는 일 보고 있으니까 신경 쓰지 말고."

"……네."

"이서단 씨는 참 손이 많이 가네요."

딱히 화가 난 목소리도 아니었다. 무덤덤한 표정을 올려다보고 나는 씹는 것을 멈췄다. 목에 턱 뭔가 걸리는 것 같은 기분이었다.

죄송합니다, 라고 작게 말했다. 귓가의 이명이 조금씩 잦아들었다. 화면에 시선을 주고 있는 한 팀장은 아무런 대답이 없었다.

꿈

그날 밤, 회사 밖으로 나오자 벌써 퇴근한 줄 알았던 한 팀장의 차가 건물 계단 바로 밖에 세워져 있었다. 의무실에서 쉬고 나중에 열쇠는 한 팀장에게 돌려주었지만, 점심시간에 차 이야기가 나와서인지 은색 아우디가 눈에 익었다. 그렇다고 번호판까지 기억하는 것은 아니라 멈칫하고 옆을 스쳐 지나는데, 헤드라이트가 환하게 켜졌다.

눈이 부셔서 한 손으로 가리며 옆으로 물러났다. 조수석 쪽 창문이 내려가는 것이 보였다. 옆으로 몸을 틀어 창문을 내다본 한 팀장이 말했다.

"타세요."

"······."

나는 일단 차 문을 열었다. 내내 몽롱하던 정신이 찬물이라도 끼얹어진 듯 깨어났다. 내가 자리에 앉자 기어를 잡고 있던 한 팀장은 바로 차를 출발시켰다.

"팀장님, 어디······."

"안전벨트."

그가 말하지 않아도 대시보드에 빨갛게 표시가 들어온 안전벨트 모양이 부드러운 신호음을 내고 있었다. 입을 다물며 안전벨트를 끌어와 맸다. 신호를 받아 멈췄던 차가 그가 액셀을 밟으며 매끄럽게 속도를 높였다.

고속도로를 들어서면서부터 행선지는 뻔해졌다. 무릎 위에 놓은 가방의 손잡이를 가지고 의미 없는 손장난을 치던 나는 몇 번이나 옆을 쳐다봤고, 몇 번이나 하려던 말을 혀 밑으로 접었다. 앞유리를 내다보는 한 팀장의 옆얼굴이 서늘했다.

안전벨트의 까슬한 표면 위로 뺨을 기대고 눈을 감았다. 지나치는 가로등의 주황색 불빛이 차례로 눈꺼풀 너머 명멸했다. 차의 움직임에 따라 몸이 미세하게 쏠리고 흔들거렸다.

낡은 오피스텔 건물 밖 골목에 그가 차를 세웠다. 새벽이 다 되어 가던 어느 밤에 그가 나를 내려 주었던 곳이었다.

나는 안전벨트의 버클 부분에 손을 얹었다. 차 문의 잠금쇠는 잠겨 있는 상태였다. 유리창을 한 번 내다본 나는 가방 위로 시선을 떨어뜨렸다. 가방끈을 그러쥔 손등 위로 가로등 불빛이 노랗게 얼룩져 있었다.

한 팀장은 한참 후에야 사무적인 목소리로 말했다.

"왜 지난주부터 넋이 빠져 있는지는 모르겠는데, 이번엔 그 이유가 내가 아닌 것 같고."

"……."

"무슨 고민이든 업무에 지장 가지 않도록 하세요. 이제 나도 박 대리도 일일이 이서단 씨 업무를 점검할 여유가 없습니다. 들어가서 제대로 쉬고, 내일은 컨디션 회복해서 출근하세요."

"……네, 죄송합니다."

"그리고……."

대화가 끝난 것 같아 안전벨트를 풀었는데 그가 다시 말을 이었다. 거기까지 말하고 또 한참 말꼬리를 허공에 내버려 두었다. 나는 무릎 위로 시선을 두고 기다렸다. 목도리도, 코트도 벗을 생각을 못 했던 탓에 히터가 틀어져 있는 차 안이 갑갑하고 숨이 막혔다.

갑자기 턱이 억세게 잡혔다. 고개가 들렸다. 코가 닿을 거리에서 시선을 맞대고, 그가 빠르게 말했다.

"내가 도와줄 부분이 조금이라도 있으면 지금 말해요."

"……."

"부탁을 들어줄지는 내가 정하면 되니까 필요한 대로 일단 말해 보라고. 직접적으로 해결해 주는 게 아니더라도 할 수 있는 게 있을 법도 하잖아요. 상사로서든, 아니면—"

그가 말을 뚝 끊었다. 빠르게 들이쉰 숨은 갑작스러운 침묵으로 이어졌다.

아니면? 나는 눈을 내리고 그가 버려둔 말의 절단면을 천천히 더듬었다. 마땅히 여백에 들어갈 단어를 찾을 수 없는 것은 나도 마찬가지였다. 이 관계를 뭐라고 이름 붙일 수 있을까. 회사가 아닌 토요일에 그는 내게 상사가 아닌 무엇이었을까. 그리고 회사도 토요일도 아닌 지금, 나를 집 앞까지 데려다준 그의 행동은 둘 중 어떤 역할에서 나오는 어떤 의무였을까.

침묵이 끈처럼 목을 조여 왔다. 나는 스스로도 이해할 수 없는 갈증으로 그를 올려다보았다. 무슨 말을 하고, 어떤 대답을 듣고 싶은 건지 알지도 못하면서 하염없이 시선을 얽었다. 옆자리의 남자는 나를 뚫어져라 내려다보더니 이를 악물었다.

핸들 위로 손이 거칠게 내리쳐졌다. 경적 소리가 날카롭게 어긋나고 끊겼다. 씨발, 하고 그가 낮게 욕을 짓씹었다.

"뭐가 이딴 식으로 어려워."

"……왜, 굳이……."

어지러웠다. 올려다본 눈동자가 꺼풀을 벗겨 낸 것처럼 초조했다. 내가 아는 그의 눈이 아닌 것 같았다.

"왜 팀장님이 굳이 그러시는지 모르겠어요. 제 문제고, 팀장님과는 어떤 접점도 없고……. 정신 차려서 일에는 영향 없도록 하겠습니다. 토요일에 뵙는 것에도 영향 없게 할게요. 그거면……."

그거면 되는데, 처음부터 어려울 것이 하나 없이 주고받는 것이

명시되어 있는 관계였는데. 나는 입을 열었다가 다물었다. 옆에 있는 남자는 아무 말이 없었다.

"……그래요."

한참 후에 그가 말했다. 달칵, 하고 차 문의 잠금쇠가 열렸다.

"들어가서 쉬고, 내일 봅시다."

"……데려다주셔서 감사합니다."

문을 열자 뺨에 닿는 바람이 찼다. 가방을 들고 한 걸음 물러나서 차 문을 닫았다. 한 팀장은 내 쪽을 보고 있지 않았다. 문이 닫히자 차가 출발했다.

멀어지는 꼬리등이 붉은색이었다. 나는 돌아서서 오피스텔 건물로 들어가려다가 멈춰 섰다. 망설이다가 돌아보니 그의 차는 이미 골목의 모퉁이를 돌아 사라지고 없었다.

※

중간 발표 이후로 팀의 분위기는 미세하게 달라져 있었다. 어지간해서는 화내는 일이 없는 박 대리도 권 대리와 몇 번 얼굴 붉히고 다툴 만큼 일에 있어서는 예민해졌고, 회의 시간은 날카로운 말이 날아다니는 전쟁터를 방불케 했다. 한 팀장 밑에서 여러 해 일한 덕인지 팀원들은 다들 혀 밑에 칼날 하나씩은 품고 있는 듯했다. 오전 회의가 끝나고 나면 김 주임은 얼마간 부서로 사라져 있기 일쑤였다.

나는 받아온 수면제를 일상에 아낌없이 투자했고, 실수 없이 업무를 끝내는 일에만 신경을 쏟았다. 매일 이른 새벽부터 늦은 밤까지 회사에 있으니, 싫어도 일상의 패턴이 복구되었다. 며칠을 집에 두고 다니던 핸드폰은 통화 수신 차단하는 법을 꼼꼼하게 검색해 본 뒤 다시 주머니로 돌아왔다. 그렇다고 확인해 볼 방법도 없어서, 차단이 제대로 된 건지 알 수도 없었다. 사나흘을 불규칙적으로 오던 전화가 언젠가부터 사라진 것은 어머니의 체념이나 자존심일지도 모른다. 나는 단지 내가 받지 않는 전화가 화풀이처럼 여동생에게로 향하지 않기를 바랐다. 습관처럼 하루에도 몇 번 들어가 보는 SNS에는 외국의 대학 건물이나 캠퍼스로 보이는 사진이 계속해서 올라오고 있었다.

유난히 정신이 없던 한 주의 끝에서, 나는 보통 금요일 밤이나 늦어도 토요일 오전에는 오던 한 팀장의 문자가 없었다는 것을 뒤늦게 알아차렸다. 토요일 오후의 일이었다. 핸드폰을 꺼내 확인해 봐도 마지막으로 받은 연락은 한참 전이었다.

목을 살짝 뒤로 젖혀 그가 있는 파티션 뒤를 확인했다. 문자 목록의 스크롤을 한 번 더 올렸다가 내렸다. 빈칸에 커서가 깜박거렸다.

[저희 오늘 평소대로……]까지 느리게 적었다가 톡톡톡 지웠다. [확인차 여쩌보려고……]는 업무용 이메일 같아서 기분이 이상했고, [연락을 안 주셔서, 혹시나 싶어서……]라고 적고 보니 그가 아예 잊어버렸기를, 그래서 이번 주는 그냥 넘어가기를 바라는 마음이 여실히 묻어났다. 나는 일에 열중하는 박 대리의 어깨너머로 다

시 힐끔 한 팀장의 파티션을 쳐다봤다.

그때 마침 그가 일어나는 것이 보였다. 의자를 밀어 넣고 겉옷을 챙기는 걸 보니 부서에 볼일이 있는 모양이었다. 나는 등 뒤로 지나가는 옆얼굴을 뒤쫓다가 그가 회의실 문턱에 도달할 때쯤 서둘러 몸을 일으켰다.

문을 등 뒤로 닫고 보니 한 팀장은 이미 저만치 앞서 가 있었다.

"왜 따라 나왔어요."

돌아보거나 걸음을 늦추지 않은 채 그가 물었다. 긴 다리가 복도를 성큼성큼 잡아먹었다. 따라잡는 것만으로도 벅찼다.

"질문 있었으면 아까 했어야지. 돌아가서 박 대리 도움 받으세요."

"일 얘기가 아니라······."

탁 트인 엘리베이터 로비를 막 지나고 있었다. 문 옆으로 서 있던 사람들이 한 팀장을 보고 허리를 숙이거나 눈인사를 해 왔다. 나는 인적이 드물어질 때까지 잠자코 입을 다물었다. 한 팀장은 돌아보지도 않고 물었다.

"일 얘기가 아니면. 업무 시간에 사적인 이야기를 하겠다고 복도까지 따라 나왔습니까?"

"지금 바쁘시면 나중에―"

"애초에 이서단 씨가 나와 나눌 만한 사적인 이야기가 있기는 했고?"

날이 서 있는 목소리였다. 내가 용건이 있어 뒤를 따라오는 걸 알면서도 그는 걸음을 늦출 생각이 없어 보였다. 벌써 컨설팅부가 코앞이었다.

나는 화두를 어떻게 꺼내야 할지 몰라 갈팡질팡하다가 결국 포기하고 걸음을 늦추었다. 그러자 그대로 카드를 찍고 유리문 너머로 들어가 버릴 것 같던 한 팀장이 멈춰 섰다.

"왜 그러는데."

나를 돌아보는 얼굴이 쌓인 피곤으로 까칠했다. 나는 입을 열었다가 다물었다. 반질거리는 그의 타이핀으로 시선을 내리고 말했다.

"문자를 안 주셔서요."

"⋯⋯문자?"

"또, 피곤하신 것 같아서⋯⋯ 꼭 오늘이 아니어도 되면 미뤄도 상관없으니까, 말씀드리려고⋯⋯."

그렇게 말해 놓고 보니 미루고 싶어하는 건 내 쪽인 것처럼 들렸다. 짧은 침묵이 흐르고, 머리 위에서 김빠진 듯한 웃음소리가 들렸다.

"무슨 얘긴가 했네요."

"⋯⋯."

"연락 주는 걸 잊었습니다. 이서단 씨 쪽에서 이견이 없다면 굳이 멀리 갈 것 없이 내 집에서 봤으면 하는데. 오늘 몇 시에 퇴근할 예정입니까?"

반사적으로 고개를 들었다가 가까이에서 눈이 마주쳤다.

"저는 아마 아홉 시쯤⋯⋯."

"그럼 주소 남길 테니까 따로 집으로 오세요. 아니면 회사에서 기다렸다가 같이 가는 게 나을 수도 있고. 나는 부서에서 마감 앞둔 일이 있어서 열한 시 다 되어야 끝날 것 같습니다."

망설임이 목구멍을 틀어막았다. 내가 대답을 못 하고 가만히 서 있자 한 팀장의 눈매가 날카로워졌다. 시선을 피하지 못하게 종용하고는 낮게 물었다.

"싫어요? 평소대로 하는 편이 낫겠습니까?"

"……아닙니다."

내 쪽에서 호텔비를 내는 것도 아닌데, 뭐라고 토를 달 수 있을까. 다시 그의 집에 발 들일 것이라고 생각하자 체한 것처럼 기묘하게 배 속이 울렁거렸다. 단맛 같은 게 입 안에서 희미하게 살아났다. 한 팀장은 시계를 힐끗 확인하더니 등을 돌리기 전에 물었다.

"집으로 바로 오겠습니까?"

"……아니요, 저도 잠깐 집에 들렀다가 다시 회사로 오겠습니다. 부서에 계실 거면 끝나시고 연락 주세요."

"그래요, 그럼."

그는 더 묻지 않고 깔끔하게 대화를 끊었다. 나는 내뱉지 못한 인사를 애매하게 혀 위에 품고, 그가 유리문을 열고 들어가는 것을 지켜보고 서 있었다. 자동 유리문이 나를 차단하듯 느리고 단단하게 닫혔다. 정장 자켓에 감싸인 넓은 등이 모퉁이를 돌아 사라졌다.

두 번째로 보는 그의 집은 이제 낯이 익었다. 지난번에 봤을 때는 그답지 않은 아늑한 공간이라고 생각했는데, 오늘은 현관에서 신발을 벗다 말고 둘러보니 지극히 한 팀장다운 부분들이 눈에 들어왔다. 일주일 내내 쉼 없이 야근이 이어졌음에도 흐트러짐 없는 거실이 그랬고, 대체로 남색이나 검은색 같은 서늘한 무채색으로 통일된 벽지나 가구도 그랬다. 내 집에 다녀온 지 한 시간도 되지 않아서 차이가 더 극명하게 느껴졌다.

공간이 사람을 반영한다면, 내 내면은 휑하게 비어 있는 좁고 어지러운 방이었을까. 머릿속으로 그와 나의 나이 차이를 가늠해 봤다. 7년 후에 내가 이런 집에 살고 있을 것 같지는 않았다. 내 생각을 읽은 것도 아닐 텐데, 구두를 현관 옆으로 정렬하던 한 팀장이 등 뒤에서 말했다.

"어려 보이네요, 그렇게 입으니까."

"……아."

내려다보니 예전에 여동생이 사 준 니트가 눈에 들어왔다. 무심하게 훑어 내리는 시선을 받다가 일단 자그맣게 감사합니다, 라고 말했다. 한 팀장은 표정 변화 없이 대꾸했다.

"좋은 방향으로 그렇다는 게 아닙니다."

"……네."

"평소에는 그렇게 입고 다닙니까? 사적인 약속 있을 때는?"

기억을 더듬다가 뒤늦게 대답했다.

"사복 입고 어딜 가 본 지 너무 오래돼서…… 잘 모르겠어요."

적어도 프로젝트가 시작한 이후로는 없었을 것이다. 눈썹을 치켜세운 한 팀장이 물끄러미 내 얼굴을 보더니 알겠습니다, 라고 짧게 말했다. 입꼬리가 미미하게 올라가 있었다. 뭘 알겠다는 건지는 알 수 없었다.

"옷을 갈아입었으니, 씻고 왔다는 뜻일 거고. 뭐라도 마시면서 기다리겠습니까?"

"아니요, 괜찮습니다."

그가 부엌으로 갈 것처럼 몸을 틀어서 급하게 고개를 저었다. 엉덩이를 조심스럽게 붙인 가죽 소파가 기억만큼 푹신했다. 손바닥으로 가죽을 꾹 눌러보자 표면 위로 지문이 희미하게 남았다. 창을 내다보고 있는데 한 팀장이 욕실 옆의 방에 서류가방을 두고 나오며 나를 멀뚱히 보더니 말했다.

"왜 거기 있어요."

"네?"

"침대 어딨는지 모르는 것도 아니고. 올라가서 기다리세요."

"아…… 네."

급하게 일어서다가 푹신한 러그에 발이 걸려 넘어질 뻔했다. 꼴사나운 휘청거림을 다 지켜보던 그가 생각난 듯이 덧붙였다.

"옷은 미리 벗어 두세요. 내가 벗기다간 찢을 것 같으니까."

욕실 문이 닫혔다. 나는 멈춰 서 있다가 난간을 잡고 계단을 올라가면서 다시 옷을 내려다봤다. 옷감이 얇긴 했다. 선물 받을 때부터 오래된 것처럼 회색인 데다가 보풀이 일어나 있고 소매나 아랫단이 축축 나른하게 늘어진 옷이었는데, 오늘 보니 유독 더 그랬다.

침대 위로 걸터앉아 옷을 벗었다. 얇은 옷감이 쭉쭉 위태롭게 늘어났다. 코트를 벗어도 한기가 느껴지지 않던 아래층과 달리 침실은 공기가 서늘했다. 망설이다가 어쩔 수 없이 그의 이불을 들춰서 몸을 덮었다.

귀를 기울이면 희미하게 아래층 욕실의 물소리가 들리는 것 같았다. 집 안이 조용했다. 숨을 내쉬면 내 숨소리가 고스란히 들릴 정도였다. 정신을 놓으면 눈이 감길 것처럼 피곤해서 나는 침대 가장자리에 불편하게 걸터앉았다.

물소리는 이어졌다 끊겼다를 반복했다. 문이 열리고 닫히는 소리가 들리는 것 같았다. 몸에 바짝 힘이 들어갔다. 희미하게 달그락거리는 소리가 들리는 것 같더니, 갑자기 목소리가 들렸다.

"알아듣게 얘기를 하세요. ……아니, 변명은 빼고."

나를 부르는 것이 아니었다. 긴장했던 몸에서 힘이 축 빠졌다. 누군가와 통화중인지 아래층에서 올라오는 그의 목소리 사이사이에 침묵이 이어졌다.

"……횡설수설하지 말라고. 뭐가 어쨌다는 겁니까, 그래서."

길게 침묵이 이어지고, 뭔가 부서지는 소리 비슷한 게 커다랗게 났다. 나는 몸을 덮은 이불 안쪽으로 움츠러들었다.

"장난하지, 지금 나랑."

이 정도로 격양된 목소리는 처음인 것 같았다. 나는 나도 모르게 침대 위쪽으로 물러났다.

"내가 TF 일로 바빠서 몇 주간 신경 많이 못 쓴 건 알고 있는데, 그게 일처리 이딴 식으로 하라는 뜻은 아니었습니다. 유 대리 선에서 적절하게 끊어 내거나 나한테 컨펌받는다고 둘러댔어야지. 지금 마감 기한이 일주일도 안 남았는데, 제정신으로 하는 소립니까?"

내가 혼나는 것도 아닌데 날카로운 말이 뱉어질 때마다 언어맞는 것처럼 몸이 떨렸다. 나는 결국 불안감을 참지 못해 이불을 몸에 돌돌 두른 채로 질질 끌고 열려 있는 방문까지 다가갔다.

계단 아래에 그가 보였다. 불 켜진 욕실에서 뿌옇게 김이 새어 나왔다. 가운 차림의 그가 거실 한가운데 핸드폰을 든 채로 서서 통화 중이었다. 나는 방문의 열린 틈새로 물이 뚝뚝 떨어지는 그의 뒷모습을 내다보았다.

"열두 시 다 된 게 무슨 상관이야. 내가 전화를 꺼 두길 했습니까, 연락해도 되는 시간을 따로 정해 두길 했습니까? 내 밑에서 일하면서 내가 한 번이라도 유 대리에게 그 정도로 독단적으로 행동해도 된다고 말한 적 있습니까? ……클라이언트 편들 거면 아예 그쪽으로 회사 옮기지 그래요. 책상 빼세요, 당장. 회사 돌아와서 물건 갖고 나가라고. ……내 말이 장난으로 들려?"

이제 와서는 그가 들을까 봐 다시 움직일 수도 없었다. 숨을 죽인 채로 문 옆 벽에 등을 기댔다. 다른 사람이 혼나는 소리를 들으니 기분이 묘했다. 내가 아니라는 안도감과, 내가 아니어도 어찌 되었든 느껴지는 무서움이 교차했다.

벌컥, 문 열리는 소리가 들렸다. 한 팀장의 등이 욕실 옆방으로 사라졌다. 통화 소리가 드문드문 이어졌다. 다시 모습을 드러냈을 때, 그는 정장 바지의 벨트를 채우며 핸드폰을 귀와 어깨 사이에 끼고 통화 중이었다.

"……서울로 와서 뭐가 해결되는데. 거기 있어요. 담당자 무슨 수를 쓰든 다시 불러내세요. 한 시간 안에 갈 테니까. ……내일로 넘어가면 수습 못 할 문제 될 수도 있습니다."

셔츠를 잠그지 않고 대충 걸친 채로 그가 방에서 서류가방을 들고 나와 거실 바닥에 던져 놓았다. 클리어 파일 몇 개가 그 뒤를 이었다.

"나한테 죄송해서 달라지는 일 없습니다. 전화 끊고 담당자한테 연락해서 설득하세요. 나머지 얘기는 가서 들어도 되니까 거기까지만 해요."

통화가 끝날 기미가 보여서 나는 이불을 둘둘 두른 채로 재빨리 침대로 돌아갔다. 긴장이 한 번에 빠지듯 안도감에 어깨가 축 늘어졌다. 아마 이번 주의 토요일은 나와는 관계없는 상황으로 불발될 모양이었다.

계단을 올라오는 소리가 들렸다. 끊겠습니다, 라고 차갑게 말하는 목소리가 들리고, 한 팀장이 조금 열려 있는 문을 완전히 젖혀 열었다. 머리가 아직 젖어 있었다. 핸드폰을 들지 않은 쪽의 단정한 손가락이 셔츠 단추를 아래서부터 잠가 올리고 있었다.

"이서단 씨."

핸드폰을 주머니에 넣으며 그가 나를 불렀다. 미간에 깊게 파인 골을 보고 나는 네, 라고 바로 대답했다. 단추에 집중하던 그가 힐끗 시선을 들었다.

"내가 지금 인천에 가 봐야 할 것 같습니다. 컨설팅에서 맡고 있는 프로젝트에 문제가 생겨서."

상대를 죽일 듯 살벌하게 씹어 뱉던 아래층의 목소리가 아니었다. 서늘한 감은 남아 있었지만 깔끔하고 낮은 목소리에 나는 얼결에 고개를 끄덕였다. 확실히 나에게 화가 난 것은 아닌 모양이었다.

"몇 시에 오세요?"

"아직 모르겠습니다. 그쪽으로 외근 나가 있는 팀원이 사고를 친 모양인데, 수습이 될지는 가 봐야 알 것 같습니다. ……내 실책도 있습니다. TF 한다고 자리를 너무 비웠더니 바로 이 꼴이 나네요."

그가 무언가를 삼키듯 숨을 길게 눌러 뱉었다. 나는 엉킨 이불더미를 추켜올리며 일어났다. 침대 밑의 옷을 집으려고 팔을 뻗었는데, 넥타이를 매던 그가 건조하게 말했다.

"집행유예라도 받은 것처럼 신이 났지, 아주."

"……네?"

다행히 화가 난 목소리는 아니었다. 내가 벗어 둔 옷더미를 보던 그가 물끄러미 나를 보더니 말했다.

"자고 가세요. 어차피 출근할 옷 들고 왔을 거고."

"아…… 괜찮습니다. 팀장님도 안 계시는데……."

"회사에서도 내 집이 더 가깝고, 자고 내일 아침에 출근하는 게 더 효율적일 것 같습니다. 토 달지 말고 자고 가세요."

한 팀장이 없는 그의 집에 혼자 남아 있고 싶지는 않았다. 수면제도 갖고 오지 않았고, 내 침대도 아닌 곳에서 눈을 붙일 수 있을 리 만무했다. 설득할 이유가 생각나지 않아 말없이 그를 올려다봤다. 어깨에 둘렀던 이불이 느리게 흘러내렸다. 넥타이의 매듭을 탁탁 당기던 그가 힐끗 내 쪽을 쳐다봤다. 허공에서 시선이 부딪쳤다.

"……아."

그가 다문 잇새로 뭔가 중얼거린 것 같았다. 막 완성되었던 넥타이가 다시 거칠게 풀어져 내렸다. 잠갔던 단추를 손끝으로 툭툭 풀자 쇄골의 곧게 뻗은 선과 가슴팍이 드러났다.

"팀장님……?"

"엎드려 보세요. 안 되겠으니까."

"네?"

영문을 몰라 그를 올려다봤다. 셔츠를 벗어 아무렇게나 바닥에 던져둔 한 팀장이 침대 밑에 달린 서랍을 열었다. 콘돔 상자와 젤통을 꺼내며 끊어 말했다.

"내가 시간이 별로 없습니다. 빨리 끝내 줄 테니까 엎드리세요."

"그……"

"미리 사 놓기를 잘했네."

그가 상자에서 네모난 호일 포장을 꺼내 침대 위에 대충 던져두었다. 나는 그제야 상황이 파악이 되었다. 항의가 되지도 못할 말을 내뱉으려고 입을 열었다가 다시 잠잠하게 다물었다. 심장 박동이 갑자기 치솟았다.

이불 사이에서 나와 더듬더듬 침대에 배를 깔고 엎드렸다. 등 뒤에서 지퍼 내려가는 소리가 섬뜩하게 들렸다. 한 팀장은 내 발목을 잡고 침대 가장자리에 내 엉덩이를 걸쳐 놓았다. 발등이 바닥에 부딪혔다.

젤의 질척한 소리가 울렸다. 나는 눈을 감고 이불에 뺨을 묻었다. 호흡을 느리게 가라앉히려고 노력했다. 차가운 젤을 묻힌 뜨거운 손가락이 엉덩이골 사이를 곧바로 문질러 왔다. 작게 움츠러든 주름을 몇 번 누르더니 안으로 꾹 파고들었다.

"······으, 웃, 으······."

거북함에 소리를 참아도 억누른 숨이 새어나갔다. 젤의 힘을 빌려 안쪽까지 단숨에 들어온 두 개의 손가락이 가위처럼 안을 벌렸다. 입구까지 빠져나가고 몇 번 느리게 드나들었다. 내벽이 단단한 것으로 훑어지는 느낌에 배 속이 움찔거렸다.

입구 쪽을 벌려 젤을 끼웠듯이 밀어 넣은 그가 성의 없이 손가락으로 푹푹 들쑤셨다. 나는 이불을 땀이 축축하게 차오르는 손바닥으로 그러쥐었다. 그가 등 뒤에 있자 얼굴이 보이지 않았다. 몸을 드나드는 손가락에는 이름표가 붙어 있지 않았다. 그게 뭐라고, 경직된 몸에서 힘이 쉽게 빠지지 않았다.

같은 걸 느꼈는지, 내벽 안쪽을 손끝으로 더듬던 그가 낮게 가라앉은 목소리로 말했다.

"왜 이렇게 힘이 들어갔어."

"……읏."

"긴장 푸세요. 제대로 안 풀고 넣으면 다칩니다. ……조이지 말고. 왜 이래요, 오늘."

참고 있던 숨을 뱉었다. 등이 식은땀으로 축축했다. 배 속을 누비는 이물감을 어떻게든 참아 내며 뺨을 이불 위로 비볐다. 흐릿한 시야를 깜박이며 작게 중얼거렸다.

"팀장님 얼굴이…… 안 보여서 그런 것 같아요."

손가락의 움직임이 멎었다. 침묵이 길어서 목이 아프도록 고개를 뒤로 돌려 쳐다봤더니, 한 팀장이 나를 뚫어져라 보고 있었다.

"다른 건 아무것도 모르면서, 그런 건 어디서 배워 왔어요."

"……네?"

"타고난 겁니까?"

스륵, 몸 안에서 손가락이 빠져나갔다. 허전함에 몸이 동그랗게 말렸다. 한 팀장은 더 이상의 말 없이 나를 다시 뒤집었다. 다리를 크게 벌려 몸이 반으로 접힐 것처럼 누르고 엉덩이를 다시 침대 가장자리로 당겨 왔다.

딱딱한 손끝이 다시 뒤를 비집어 열었다. 숨을 토해 내며 눈을 감았더니 딕이 잡혔다.

"눈 뜨세요. 내 얼굴 봐야지."

"흐, 읏."

흐릿한 시야에 그의 얼굴이 잡혔다. 길고 서늘한 눈매에 웃음기가 배어 있었다. 규칙적으로 안을 문지르며 그가 말했다.

"콘돔 뜯으세요."

"……제가, 웃, 제가요?"

"그럼 누가 뜯겠습니까. 내 손은 이서단 씨 몸 안에 있는데."

그가 깊숙한 곳에서 손가락을 빙 돌렸다. 가빠진 호흡으로 나는 침대 위를 더듬어 그가 아까 던져두었던 콘돔을 찾아냈다. 호일의 까끌한 면이 손등에 부대꼈다. 집어 들어 뜯으려 하는데 떨리는 손끝이 자꾸만 미끄러졌다.

"웃, 뜯었, 는데……."

"이리 줘요."

한 팀장이 미끈거리는 것을 내 손에서 받아 갔다. 윤활제인지 물기가 손에 남아 기분 나쁘게 끈적거렸다. 몸 안에서 손가락이 한 번에 빠져나갔다. 나를 내려다보며 선 채로 그가 지퍼 사이로 성기를 꺼내 몇 번 위아래로 문질렀다. 빳빳하게 성난 것에 콘돔을 씌우고 밑동을 쥐었다. 툭, 뜨거운 것이 엉덩이에 부딪혀 왔다.

"아프면 말하세요."

"……웃, 아……."

무섭고 정신없는 와중에도 그 말이 그답지 않아서 뇌리에 박혔다. 땀인지 눈물인지 모를 것으로 무거워진 눈꺼풀을 깜박이며 그를 올려다봤다. 성기를 쥐고 엉덩이골 사이로 몇 번 질척하게 문지르던 한 팀장이 내 얼굴을 보더니 웃었다.

"왜요. 내가 이런 말 하니까 이상합니까?"

"훗, 아아…… 네, 흐윽!"

"내가 아프라고 할 때만, 아파야지. 아무 때나 아파서 그게 나한테 무슨 이득입니까."

구부러지는 무릎을 그가 잡아 어깨 위로 올렸다. 긴장으로 경직된 배 위를 손바닥으로 느리게 쓰다듬었다. 길쭉한 성기가 안을 벌리며 천천히, 끝까지 들어왔다. 까끌한 털과 지퍼의 날카로운 감각이 엉덩이에 바짝 눌렸다.

숨을 천천히 뱉은 그가 내 다리를 안은 팔을 들어 힐끗 손목시계를 확인했다. 낮게 욕을 씹어 뱉었다.

"빨리 갈 거니까 힘 빼세요."

"훗, 아, 아!"

인정사정없는 속도로 성기가 드나들었다. 벌어진 입구가 마찰열로 달아올랐다. 젤 때문인지 푹, 푹 하는 소리가 커다랗게 울렸다. 나는 시선을 피하고 싶었지만 그가 허락해 주지 않았다. 얼굴을 봐야 한다고 말하지 않았냐며 몇 번이나 얄궂게 눈을 뜨게 했다.

다리가 자꾸 오므라들었다. 그가 침대 위로 무릎을 딛고 올라와 내 뺨 옆으로 팔을 짚었다. 기둥을 입구까지 빼내고 한 번에 안으로 쳐넣기를 반복했다. 성기가 안으로 꽉, 꽉 드나들 때마다 머릿속이 하얗게 흩어졌다. 이마가 거의 닿을 정도로 얼굴이 가까이 붙었다. 나는 반사적으로 턱을 들며 입술을 조금 벌렸다.

닿을락 말락 한 거리에서 그의 입술이 아슬아슬하게 멈췄다. 그가 웃었다.

"내가 키스해 줄 것 같았어요?"

"흐으, 훗…… 으."

"뭘 잘했다고 상을 받아."

닿는 숨이 간지러웠다. 눈꺼풀 뒤로 열이 올랐다. 나는 나도 모르게 손으로 이불을 더듬다가 그의 팔을 손잡이처럼 그러쥐었다.

"이걸 인천으로 데려갈 수도 없고."

"흐, 으응, 으, 아아……."

갈증에 목이 탔다. 손바닥에 잡힌 단단한 팔뚝에 힘이 들어갈 때마다 힘줄이 도드라졌다. 발목이 걸쳐진 그의 어깨도 뜨거웠지만 그걸로는 부족했다. 접촉하는 범위를 넓히고 싶어서 얼굴을 조금 들었다. 그의 콧날이 인중에 부딪혔다. 아슬아슬하게 다시 뒤로 물러난 그의 입술이 호선을 그리고 있었다.

"안에 더 조여 봐요. 내가 빨리 싸야, 이서단 씨는 푹 자고, 나는 담당자 조지러 인천 갈 게 아닙니까."

"훗, 잘 안, ……아아, 으."

"떡 줄 사람은 생각도 없는데, 입술만 들이대면."

쪽, 입꼬리 옆으로 짧게 말랑한 입맞춤이 내려앉았다.

"누가 키스해 줄 줄 알고."

"훗……."

아랫입술에 그가 이를 가볍게 세웠다. 몸 안의 움직임이 더 거칠어졌다. 나오는 호흡이 자꾸 끊겼다. 버티다 못해 젖어 든 눈을 꽉 감았더니 눈꺼풀 위로 뜨거운 입술이 내려왔다. 이마, 콧등, 발갛게 물든 코끝. 그리고 마침내 입술이 맞물렸다. 입안으로 매끄럽게 파고드는 젖은 혀를 나는 입을 오므려 옭아맸다. 필사적으로 혀끝을 맞대고 핥았다. 맞닿은 몸에 힘이 들어가는 것이 느껴지고, 그가 내 입안에 길고 나른한 숨을 토해 냈다.

자세가 무너지며 몸이 완전히 겹쳐졌다. 어깨 위로 대롱거리던 발목이 침대 위로 떨어졌다. 맞닿은 가슴팍이 뜨거웠다.

"……아."

목덜미에 대고 그가 한숨을 짧게 쉬었다. 뜨거운 숨이 간지러웠다.

"……팀장님, 시간……."

이러다 그가 잠들 것 같아 내가 대신 작게 말했다. 몸이 흔들리는 내내 가까이에서 본 그의 얼굴은 확실히 지난주보다 피곤해 보였기 때문이다. 이 새벽에 인천까지 운전해 가야 하다니, 그 기분은 상상하기도 싫었다. 무거워진 눈을 깜박이며 나는 소리 없이 유 대리와 담당자라는 사람의 명복을 빌었다.

"……팀장님."

그가 미동이 없어 한 번 더 부르자, 대답 대신 그가 느리게 몸을 일으켰다. 그제야 몸 안에 깊숙이 맞물려 있던 성기가 스르륵 빠져나갔다. 입술을 꾁 깨물고 숨을 참았다. 침대 밖으로 발을 내린 한 팀장은 여전히 나른한 감이 남아 있는 몸으로 콘돔을 빼서 묶고 있었다.

"시트 갈 필요까진 없을 것 같고."

바닥에 떨어져 있던 셔츠를 걸치며 그가 말했다. 침구를 훑어 내린 시선이 둥글게 말린 내 몸 위로 머물렀다.

"아침까지 돌아올 수 있을지 확실하지 않습니다. 일어났는데 내가 없으면 알아서 씻고 나가세요. 현관문은 알아서 잠기니까 닫고 나가면 됩니다."

"……네."

"부엌에서 뭐라도 꺼내 먹어요. 회사까지는 택시 타고."

"네."

손가락이 빠르게 단추를 잠갔다. 정갈한 차림새가 감쪽같았다. 나는 침대 위에서 꾸물꾸물 이불 속으로 기어들어 가며 그가 옷을 입는 것을 올려다봤다. 넥타이까지 두르고 몇 번의 손놀림으로 가지런한 매듭을 맨 그가 아직 물기가 남아 있는 머리를 대충 쓸어 넘기더니 눈살을 찌푸렸다.

"누가 봐도 섹스하다 온 차림새 같네."

"……그렇지는……."

눈가가 조금 붉었고 머리가 헝클어지긴 했지만 그 정도는 아니었다. 도리가 없는지 짜증스럽게 혀를 찬 팀장이 시계를 확인하고 자켓과 코트를 집어 들었다. 정말로 시간이 없는 모양인지 문 쪽으로 향하는 걸음이 평소보다도 빨랐다.

손잡이를 잡고 멈춰 선 그가 다시 뒤돌았다. 이불에 파묻혀 고개만 내민 나를 물끄러미 보더니, 잠시 눈을 감았다 떴다.

그대로 문을 열고 사라져서 나는 그의 등에 대고 뒤늦게 인사했다. 잘 다녀오세요, 라고 말했지만 작은 목소리가 닿았는지는 알 수 없었다. 아래층에서 문을 여닫는 소리가 들리더니 계단을 다시 올라오는 빠른 발소리가 들렸다.

"팀장님."

"잘 다녀올 테니 그건 걱정하지 말아요."

침대 옆으로 그가 들고 온 것들을 내려놓았다. 물이 담긴 키 큰 유리컵 하나와 내 핸드폰이었다. 눈을 들자, 그가 나를 보고 있었다. 불쑥 손이 뻗어오더니, 뺨 위로 손등이 가볍게 스쳤다.

"잘 자고 내일 봅시다."

"……운전 조심하세요."

눈을 내리고 말했다. 한 팀장은 별다른 대답 없이 등을 돌렸다. 나가는 길에 방의 조명을 꺼 주었다. 어둠 속에서 계단을 내려가는 걸음 소리, 그리고 얼마 지나지 않아 현관문이 닫히는 소리가 들렸다.

나는 침대 끝으로 기어가 몇 번 더듬은 끝에 물컵을 집어 들었다. 손에 닿는 유리가 서늘하고 깔끔했다. 마른 목을 축이고서 다시 베개 위로 뺨을 붙였다.

어둠 속에서 가만히 눈을 깜박였다. 눈꺼풀이 느려지고 무거워졌다. 탈력감에 몸이 축축 늘어졌다. 그리고 낯선 침대 운운한 것이 우습게, 빨려들 듯이 깊은 잠에 빠졌다.

그리고 동이 튼 새벽에 눈을 떴을 때, 반사적으로 뻗은 팔에는 온기가 잡혔다. 단단한 체온에 몸이 맞닿아 있었다. 믿을 수 없어서 시선을 옮겨 그의 잠든 얼굴을 확인했다. 커튼 사이로 새어든 빛이 빛바랜 회색이었다. 흐릿한 어둠 속에서 그의 뺨에 내려앉은 속눈썹을, 굳게 다물린 입술의 선을 눈으로 여러 번 덧그렸다.

어둠 속에서 팔을 뻗었다. 차마 그를 끌어안지는 못하고 매달리듯 어설프게 그의 허리에 팔을 둘렀다. 단단한 가슴 위로, 심장이 뛰고 있는 살갗 위로 소리 없이 뺨을 붙였다.

이제 어떡하지……? 라고 생각했다. 귓바퀴를 타고 규칙적으로 심장 소리가 들려왔다. 나는 눈물이 날 것 같아서 느리게 눈을 감았다.

일주일 만에 처음으로 제대로 된 잠을 자고, 눈을 뜨니 그가 옆에 있었다. 단단한 체온이 있었고, 평온한 숨소리가 있었다. 그뿐이었는데, 나도 모르게 선 앞까지 다가와 있던 발끝이 거짓말처럼 툭 선을 넘어가는 것을 직감했다.

또 한 번의 귀환 불능 지점이었다.

☙

문이 열리는 소리에 나는 고개를 빠르게 돌렸다. 서류를 잔뜩 옆구리에 끼고 들어선 권 대리가 멀뚱히 나와 시선을 마주쳐 왔다.

"왜요?"

"……아니요."

"팀장님은?"

지난 며칠간 귀에 딱지가 앉도록 들은 질문이었다. 물어 놓고도 대답이 뻔한지 한 팀장의 빈자리 쪽으로 시선을 힐끗 던진 권 대리는 파일을 회의실 테이블 위로 와르르 내려놓았다.

"언제 오신다는 연락도 없으셨고?"

"오후쯤 오실 것 같다고 전해 듣긴 했는데……."

벌써 오후 4시가 넘어있었다. 시계를 쳐다본 권 대리가 혀를 찼다.

"이서단 씨는 뭔 일인지 들었어요? 인천인가 뭔가."

"네, 박 대리님이 말해 주셨어요."

"나도 자세한 사정은 모르겠는데, 한 팀장 안 오는 걸 보면 거기서 누가 뭘 제대로 말아먹었나 보지. ……사고 친 인간 이름이나 좀 알면 좋겠네."

표정을 보아하니 이름을 알아서 썩 좋은 곳에 쓸 생각은 아닌 모양이었다. 사고 친 팀원이 누구며 그 사고가 언제 일어났는지도 어쩌다 보니 알고 있는 나는 입을 다물었다. 전화를 받고 한 팀장이 얼마나 화가 나 있었는지, 인천으로 출발하기 전에 나를 내려다보던 표정이 어땠는지, 그리고…….

달칵, 문 열리는 소리가 들렸다. 나는 권 대리보다도 빠르게 눈을 들었다. 열린 틈새로 몸을 들인 박 대리가 영문도 모르고 양쪽에서 쏟아지는 시선을 받아 냈다.

"아, 팀장님인 줄 알았네."

권 대리가 대놓고 표정을 구겼다. 구박받는 것에 익숙해졌는지, 박 대리는 별 반응도 없이 문을 닫으면서 말했다.

"지금 돌아오는 중이시라니까 다섯 시 전에는 도착하실 거예요. 시간 오래 못 내주신다니까 컨펌 받을 것만 각자 정리해서 한 명씩 팀장님이랑 면담하고, 간단한 건 웬만해선 내가 확인하는 쪽으로 가야 할 것 같아요. 아, 이서단 씨 질문 중에 나중에 팀장님 의견 듣자고 했던 것도 그냥 내가 내일쯤 봐줄게요. 이서단 씨나 윤 대리는 굳이 팀장님 뵐 필요까진 없을 것 같고."

"……네."

시계를 반사적으로 쳐다봤던 나는 한 박자 늦게 박 대리의 말을 이해하고 어깨가 조금 내려앉았다. 권 대리와 박 대리는 곧 보고서를 두고 길고 치열한 토론에 들어갔다. 나는 빈 바탕화면에 마우스를 의미 없이 빙빙 돌리다가 리바이를 열었다. 상단의 프로필 목록에 그의 이름이 오프라인으로 표시되어 있었다. 옆에 있는 작은 프로필 사진은 여전히 눈 덮인 산이었다.

한 팀장은 5시 10분이 되어서야 도착했다. 회의실에 들어서자마자 다른 데는 눈길도 주지 않고 박 대리에게 손짓해 자료실로 데리고 들어갔다. 한 팀장이 회의실에 뜸했던 지난 사흘 동안 중심축을 잃은 것처럼 위태롭게 기우뚱거리던 팀의 분위기는 그가 온 것만으로도 질서정연하게 정리되었다. 박 대리 다음에는 권 대리, 그 다음에는 김 주임이 얌전히 줄을 선 것처럼 한 팀장을 보러 들어갔다.

나는 불투명한 유리로 된 자료실의 창을 통해 희뿌옇게 비치는 실루엣을 구경했다. 끝내야 하는 보고서를 불러와 몇 글자씩 지웠다가 다시 적어 넣기를 반복했다. 창밖으로는 해가 지고 있었다. 회사 앞 대로변의 가로등에 일제히 불이 들어왔다.

문이 열리는 소리에 고개를 돌렸다. 김 주임이 나왔는데 한 팀장은 그 뒤를 따라 나오지 않았다. 불투명한 유리에 여전히 그의 그림자가 까맣게 어려 있었다.

지친 기색이 역력한 표정으로 자리에 서류를 내려놓은 김 주임이 내 쪽으로 손을 휘적였다.

"이서단 씨, 팀장님이 잠깐 보자던데."

"……저요?"

심장이 단숨에 턱 끝까지 뛰어올랐다.

"저는, 물어볼 건 박 대리님한테 그냥……."

"모르겠는데, 이서단 씨 불러오라고 하셨어요."

"윤 대리님은요?"

순서대로라면 그게 맞았다. 바짝 마르는 입술로 반쯤 몸을 일으켰다. 박 대리와 윤 대리가 의아한 표정으로 의자를 돌렸다. 김 주임은 어깨를 으쓱했다.

"일단 들어가 봐요, 기다리시게 하지 말고."

"네."

얼른 자리에서 일어났다. 자료를 뭘 들고 가야 하는지 몰라 있는 건 다 챙겨 들었다가 다시 내려놓았다. 박 대리의 말대로 굳이 한 팀장의 의견이 절실할 정도로 중요한 일은 없었다. 용건을 짐작할 수가 없어서 뭘 들고 가야 할지도 알 수 없었다.

자료실까지의 몇 걸음이 한없이 길게 늘어졌다. 숨을 참고 자료실 문의 열린 틈으로 일단 머리를 조심스럽게 넣었다.

핸드폰을 보고 있던 한 팀장이 고개를 들었다. 내가 얼어붙어 있자 안 들어오고 뭐 하냐는 듯이 미간에 가볍게 골을 팠다. 나는 입을 한 번 다물었다가 다시 열었다.

"자료…… 뭐 가져올까요?"

"아무거나."

"네?"

"아무거나 적당히 집어 와요."

무심한 얼굴로 그가 핸드폰 스크롤을 툭툭 내렸다. 나는 대답도 못하고 자리로 돌아가 꽂혀 있던 폴더 중 아무거나 빼 들었다. 딱딱한 플라스틱을 비집는 손가락이 몇 번 엇나갔다. 올려다보는 박 대리에게 내뱉을 변명도 생각나지 않아서 그냥 고개만 저어 보였다.

자료실로 다시 들어가자 한 팀장은 말했다.

"문 닫으세요."

"……네."

문이 닫히는 순간 방 안의 공기가 달라진 것도 아닐 텐데, 갑자기 숨이 막혔다. 의자에 엉덩이를 붙이며 나는 무릎 위로 내려놓은 폴더를 뚫어져라 내려다봤다. 겉장에는 펜이 스쳐 지나간 것 같은 가느다란 얼룩이 있었다.

심장 뛰는 소리가 이렇게 큰데 그에게 들리지 않을 리 없다고 생각했다. 그가 눈앞에 있다는 사실에 내가 얼마나 동요하고 있는지 들키지 않을 리 없다고 생각했다.

자켓과 코트를 벗어 둔 셔츠 차림의 한 팀장이 테이블 맞은편에, 1미터도 안 되는 거리에 앉아 있었다. 단둘이 남은 것은 그와 함께 출근했던 일요일 오전 이후로 처음이었다.

"이서단 씨."

"……네."

그가 핸드폰을 옆으로 내려놓았다. 단정하고 긴 손가락이 시야 끝에 잡혔다.

"어제 낸 보고서는 한 번 훑어보기는 했는데, 자세한 피드백은 박대리한테 맡겼으니까 그쪽한테서 듣도록 하세요."

"……네."

"이번 주까지는 내가 부서에 있든지 인천에 있든지 할 것 같아서, 채팅으로는 연락이 잘 안 닿을 겁니다. 따로 나한테 물어봐야 하는 게 생기면 메일 보내 두세요. 나중에 답장 주겠습니다."

다 아는 내용이었지만 나는 고개만 끄덕거렸다. 그가 나를 자료실에서 쫓아내지 않고 가능한 오래 어떤 얘기든 계속하면 좋을 것 같았다. 눈을 잠깐 들어 그의 얼굴을 샅샅이 살피고, 눈이 마주치기 전에 시선을 떨어뜨렸다.

"그리고……."

그가 말을 잠시 끊었다. 숙인 머리 위로 와 닿는 시선이 느껴졌다.

"타이밍이 안 좋긴 한데, 지금 시점에서 이서단 씨와 해야 할 얘기가 있어서 보자고 했습니다. 따로 시간을 내서 얘기하려 했는데 당분간은 어려울 것 같아서."

그답지 않게 서두가 길었다. 표정이 궁금했지만 눈을 들 수 없었다.

"지금 프로젝트 종료가 한 달이 채 남지 않았는데, 이쯤에서 짚고 가야 할 건."

"……."

"이서단 씨의 앞으로의 거취에 대한 문제입니다."

말을 이해하는 것이 느렸다. 나도 모르게 고개를 들었다. 한 팀장은 무덤덤한 표정으로 핸드폰이 등을 보이도록 뒤집었다. 테이블에 시선을 비스듬히 둔 채로 말을 이었다.

"다행히도 나는 이서단 씨의 예전 부장만큼 무능하지도 않고, 이서단 씨 업무 능력을 TF 팀장으로서 보장해 줄 수 있는 입장이 되었으니, 영업부나 대구 지사 외의 길도 이서단 씨가 원한다면 열어 줄 수 있을 것 같습니다. 본인에게 잘 맞는 일이 뭔지 몇 달간 충분히 고민해 봤으리라고 생각합니다. TF 통해서 이 회사가 어떤 곳이고 어떻게 돌아가는지도 객관적으로 파악할 수 있게 되었을 거고."

"……."

"이 회사에 남고 싶다면, 가고 싶은 부서의 부장이나 팀장에게 말을 넣어 주겠습니다. 그건 처음부터 내가 이서단 씨에게 약속한 바이고."

서늘하고 깔끔한 얼굴이었다. 나는 갑자기 그와 처음 일대일로 대면했던 4층의 면접실을 떠올렸다.

한 팀장은 잠시 말을 끊었다가 눈을 힐끗 들었다. 테이블 위로 시선이 느리게 맞부딪쳤다.

"아니면 내 도움을 받아서 회사를 옮기는 방법이 있습니다. 물론 래원만큼 연봉이나 대우가 좋은 곳은 드물지만, 이서단 씨가 능력을 펼치기에는 다른 환경이 나을 수도 있어요. 래원에 남아 있는 게 이서단 씨의 앞으로의 발전에 도움이 될지, 잘 생각해 봐서 결정하세요."

내 얼굴을 가만히 보던 그가 덧붙였다.

"이서단 씨가 가진 능력과 성실함을 높이 사 주는 상사 밑에서 일했으면 하는 게 내 바람입니다. 본인에게 잘 맞고, 잠재력을 이끌어 낼 수 있는 환경이 어디인지, 앞으로 어떤 커리어를 쌓아 나가고 싶은지, 이번 기회에 제대로 생각해 보세요."

무감한 어투였지만, 그 나름대로의 칭찬이고 인정이었다. 두 달을 그의 밑에서 일했지만 비슷한 말은 한 번도 들어 본 적 없었다. 나는 뒷얘기는 전부 기억이 나지 않을 정도로 머리가 하얘져서 시선을 떨어뜨렸다. 감사하다는 말이 목에 걸려 나오지 않았다.

핸드폰을 다시 뒤집어 시간을 힐끗 확인한 한 팀장이 등받이에 몸을 기대어 앉았다.

"지금 당장 얘기하라는 건 아닙니다. 시간을 많이 줄 수는 없지만, 꼼꼼히 생각해 보고 이번 주 주말 정도까지……."

"팀장님."

나는 그의 말을 끊었다. 희미하게 미간을 찌푸린 한 팀장이 고개를 짧게 끄덕였다. 말을 계속해 보라는 뜻이었다.

숨을 들이쉬었다. 나도 모르는 곳에서 말이 터져나갔다.

"저, 팀장님 부서로 가고 싶습니다."

목소리 끝이 갈라졌다. 나는 이를 악물었다.

"회사 원칙상 어쩔 수 없어서 일단 소속만 거기로 옮겨 주신 건 알지만…… TF에서 했던 일과도 관련이 있고, 예전부터 컨설팅 일에 관심이 있었고……. 래원에 남아서 팀장님 밑에서 일하고 싶습니다."

말하고 나니 어디서 치솟은 용기인지 알 수 없었다. 무릎 위의 손이 덜덜 떨리고 있었다. 한동안 말이 없던 한 팀장은 마침내 짧게 한숨을 뱉었다.

"글쎄요."

"……."

"지금까지 지켜봐 온 바로는, 이서단 씨가 컨설팅 업무에 적합한 사람인지는 잘 모르겠습니다."

말끝이 깔끔하고 냉랭했다. 보이지 않는 유리벽에 세게 부딪친 듯한 거절에 나는 입을 다물었다. 그리고, 라고 한 팀장이 건조하게 말을 이었다.

"이서단 씨 책상을 임시로 부서에 들여놔 줬다고 해서 문턱이 낮은 곳이라고 생각하면 곤란합니다."

"그렇게는……."

"팀에 인력이 부족한 것은 사실이지만, 그건 머릿수만 하나 늘리자는 게 아니라 당장 현장에 투입이 가능한 인원이 필요하다는 겁니다. 마땅한 사람이 없어서 안 뽑은 거지, 아무나 받아야 할 정도로 사정이 급한 건 아닙니다."

입안에서 피 맛이 났다. 나를 물끄러미 보는 시선이 느껴졌다.

"내 말이 기분 나쁩니까?"

"……아닙니다."

"이서단 씨 자질이나 노력이 부족하다는 게 아니라……."

그가 말을 중간에 끊었다. 적당한 표현을 찾는지 한참 동안 말이 없었다.

그 사이 빨갛게 까진 듯한 속살이 무뎌졌다. 오기나 객기가 덩어리처럼 뜨겁게 치밀었다. 나는 또 그의 말을 끊으며 입을 열었다.

"아니면요?"

"……뭐?"

"왜 팀장님은 제가 컨설팅에 맞지 않는다고 생각하십니까?"

한 팀장은 어이가 없는지 바람 빠지는 소리를 내며 웃었다. 불쾌감을 숨기지 않는 냉정한 얼굴을 나는 피하지 않고 올려다봤다.

"간이 배 밖으로 나왔지, 오늘."

"……."

"첫째로, 컨설팅은 기본 성격은 영업과 흡사합니다. 일 년의 대부분이 외근이고, 사람 만나고 구슬리고 설득해서 돈 받아 내는 일인데, 영업에 자신이 없는 이서단 씨가 컨설팅은 잘할 것 같습니까?"

"……."

"둘째로, 곪아 터진 남의 회사를 뜯어고치는 일은 가능한 넓게, 큰 그림을 볼 수 있는 시각이 필요합니다. 이서단 씨가 써 오는 보고서를 보면 뺄셈식으로 사고하는 경향이 있습니다. 다시 말해…… 객관적인 현상보다 그 현상이 얼마나 이상에서 뒤떨어졌는지를 먼저 본다는 건데, 내 경험상 그런 성향의 사람이 컨설팅 일을 하면 본인이 힘들어지게 되어 있습니다. 이건 이서단 씨 업무 경력이 그리 길지 않아서 그런 걸지도 모르겠지만……. 내 말이 어렵습니까?"

고개를 말없이 저었다. 눈을 가늘게 뜬 한 팀장이 뭔가를 생각하는 듯이 테이블을 손가락으로 두어 번 두드렸다.

"좋게 말하자면, 성격답게 올곧아서 타인에게도 그 높은 기준을 적용시킨다는 거고. 나쁘게 말하자면 현장에서 효과적으로 일하기엔 아직 좀 나이브하다는 겁니다."

호흡기를 누가 쥐어 찌그러뜨리는 것처럼 가슴이 불현듯 답답해졌다. 눈앞이 암전했다. 당연한 말의 어떤 것이 갈퀴처럼 속을 긁어 놓았다. 나는 테이블에서 눈을 들지 않고 조용히 말을 뱉어 냈다.

"제가 그때, 그 상황에서, 아무 말도 안 했더라면…… 못 본 척했더라면, 팀장님 부서의 팀원이 될 자격이 생기는 거였나요?"

무례하고 의미 없는 질문이었다. 그 사나움을 숨기지도 않고 발톱을 드러낸 말이었다. 한 팀장은 한동안 대답이 없다가, 깔끔하게 정돈된 목소리로 대답했다.

"이서단 씨가 그때 그 상황에서 입 다무는 것을 선택했다면, 우리가 이렇게 마주 앉아 있을 일이 애초에 없었을 겁니다."

"……"

"벌어지지 않은 일에 대한 이론적인 얘기는 안 꺼내는 게 낫습니다."

"다른 방법이 없었잖아요. 제가 어떻게, 그 상황에서, 아무 일 없었던 것처럼……."

"목소리 낮추세요. 밖에 사람 있습니다."

그러는 그도 톤이 낮을 뿐이지 말에 억누른 힘이 실린 건 마찬가지였다. 나는 한 번 크게 숨을 들이쉬었다. 답답한 공기가 폐 속으로 빨려 들어갔다.

그를 올려다보지 않고 물었다.

"팀장님이라면 어떻게 하셨겠습니까?"

내어 놓듯이, 열어 놓듯이, 잠잠히 기다렸다. 한동안 그는 대답이 없었다. 실내였고 자료실 안이었지만, 매캐한 담배 연기가 풍기는 듯한 착각이 들었다. 테이블 위의 그의 팔에 힘줄이 도드라졌다. 손가락이 손바닥 안쪽으로 말려 들어가 있었다.

마침내 그가 고저 없이 입을 열었다.

"내 밑에서 일하는 팀원에게 그런 일이 있었다면, 나는 공식적으로나 비공식적으로 가해자를 제대로 엿 먹일 방법을 열 가지는 더 알고 있습니다. 이서단 씨처럼 무식한 방법은 사용하지 않았을 거고, 그게 이서단 씨 개인을 위한 것이었지 회사에는 득이 되지 않았다는 입장에는 변함이 없습니다."

"……."

"하지만 나에게 불의를 봐 넘기지 않아도 될 정도의 힘이나 권력

57

이 이제 와서 생긴 것은, 비슷하거나 조금 덜했던 상황들을 입 다물고 눈 돌리고 넘겼던 내 침묵 덕분이라는 사실은 알고 있습니다. 오랜 비겁함을 양분 삼아 생겨난 효과적인 해결책이 내게는 많으니, 앞으로도 이서단 씨와 같은 상황에 처할 일은 없을 겁니다. 하지만 내가 이서단 씨처럼 무력했을 때, 비슷한 상황에서 어떻게 했겠냐고 묻는다면……."

그가 조금 웃었다. 올라가 있는 입꼬리 끝이 시야에 잡혔다.

"글쎄요. 내가 더 괜찮은 인간이었다면, 이서단 씨가 한 그대로 했을 거라고 믿고 싶습니다."

그가 몸을 일으키는 것이 보였다. 내 옆을 지나가면서 그가 덧붙였다.

"주말까지 생각해 오세요. 어떤 부서로 가고 싶은지. 이 얘기는 당연하지만 박 대리나 팀원들에게 상의하는 일은 없어야 합니다. 물어볼 게 있으면 차라리 나한테 연락하세요."

등 뒤로 문이 닫혔다. 박 대리와 권 대리의 목소리가 웅성거림처럼 자그맣게 들려왔다. 회의실 문이 열리고 닫히는 소리가 멀리서 울렸다.

꿀

"이서단 씨, 심부름 좀 다녀올래요?"

그렇게 말하는 박 대리의 표정이 내용치고는 지나치게 비장했다. 상황 파악이 잘 되지 않아 나는 일단 문서를 저장하고 내 화면을 껐다.

"말씀하세요."

자리에서 일어나자, 박 대리가 책상 위의 서류를 주섬주섬 챙기며 말했다.

"어려운 일은 아니고, 팀장님한테 서류 몇 가지 전달하고 피드백 받고 와요."

"네, 부서로 가면 돼요?"

"아니, 인천으로 가야지. 팀장님이 인천에 계시는데."

"……네, 알겠습니다."

심부름이라는 말에 기껏해야 같은 층의 탕비실이나 비품실을 생각했던 머릿속이 갑자기 바빠졌다. 토 달지 않고 화면을 켜서 저장된 것을 확인하고 프로그램을 종료시켰다. 의자에 걸쳐져 있던 코트를 챙겨 들었다. 그새 박 대리 옆으로 의자를 질질 끌어온 김 주임이 박 대리의 서류철 안으로 종이를 하나 찔러 넣었다.

"갈 거면 이것도 좀 부탁할게요. 아무리 내일이 그쪽 마감일이라도 어제나 오늘 아침에 한 번 정도는 들여다보실 줄 알았거든요. 어젯밤에 인천에서 몇 명이 밤샘했대요."

"전화는…… 해 보셨나요?"

금요일 저녁 5시가 넘어가는 시간에 인천으로 출발해야 하는 것에 대한 불만은 아니었지만, 상식적인 의문이 들어 조심스럽게 입을 뗐다. 김 주임이 뜸을 들이더니 애매하게 웃었다.

"이서단 씨는 컨설팅 팀원들 안 겪어 봤나 봐요?"

"이거 가져가서 팀장님이 읽을 때까지 옆에서 버티고 서 있어요. 웬만하면 내가 가겠는데, 그쪽도 한창 예민할 시기라 외부인 드나들면 영 그럴 것 같더라고."

박 대리가 불투명한 클리어 파일을 내게로 넘겨 주었다. 그제야 나는 왜 이 심부름을 위해 내가 선택되었는지 깨달았다.

"같은 팀원을 돌려보내진 않겠지? 정식으로 합류하기 전이라고는 해도."

"철판 깔고 들어갔다 와요. 욕먹어도 맘 상해 하지 말고."

대외적으로 컨설팅팀 소속으로 알려져 있는 것이 불러온 뜻밖의 부작용이었다. 상황을 설명할 수도 없었으니 방법이 없었다. 하는 수 없이 나는 파일을 받아 들었다. 박 대리가 회의실 문까지 나를 배웅해 주었다. 택시 영수증 받아 오고, 다녀오면 바로 퇴근해요, 라고 한층 홀가분해진 얼굴로 말했다. 그래 봤자 일이 남은 이상 소용없었지만, 나는 고개를 끄덕이며 말을 삼켰다.

회사에서 나와 택시를 잡으며 내내 돌덩이에 짓눌린 것처럼 마음이 무거웠다. 하필 운전사는 과묵했고, 히터의 공기로 더운 차 안에는 그가 틀어 놓은 라디오의 웅얼거림만이 울렸다. 인천에 가까워질수록 창밖의 하늘이 어슴푸레한 푸른색으로 가라앉았다. 나는 한 팀장의 얼굴이 보고 싶은 건지, 보고 싶지 않은 건지 스스로도 잘 알 수 없었다.

낯선 회사 건물 앞에 도착했을 때는 거리에 어둠이 진하게 서려 있었다. 해가 지면서 기온이 뚝 떨어졌는지, 택시에서 내려 코트를 입는 짧은 새에도 손끝이 차게 얼어붙었다.

나는 무거운 유리 회전문 안으로 발을 들였다가 잠시 망설이고 360도를 돌아 나왔다. 길 건너에 커다란 프랜차이즈 카페 간판이 보였다. 발 디딜 틈 없이 직장인들로 메워져 있는 답답한 공간에서 거의 20분간 줄을 섰다가, 달걀처럼 컵홀더의 마분지 칸마다 안착한 커피를 받아 들고 나왔다. 뚜껑에는 내용물을 알려 주는 이니셜이 까만 매직펜으로 휘갈겨져 있었다.

카페에서 나오며 전화를 걸어 봤지만 둔한 신호음만 끝도 없이 이어졌다. 회사 로비의 사무원은 내가 사원증을 보이고 방문 목적을 말하자, 고민도 없이 방문증을 꺼내 써 주었다.

"6층으로 가시면 될 거예요. 컨설턴트들 어디 있는지 아무나 붙잡고 물어보세요. 방문증 목에 계속 걸고 다녀 주시고요."

"감사합니다."

내 사원증 위로 방문증을 겹쳐 걸었다. 두 개의 카드가 가슴께에 달랑거렸다. 퇴근 시간대였는지 로비가 붐볐다. 내려오는 엘리베이터가 층층마다 멈춰 서는 것이 보였다.

다행히 올라가는 짝수층 엘리베이터 안에는 사람이 뜸했다. 옅은 금속성을 띤 후덥지근한 공기만이 좁은 공간을 메우고 있었다. 미지근한 체온이 흠뻑 들어찼다가 빠져나간 곳에 어김없이 남는 잔재 같은 향이었다.

"여기서 뭐 해요?"

61

결국은 누구한테 굳이 물어서 컨설팅팀을 찾아낼 것도 없었다. 쏟아져 들어오려는 사람들을 피해 엘리베이터에서 내리자마자 누군가 어깨를 잡았다. 고개를 돌려 보니, 지난번에 한 팀장과 함께 편의점을 갔을 때 봤던 팀원 중 한 명이 엘리베이터 줄에 서 있었다.

"이서단 씨."

내 얼굴을 빤히 보더니 여자는 의외로 정확하게 내 이름을 읊었다. 내 가슴에 걸린 방문증을 보고, 내가 입을 열기도 전에 물었다.

"팀장님 뵈러 왔어요? TF 일로?"

"……네."

"서울부터 여기까지?"

"네."

여자의 입술이 가늘어졌다.

"팀장님은 알고 계시고?"

"전화가 안 돼서 연락을 못 드렸습니다."

"아, 팀장님 전화기는 아마 충전하느라 어디 꽂아 놨을 거예요."

나는 돌아가라고 말하면 박 대리의 말대로 뻔뻔하게 우겨 보기라도 해야 하나 싶어 컵홀더 손잡이를 쥐고 있는 손에 가만히 힘을 주었다. 하지만 여자는 의외로 쉽게 어깨를 으쓱하더니 줄에서 빠져나왔다.

"왔으면 뵙고 가야죠. 따라와요, 그럼."

무리 지어 움직이는 사람들 사이로 키 큰 뒷모습이 쉽게 길을 냈다. 혼자서는 찾아내기 어려웠을 만큼 길이 복잡했다. 반쯤 비워진 부서들을 여럿 지나치고 회의실이 있는 구간에 접어들었다. 마지막 문 앞에 선 여자는 간단히 노크하고, 대답을 기다리지 않고 문손잡이를 돌렸다.

"엄청 빨리 다녀왔—"

문에서 가까운 곳에 앉은 남자가 말하다 말고 나를 보고 뚝 멈췄다. 회의실 테이블에 앉아 있던 사람들이 하나둘씩 고개를 돌렸다.

"커피를 누가 벌써 사 오고 있길래."

"……TF 일로 왔어요?"

노골적으로 불쾌감을 드러낸 표정도 신경 쓸 겨를이 없었다. 내 시선은 모여 있는 무리의 중심에 앉아 있는 한 팀장의 얼굴에 꽂혀 있었다.

테이블에 걸터앉은 팀원으로 인해 시야가 가려진 탓인지 뒤늦게 얼굴을 든 그가 나를 발견하고 멎었다. 짜증스럽던 눈이 일순간 크게 뜨였다.

"팀장님 뵈러 왔대요."

여자는 테이블 쪽으로 내 등을 떠밀며 내 손에서 컵홀더를 받아 갔다.

"다양하게도 사 왔네. 이건 뭐지, 라떼인가?"

"아…… 네, 그거랑 그 옆의 것이 라떼고, 그 외에는 다 아메리카노인데……."

빠르게 회의실 안을 훑어보니 다행히 넉넉하게 사 온다는 게 숫자를 딱 맞춘 모양이었다. 이쪽 회사 사람인지 낯선 얼굴도 있었다.

불청객을 보는 듯한 시선들을 무시하고, 나는 컵홀더가 테이블을 따라 더 이동하기 전에 먼저 가장 키 큰 컵을 뽑아냈다. 이니셜이 그려진 뚜껑을 하나씩 들여다보던 여자의 시선이 내 손을 따라왔다.

"그거는요? 그게 제일 좋아 보이는데."

"……아, 이건 팀장님 거……."

나도 모르게 컵을 든 채로 한 걸음 물러섰다. 손바닥으로 감싸 쥔 종이의 표면이 뜨끈했다.

"팀장님 건 따로 정해져 있어요? 비싼 건가?"

"아니요, 그런 건 아니고……."

한 팀장이 자리에서 느리게 일어섰다. 그의 의자 뒤에서 화면을 들여다보고 있던 팀원이 빠르게 옆으로 비켜섰다. 나는 그가 회의실 테이블을 돌아 점점 가까워지는 동안 테이블 표면으로 눈을 떨어뜨렸다.

마음이 복잡한 줄 알았는데, 아니었다. 그를 보고 싶었는지 그 반대였는지 고민할 필요도 없었다. 이틀 만에 본 얼굴에 가슴이 따뜻한 물에 적셔진 듯 뜨끈하게 젖어 들었다. 공기와 접촉하는 살갗이 그에게 가까워지려고 아우성치는 듯이 솜털이 곤두섰다. 놀라울 정도로 즉각적이고 단순한 반응이었다.

제자리에 우뚝 서 있는 내 뒤까지 다가온 그가 팔을 길게 뻗어 커피를 집어 갔다. 손바닥 안쪽으로 손가락이 스치듯이 닿았다.

"나쁘지 않은데."

커피를 한 모금 마셔 보고 그가 말했다. 귀 옆에서 들리는 목소리가 평소보다 낮고 까슬하게 가라앉아 있었다.

그새 컵홀더가 테이블을 한 바퀴 돌면서 텅 비었다. 라떼가 든 종이컵을 양손으로 감싸 쥐고 호로록 마시던 여자가 미안하다는 듯이 말했다.

"이서단 씨 마실 게 없네요."

"괜찮습니다."

"음, 내 거라도 한 모금 줄까요?"

컵을 내밀며 눈을 접어 웃는 표정이 지난번에 편의점에서 밥을 사 주겠다고 말했을 때와 같았다. 그때는 심술인 줄 알았는데, 지금 보니 성격인 모양이었다.

사양하려고 입을 벌렸는데, 한 팀장이 테이블을 탁탁 두드려 순식간에 회의실 안을 조용하게 가라앉혔다.

"커피 왔으니 십 분만 쉬고 다시 시작하겠습니다. 다들 멀리는 가지 말고. 눈 붙일 사람은 십 분이라도 붙이세요."

그의 말이 끝나자마자 정말로 두 명이 커피는 거들떠보지도 않고 팔 위로 머리를 묻었다. 나머지의 의자 밀어내는 소리가 시끄럽게 울렸다. 한 팀장은 말없이 문을 향해 턱짓했다. 나는 가방을 든 채로 얌전히 그를 따라서 회의실을 나섰다.

낯선 회사의 복도였다. 컨설턴트에게 따로 할당된 공간이 저 회의실이라면 어차피 그와 따로 이야기할 수 있는 곳은 없을 것이다. 성큼성큼 앞서 걷는 그의 뒷모습을 따라가며 가방에서 파일을 꺼냈다.

"이거 보여 드리고 피드백 받아 가면 돼서, 그냥 복도에서 말씀드려도……."

찰칵, 그가 지나가다가 아무 문손잡이나 거칠게 돌렸다. 잠겨 있는지 열리지 않았다. 그다음 문은 문 밑으로 선명하게 사람 목소리가 새어 나오고 있었다. 쯧, 하고 혀를 찬 그가 내 손목을 잡아챘다. 나는 얼결에 그의 뒤를 따라 오른쪽의 키 작은 문으로 끌려들어 갔다. 벽을 더듬은 그가 조명 스위치를 찾아냈다.

좁아터진 비품실이었다. 정돈이 안 돼 있어 창고라는 말이 더 어울렸을 것이다. 두 사람이 간신히 들어갈 만한 좁은 공간은 선반마다 인쇄용 A4 용지가 박스째로 쌓여 있거나 짐 운반용 수레, 접혀 있는 파라솔 같은 게 세워져 있었다. 나를 안쪽으로 밀어 넣고 한 팀장은 문을 닫았다. 등이 선반에 부딪히자 먼지가 뿌옇게 일었다.

"팀장님, 왜 굳이……."

재채기가 나올 것처럼 코가 간질거렸다. 콧등을 찡그리고 힘겹게 참아 내면서 그를 올려다봤다. 한 팀장은 들은 체도 않고 손에 든 커피를 선반의 빈 공간 위로 얹어 두었다.

"누가 여기까지 보냈어요."

말끝이 딱딱하게 떨어졌다. 나는 잠시 망설이다가 사실대로 대답했다.

"박 대리님이요. 컨설팅 팀원이니까 가도 트러블 안 생길 거라고……."

"가지가지 하네."

기가 찬 듯 중얼거린 그는 더 이상 말이 없었다. 나는 더 시간을 지체하고 싶지 않아 귀퉁이가 삐져나온 파일을 가방에서 꺼내 그에게 내밀었다.

"보여 드리고, 피드백 주시면 받아 오라고 하셨어요. ……보실 때까지, 버티고 서 있으라고…….."

"이서단 씨가 버티고 서도 십 분 안에는 무리일 것 같습니다."

"……네, 시간 나실 때까지 기다리겠습니다."

"기다릴 것 없어요. 그건 두고 서울 올라가세요. 내가 내일 아침까지는 읽고 박 대리한테 메일 보내 놓을 테니까."

가까이에서 보니 그의 안색이 창백해 보이는 것은 비품실의 조명 때문만은 아니었다. 충혈된 눈을 올려다보다가 나도 모르게 말했다.

"괜찮으세요?"

"……많이 안 좋아 보입니까?"

질문이 의외였는지 그가 시선을 되돌리며 되물었다. 내가 쉽사리 대답을 하지 못하자, 그가 쓴웃음을 지으며 닫힌 문에 등을 기대고 섰다.

"아까는 피곤하다 못해 내가 헛것을 보나 했네."

"주무셔야 하는 거 아니에요?"

남은 몇 분이라도 그가 눈을 붙였으면 하는 생각이 조바심처럼 치밀었다. 내 손에서 폴더를 수거해 간 그가 고개를 짧게 내저었다.

"버틸 만하니까 걱정하지 말아요. 팀은? 잘 돌아가고 있습니까?"

"……네."

"그래서, 잘 돌아가는데 이서단 씨를 여기까지 보냈습니까?"

"……."

한 팀장이 없던 며칠간의 팀 분위기를 고려하면 박 대리의 다급함이 아예 이해가 안 가는 것도 아니라, 나는 잠자코 입을 다물었다. 불현듯, 사고를 쳐서 그를 인천까지 오가게 하는 컨설팅 팀원들만큼이나, TF도 그에게 목을 매고 의존하는 것은 마찬가지라는 생각이 들었다. 그 모든 부담을 어깨 위로 떠안고 있는 그가 평소에 내색하지 않는 것뿐, 그가 무너지면 뒤따라 무너질 것이 너무 많이 있었다. 까슬해져 있는 그의 입술을 보자 갑자기 덜컥 겁이 났다.

내 표정을 본 한 팀장이 어이없다는 듯이 웃었다.

"고작 하루 밤새웠다고 안 죽습니다."

"그럼 오늘은……."

"새벽에 눈은 붙일 겁니다. 걱정되면 거기 가만히 좀 있어 봐요. 조잘조잘 떠들지 말고."

나는 분부대로 입을 다물었다. 먼지 냄새가 나는 좁은 비품실 안이 커피 향과 사람의 체온으로 서서히 미지근하게 덥혀졌다. 팔만 뻗으면 닿을 것 같은 거리에 그가 서 있었다. 나는 일부러 시계를 확인하지 않았다.

침묵이 길게 이어졌다. 아무도 아무 말도 하지 않았는데 공기가 조금씩 팽팽해졌다. 아까보다 미세하게 그의 얼굴이 내 쪽으로 가까워진 것 같았다. 들이쉰 숨에 희미하게 그의 체향이 묻어났다. 다리가 후들거릴 것 같아 나는 등 뒤의 선반을 잡았다.

난데없이 그가 아, 하고 낮게 침음했다. 손 위로 얼굴을 묻으며 짧게 소리 내어 웃었다.

"이서단 씨."

"네."

"여기가 클라이언트 회사의 비품실인 건 알고 있습니까?"

"……네."

"그래?"

한 사람이라도 제정신이어서 다행이네— 라고 그가 손 틈으로 중얼거렸다.

"저녁은 먹고 왔습니까?"

"아니요, 아직……."

"근처에 식당가가 있긴 한데, 내가 지금 자리를 비울 수가 없어서 밥도 못 먹여 주겠네요."

"안 챙겨 주셔도 괜찮습니다."

지난번에도 생각했지만, 그는 유독 아랫사람의 끼니를 챙기는 것을 중요하게 여기는 모양이었다.

"제가 알아서 먹고 들어가겠습니다."

"그래요."

그는 순순히 답했다. 내게서 눈을 떼지 않고 느리게 뻗은 손으로 커피잔을 집어 들었다. 잔을 손바닥 위로 몇 번 돌려 보더니 무덤덤하게 운을 떼었다.

"내일은 또 토요일이네요."

"……네."

"어림잡아 오후까지는 회사 들어갈 수 있을 것 같은데. 내 집으로 가기 전에 저녁 같이 먹겠습니까?"

나는 깨닫기도 전에 이미 고개를 끄덕거리고 있었다. 그가 피곤할지도 모른다는 생각이 뒤늦게 스쳤지만 이기적인 마음이 그 말을 야금 먹어 버렸다. 스치듯이 본 그의 손목시계만 봐도 비품실에 들어온 지 어림잡아 10분은 지난 것 같았지만, 그 말도 그냥 하지 않았다. 한 팀장이 커피 한 모금을 마시고 덧붙였다.

"맛있는 걸로 메뉴 생각해 오세요."

"네."

"이제 돌아가야 할 것 같은데."

시계를 확인한 그가 등 뒤로 팔을 뻗어 문손잡이를 잡았다. 문이 열리는 순간 나도 모르게 잔뜩 긴장했던 몸에서 힘이 빠져나갔다.

비품실의 공기에 비해서 복도가 확 서늘하게 느껴졌다. 다들 퇴근했는지 아까보다도 지나다니는 사람이 적었다. 아까 그와 지났던 탕비실도 이제 검게 불이 꺼져 있었다.

열 걸음 정도 걷고, 그가 등 뒤로 따라붙은 나를 돌아봤다.

"왜 따라와요."

"아……."

그러고 보니 엘리베이터는 반대 방향이었다. 걸음을 멈췄다가 다시 망설였다.

"팀장님은…… 지금 회의실로 들어가시게요?"

"그럼 어디로 가겠습니까."

그 사이 그는 두어 걸음 더 앞서가 있었다. 나는 서둘러 따라잡으며 물었다.

"혹시 팀장님이나 팀원분들 필요한 게 있으시면 제가 다녀오겠습니다."

"없을 겁니다, 아마. 커피 사 온 걸로 됐습니다."

"……네."

회의실까지 이제 반은 온 것 같았다. 이번에는 그가 아예 걸음을 뚝 멈췄다. 등에 코가 부딪힐 뻔할 정도로 갑작스러웠다. 들이쉰 숨과 함께 체향이 훅 스며들었다.

가까이에서 내 머리통을 내려다보며 한 팀장은 물었다.

"계속 그렇게 따라올 겁니까?"

"……인사 못 드렸으니까, 문 앞까지만 배웅해 드리고…… 거기서 다시 인사드리면…… 좋을 것 같아서……."

내가 무슨 말을 하는지도 잘 모를 지경이었다. 두서없는 헛소리를 들어 주던 그가 의외로 웃었다.

"복도 끝까지 가는데 배웅을 받기는 처음이네."

"……."

등 돌려 걷기 시작한 뒷모습을 멍하니 보다가 걸음을 재촉해 따라잡았다. 두어 걸음 정도 뒤에서 한 팀장과 속도를 맞췄다. 평소만큼 빠른 걸음이 아니라 그럭저럭 수월했다. 그는 이번에는 회의실 문 앞에 도착할 때까지 따라오는 나를 내버려 두었다.

돌아보는 눈가에 웃음기가 매달려 있었다.

"그럼 들어가 보겠습니다."

"……네, 안녕히 들어가세요."

고개를 숙여 인사했다. 폴더를 팔 밑에 낀 그가 문을 열었다. 곧 내가 따라 들어갈 수 없는 곳이 그를 집어삼켰다. 들려오던 소음도 뚝 끊기고, 더 이상 소리가 흘러나오지 않았다.

닫힌 문의 불투명한 유리 앞에 나는 한참을 서 있었다. 끼니를 걸러서인지, 배 속이 푹 꺼진 것 같은 허전함이 느껴졌다. 손끝이 떨릴 정도의 맹렬한 허기는 차라리 비현실적이었다. 말도 안 되는 줄 알면서도 손잡이를 향해 손이 저절로 올라갔다. 문을 열고 들어가 그를 저곳에서 끄집어내고 싶었다. 호텔방으로, 그의 집으로, 하다못해 마주 앉은 식당으로 그를 데려가고 싶었다. 그가 상사가 아닌 곳으로. 다른 사람이 없는 곳으로, 나만 그를 마주 볼 수 있는 곳으로.

목이 뜨겁게 타고 속이 울렁거렸다. 갈증이 번지듯이 손끝이 따끔거렸다.

낯선 회사의 복도에 등을 기대고 서서 나는 손바닥을 펼쳐 놓고 손을 꼽았다. 이전에도 해 봐서 그리 낯설지 않은 작업이었다. 여러 번 똑바로, 거꾸로, 처음부터 날짜를 세어 봐도 같았다. 지금 와서는 한 손으로도 충분했다. 하나, 둘, 셋. ……세 번. 내일을 포함해 나에게 남아 있는 토요일의 숫자는 고작 그 정도였다.

토요일 점심에는 박 대리가 사양하는 나를 굳이 끌고 나가 밥을 사 주었다. 아침에 출근해서 한 팀장에게서 들어온 디테일한 피드백을 읽고 마음이 좀 편해지고 나니, 그제야 적진으로 나를 혼자 들여보내 입장을 난처하게 만들었다는 생각이 든 모양이었다.

정작 컨설팅 팀원들로부터 크게 괴롭힘을 당한 것도 없는 나는 그릇당 만 원이 넘어가는 뻣뻣한 메뉴판이 부담스러웠다. 어제의 일로 나를 곱지 않게 보는 팀원들이 생기더라도, 어차피 박 대리의 생각과는 달리 내가 컨설팅부에 가서 일할 일은 없으니 크게 상관없었다.

점심 먹던 중에 문자를 받은 박 대리는 주머니를 뒤적거려 화면을 확인하더니 안심한 표정으로 웃으며 말했다.

"발표 잘 끝났고, 팀장님 점심 먹고 들어오신대요."

그 말에 배가 고파진 나는 그릇을 바닥까지 싹 비웠다. 박 대리는 내 그릇을 들여다보더니 비싼 걸 사 주니 잘 먹는다고 타박했다. 그리고 빨리 회사로 돌아가고 싶은 내 마음을 모르는지 나를 앉혀두고 여러 가지 잡담을 늘어놓으며 순가락을 느릿느릿 놀렸다.

회의실로 돌아가자 문이 열려 있고 분위기가 어수선했다. 한 팀장 때문인 줄 알고 주위를 두리번거리던 나는 책상 옆쪽에 혼자 앉아 있는 김 주임을 발견했다. 마침 뒤를 돌아본 김 주임이 박 대리를 보더니 입술에다가 손가락을 가져다 댔다.

"왜? 왜 그러는데."

"아니, 별건 아니고요."

내 눈치를 살피는 것 같더니 김 주임은 박 대리에게 가까이 오라고 손짓했다. 귀에 대고 속닥거리는 말을 들은 박 대리는 눈을 휘둥그레 떴다.

말해 줄 때까지 묻고 싶지 않았지만, 내 책상 옆쪽으로 모여 있어서 가까이 안 갈 수가 없었다. 내가 코트와 목도리를 풀어 내려놓자, 그새 가늠하듯이 나를 쳐다보던 김 주임이 물었다.

"이서단 씨는 가십거리 이런 거 별로 안 좋아하죠?"

"……소문 같은 거요?"

"왠지 성격이 그럴 것 같아서. 권 대리님도 듣기 싫다면서 나갔거든요."

회사에 떠도는 가십거리라면 그 내용은 뻔했다. 사원들끼리 싸움을 했다든가 연애를 한다든가였다. 그중 온전히 사실이거나 영양가 있는 얘기는 드물었는데, 지금까지 봐 온 박 대리는 의외로 아저씨 같은 면이 있어서 그런 이야기를 듣는 것도, 물어 오는 것도 좋아했다. 지금도 눈이 반짝거리는 게 김 주임으로부터 재미있는 이야기를 들은 모양이었다.

나는 내키지 않는 마음과 공유하고 싶은 마음 사이에서 망설였다. 제가 아는 사람 얘기예요? 라고 일단 묻자, 김 주임이 단번에 네! 라고 대답했다.

"저희 팀원이요?"

"오, 눈치 빠른데?"

TF 외에는 김 주임과 내가 겹치는 인간관계가 없었으니 눈치가 빠를 것도 없었다. 나는 회의실 안을 힐끗 둘러봤다. 권 대리는 화를 내며 나갔다고 했으니 당사자가 아니었고, 김 주임과 박 대리는 당연히 아니었다.

물어보면 안 될 것 같은 본능적인 불안감이 들었다. 할 수만 있다면 내가 내 입을 틀어막았을 것이다. 알아서 좋을 것이 없었다. 여차하면 이 화제가 지나갈 때까지 방에서 나가 있을 생각으로 몸을 반쯤 일으켰다. 그런데 김 주임을 마주한 순간 생각보다 말이 먼저 나갔다.

"팀장님 얘기죠?"

"와, 어떻게 알았어요?"

기다렸다는 듯이 김 주임은 몸을 앞으로 기울였다. 어차피 방 안에 나 말고는 모르는 사람이 없을 텐데, 굳이 내게 손짓해 얼굴을 가까이 대게 했다. 무엇이 그리 재미있는지 비밀스럽게 낮춘 목소리였다.

"인사과 직원 중에 한 명이 중요한 일이 있어서 밥 먹으러 호텔을 갔는데, 거기서 한 팀장님을 봤대요."

"······."

"지나가면서 스치듯이 본 거라고는 하는데, 소문 이렇게 퍼질 정도면 잘못 본 건 아니겠죠."

나는 움츠러드는 몸을 통제할 수 없었다. 심장이 쿵쿵 방망이질

쳤다. 한 팀장과 마지막으로 호텔을 이용한 게 언제인지 기억이 잘 나지 않았다. 회사에서 그리 멀지도 않은 호텔인데, 로비에서 같이 서 있었던 적도 있는 것 같았다. 그걸 누가 본 걸까. 봤다면 나를 알아봤을까.

"왜 그래요?"

예상한 반응이 아닌지 김 주임이 의아하다는 듯이 물었다. 나는 반사적으로 핸드폰을 처다봤다. 그가 이 소문을 모르는 거라면, 내가 알려야 할 수도 있었다. 가빠진 숨을 눌러 참는데, 김 주임이 박 대리에게 말했다.

"지금 TF 때문에 다들 날밤 새우는 줄 알면서 태평하게 선이나 보러 다니는 건 웃기지 않아요? 나는 잘될 것 같던 남자랑도 요즘 연락 뜸해져서 물 건너갔구먼."

"엄밀히 말하자면 사생활의 영역이긴 한데……."

"또 웃긴 게, 작년에 그 일 있었잖아요? 그때 그…… 마케팅이었나? 그 대리분. 그때 한 팀장님이 자기는 독신주의라고 그랬거든요."

"살다 보면 마음 바뀌고 그러는 거죠."

박 대리가 미적지근하게 대답했다. 김 주임의 말들이 귓속으로 새어 들어 뒤늦게 의미가 되었다. 나는 숨을 멈췄다.

"팀장님이…… 선을 보셨대요?"

"……이서단 씨 표정이 왜 그래. 설마 호텔이라고 해서 다른 거 생각했어요?"

"이야, 이서단 씨 뇌가 야하네."

박 대리가 내 등을 두드리면서 웃었다. 나는 열린 문으로 고개를 돌려 있지도 않은 그를 찾았다.

"선 아니고 다른 자리였을 수도 있잖아요."

"그렇긴 하지만, 보통 남녀 단둘이 호텔에서 식사하는 건 뻔하지 않아요?"

김 주임이 얘기를 전달했으니 볼일이 끝났다는 듯이 의자를 끌고 자리로 돌아가기 시작했다. 모퉁이를 돌다가 내 쪽을 돌아보고는 별생각 없다는 듯이 덧붙였다. 뭐, 다른 일일 수도 있겠네요, 라고.

사내에서 할 일 없는 사람들끼리 흔히 소비하는 종류의 시답잖은 가십이었다. 그 주인공이 한 팀장이 아니었다면, 그리고 팀원들이 전부 사생활을 포기했을 정도로 프로젝트에만 매달리는 시기가 아니었다면 누구든 별 감흥도 없이 넘어갔을 일이었다. 예전의 나였다면 이런 소문에 귀나 기울였을까. 그 진위 여부에 조금이라도 신경 썼을까.

의자 바퀴가 테이블에 걸리며 듣기 흉한 마찰음을 냈다. 박 대리가 놀란 눈으로 나를 올려다봤다.

"이서단 씨, 왜 그래요?"

"……저 화장실 좀 다녀오겠습니다."

"어, 그래요. 팀장님 오시기 전엔 와 있는 게 나으니까 좀만 서둘러요."

눈을 뜨고 있는데도 앞이 잘 보이지 않았다. 회의실을 나서면서 문턱에 발끝을 찧었다. 복도에서는 반대편에서 걸어오는 사람과 부딪칠 뻔했다. 입이 열리지 않아 사과 대신 고개만 숙여 보였다.

화장실은 비어 있었다. 숨을 수 있는 곳을 찾는 동물처럼 무턱대고 칸막이 안쪽으로 향하다가 방향을 바꿨다. 찬물을 최대로 틀어 놓고 손을 씻었다. 얼굴에 물을 끼얹었다.

"……아."

달달 떨리는 손가락 사이로 물이 자꾸만 흘러내렸다. 젖은 앞머리가 축축하게 이마에 달라붙었다. 고개를 들어 보니 거울 속에 물이 뚝뚝 흘러내리는 창백한 얼굴이 있었다.

화장실 안으로 두세 명이 한꺼번에 들어왔다. 나는 소매로 얼굴을 닦으며 도망치듯 복도로 빠져나갔다.

"진짜 괜찮아요? 밥 먹은 거 체했어요?"

박 대리는 내가 회의실로 들어오자마자 붙잡아서 물었다. 그새 권 대리와 윤 대리도 와 있었다. 다들 책상에서 의자를 끌어와 회의를 세팅 중이었다.

"아니면 뭐, 어디 안 좋아요?"

"……머리가 좀 아픈데, 괜찮습니다."

"그러면 지금은 좀 그렇고, 회의 마치고 약이라도 받아 와요. 팀장님 회사 도착하셨는데, 부서 잠깐 들렀다가 오신대요."

"네……. 약은 있으니까, 지금 먹을게요."

나는 떨리는 손을 들킬 것 같아서 등 뒤로 팔을 감췄다. 의자를 테이블 쪽으로 미는 동작이 뻣뻣하고 부자연스러웠다. 의식적으로 가방을 뒤적여 두통약이 든 찌그러진 상자를 꺼냈다. 정작 박 대리는 나를 쳐다보고 있지도 않았다.

오랜만에 회의실이 북적거렸다. 탕비실에 비치된 과자를 누군가 가져와 테이블 위로 쌓아 놓았다. 한 팀장의 의자를 포함해서 여섯 개의 의자가 원탁을 가지런하게 둘렀다. 칠판과 마커까지 한 팀장의 자리 옆으로 끌어다 놓은 권 대리가 물러서서 전체를 훑어보고 탁탁 손을 털었다.

그사이 김 주임은 윤 대리 옆자리에 붙어 앉아 신나게 속닥거리고 있었다. 호텔, 결혼, 같은 단어들이 불분명하게 새어 나왔다. 나는 눈을 감듯 귀도 닫을 수 있는 꺼풀이 있었으면 좋겠다고 생각했다. 비슷한 생각이었는지, 의자 높이를 조정하던 권 대리가 갑자기 고개를 들었다.

"그만 좀 하죠? 아까부터 사실인지 아닌지 확실하지도 않은 얘기를 왜 계속 퍼뜨리는지 이해를 못 하겠네."

목소리에 독한 짜증이 고스란히 묻어났다. 김 주임은 대답도 없이 입을 다물며 의자를 멀찍이 밀어냈다. 권 대리는 고개를 돌리며 한숨을 쉬었다. 이 정도의 긴장감은 드문 일도 아닌데, 옆에 끼어서 안절부절못하는 윤 대리의 얼굴이 보였다.

결과적으로 권 대리의 일침은 오히려 오기를 부추기는 효과를 낳은 모양이었다. 한 팀장이 열린 문으로 들어오자마자 김 주임은 팀장님, 하고 단단한 목소리로 그의 시선을 잡아 끌었다.

"……왜? 불렀으면 말을 하세요."

그새 옷을 갈아입긴 했는지 그는 어제 봤던 것과는 다른 셔츠를 입고 있었다. 비품실에서 봤던 모습보다 머리도 안색도 한결 깔끔했다. 내 옆을 스쳐 지나간 그가 서류 가방을 의자에 걸쳐 놓고 칠판의 위치를 조정했다.

막상 불러놓고 말은 못 하겠는지 김 주임은 입을 다물며 한참 뜸을 들였다. 마커 뚜껑을 열어 꼭지 부분에 끼운 한 팀장이 미간을 찌푸리며 물었다.

"회의 시작할 건데, 급한 일입니까?"

"아…… 그런 건 아니고……."

그쯤에서 권 대리의 인내심이 다한 모양이었다. 팀장님, 하고 김 주임의 말을 끊은 그녀가 또박또박 물었다.

"얼마 전에 선보신 게 사실입니까?"

"……난 또 뭐라고."

한 팀장이 김빠진 목소리로 중얼거렸다. 바로 말을 잇지 않고 그의 시선이 까만색 마커 위로 스치듯이 떨어졌다. 고개를 들었을 때 그의 눈이 잠시 내 쪽을 향한 것 같았지만, 확실하지 않았다.

"팀장님 결혼하시게요?"

이왕 저질러졌으니 호기심이라도 만족시킬 생각인지 김 주임이 몸을 앞으로 기울이며 물었다. 한 팀장은 잠시 눈을 감았다 떴다.

"회의할 마음이 없으면 나가세요, 거기 앉아 있지 말고."

"……그런 게 아니라."

"업무에 집중될 것 같으면 그때 연락하세요. 나도 이렇게 해이해진 분위기에서는 회의 이끌 마음이 싹 사라지니까."

평소처럼 서슬 퍼런 일침이었는데 어딘가 그답지 않게 독기가 빠져 있었다. 김 주임은 조용히 입을 다물었고, 한 팀장은 더 이상의 언급 없이 칠판을 향해 몸을 틀었다.

나는 앞에 놓인 서류를 내려다봤다. 들려오는 소리가 전부 웅웅거리는 소음처럼 불분명했다. 어차피 대답을 듣지 못한 김 주임이든 질문을 회피한 한 팀장이든 알고 있을 것이었다. 여기서의 침묵은 긍정이었다. 더 생각해 볼 여지도 없었다.

수화기 너머로 들려오는 목소리가 평소보다 낮았다. 그 외에는 침착한 말투로, 아무 문제없다는 듯이 심상한 톤으로 그가 물었다.

-무슨 일 있습니까? 어딜 가고 안 내려와요.

시계를 보지 않아도 약속한 시각에서 10분 이상 지났음을 쉽게 알 수 있었다. 저 아래 어둑어둑 땅거미가 진 길 위로 퇴근하는 직장인들이 보였다. 그중에 지하 주차장에 차를 대 놓고 나를 기다리고 있을 한 팀장은 없었다.

-아직 회사입니까? 아니면 나왔어요?

"……."

-이서단 씨.

그가 삭히는 것이 인내심인지 분노인지 알 수 없었다. 짧은 숨소리가 건너오고, 그가 부드러워진 목소리로 독촉했다.

 ─전화를 받았으면 말을 해야지. 사람 기다리게 하지 말고.

그 말에 나는 웃을 뻔했다. 생각해 놓은 말이 없었는데, 지금 보니 기도를 따라 그에게 하고 싶은 말이 가득 들어차 있었다. 그래서 손쉽게 입을 열었다.

"점심 먹은 게 좀 체해서 저녁은 안 먹는 게 나을 것 같습니다."

 ─……그래요, 그러면.

"그리고 가능하다면 팀장님 집이 아니라 예전에 뵈었던 호텔에서 뵙고 싶습니다."

수화기 너머에서 갑작스러운 침묵이 건너왔다. 나는 난간에 손을 짚고 교차로를 내다봤다. 발끝에 누군가 버리고 간 담배꽁초가 툭 짓밟혔다.

"지난주에 팀장님이 하신 말씀, 생각해 봤습니다. 번거롭게 해드려서 죄송하지만 래원이 아닌 곳으로 자리 알아봐 주셨으면 합니다. 연봉도 별로 상관없고, 서울이 아니어도 괜찮습니다."

 ─……일단 내려와요. 이 얘기를 왜 전화로 하는지─

"이번 프로젝트가 끝나면 회사에서든 어디서든 팀장님 마주치는 일이 없었으면 합니다."

떨림도 망설임도 섞지 않고 말했다. 여러 번 그의 말을 끊어 먹고도 아무렇지 않은 걸 보면 정말로 이제 겁을 상실한 모양이었다. 그의 말대로 간이 배 밖으로 나온 모양이었다. 이서단 씨, 라고 한 팀장이 조용히 말했다. 이번에는 정말로 화가 지글지글 끓고 있는 목소리였다.

-어딥니까, 지금.

"호텔로 열한 시에 가겠습니다. 방 번호 문자로 남겨 주세요."

-어디냐고 묻잖아!

격양된 목소리. 날 것의 감정이 고스란히 폭력처럼 귀를 때렸다. 배 속이 울렁거려서 나는 눈을 감았다. 호흡이 가라앉을 때까지 잠시 핸드폰을 귀에서 떼어 냈다. 그리고 그가 하는 말이 침묵으로 잦아들 때쯤 입을 열었다.

"세 번 남았습니다. 그게 다 끝나면…… 저도 잊어버릴 테니까, 팀장님도 처음부터 없었던 일로 해 주시면 좋겠습니다."

그가 내 이름을 부른 것 같았다. 전원 버튼을 길게 누르고 잠잠해진 핸드폰을 주머니 속으로 밀어 넣었다.

그제야 미뤄뒀던 떨림이 찾아들었다. 소리 없는 울음처럼 나를 잠식해서 온몸을 사정없이 뒤흔들었다. 서 있을 수가 없어서 난간을 꽉 쥐었다. 눈을 감으면 몸이 푹 꺼져 들 것 같았다.

내 잘못이었을 것이다. 언제나 나는 아무것도 갖지 못해서, 내밀어진 작은 조각에도 매달리는 초라한 사람이었다.

준 사람은 생각 없이 내던진 것을 주워서 소중하게 품어 안고, 의미를 만들고, 이름을 붙이고, 조약돌을 보석 삼아 상자 깊숙이 넣어둔 셈이었다. 빛은커녕 윤도 나지 않는 것을 두고, 닳을까 숨을 죽이고, 안절부절 손끝으로만 가만가만 건드린 셈이었다.

어차피 시한부의 관계였는데, 그어진 선이 그곳에 없는 것처럼 내

내 눈앞을 흐렸다. 알면서도 모른 척했다. 그러니 나에게 돌아온 것은 그 어설픈 욕심에 대한 당연한 대가였다.

꿋

내가 호텔방 문을 열자마자 그는 입 다문 채로 테이블을 향해 턱 짓했다. 나는 옷을 다 벗고 와인잔도 서류도 없는 빈 테이블에 손을 짚었다. 눈앞에 내려온 것은 그가 내 전용이라 부른 넥타이였다. 손을 묶었던 밧줄이 안대가 되었다. 머리 뒤로 단단하게 매듭이 묶였다.

테이블에 나를 기대어 놓고 그는 몇 대라는 말도 없이 이를 악문 채로 나를 때렸다. 나무로 된 단단한 회초리가 엉덩이 위로 쉼 없이 무자비하게 내리쳐졌다. 나는 땀이 나 미끄러져도 테이블을 잡은 손을 떼지 않았다. 아무 말도 하지 않았고, 끝내 입을 열지 않았다. 어두운 색의 넥타이는 흠뻑 젖어도 티가 나지 않았다.

그는 그 상태로 테이블 위에 내 상체만 엎어 두고 삽입했다. 다리를 벌리게 하고 검붉게 멍든 엉덩이를 잡아 젖혔다. 크림을 대충 바르고 손가락으로 몇 번 들쑤신 후에 빡빡한 입구에 성기를 밀어 넣었다. 나는 젖은 안대 밑의 눈을 감았다. 어딘가로 끝없이 떨어져 내릴 것만 같았다. 그는 후들거리는 내 다리를 우악스럽게 잡아 벌리고, 자꾸만 흘러내리는 몸을 추켜올렸다. 말하라고, 대답하라고, 초조한 목소리로 끊임없이 종용했다. 그건 섹스도 플레이도 아니었고, 숫제 자백을 강요하는 고문이었다.

눈물을 먹은 안대가 축축하고 무거워졌다. 찢어발기듯이 벌린 다리를 놔주지 않은 채, 성기를 박아 넣고 내 안에 사정한 그가 빠져나갔다. 덜덜 떨리는 내 몸을 달랑 들어 방을 가로지르고 침대 위로 눕혀 놓았다. 미끄러져 내린 안대를 벗겼다.

"이래도 말할 마음이 안 듭니까."

나는 다시 눈을 감았다. 고개를 돌려 그를 외면하고, 귀가 닫힌 것처럼 묵묵하게 그의 말을 무시했다. 그는 멍든 엉덩이 위를 손바닥으로 가차 없이 내리쳤다. 어디가 잘못된 게 아닌가 싶을 정도로 끔찍한 아픔이었다. 울음을 토해 내며 기어가려는 내 발목을 그가 쑥 잡아 내렸다. 발목 양쪽을 붙이고 들어 올려 비부를 드러나게 하고, 붓고 헐은 구멍에 예고도 없이 다시 귀두 끝을 쑤셔 넣었다.

움직일 수도 도망칠 수도 없었다. 환청처럼 나는 등 밑으로 물이 찰박거리는 소리를 들은 것 같았다.

그는 내 한계를 몇 번이나 넘었다. 매 맞은 곳을 재차 때리고 짓누르고 새빨갛게 충혈된 몸 안을 잔인하게 짓밟았다. 안전어를 쓰라고 대놓고 말하는 듯한 형국이었지만, 나는 그의 입술을 올려다보고 매번 눈을 감았다. 악문 입 안쪽에서 피 맛이 났다.

"⋯⋯이렇게 독해서 어쩔 셈입니까."

먼저 지친 것은 그였다. 나는 뺨을 이불에 묻은 채로 고장 난 것처럼 눈물만 끊임없이 흘렸다. 한 팀장은 다시는 다물리지 않을 것처럼 벌어져 있던 내 다리를 대충 내팽개치고 담배를 피워 물었다. 매캐한 연기에 나는 사레가 들렸다. 몸 어디든 안 아픈 곳이 없었다. 그는 내가 엉망인 얼굴로 기침과 눈물 콧물을 함께 토해 내는 꼴을 검게 가라앉은 눈으로 지켜보고 있었다.

"나랑 밤새 이러면 이서단 씨가 이길 것 같습니까."

"……."

"오늘 아예 내 손에 반쯤 죽어서 나가면, 내가 남은 세 번 정도는 퉁치자고 말할 것 같아서 그러는 겁니까."

던지듯 하는 말에 나는 눈물이 따갑게 말라붙은 눈을 떴다. 한 팀장은 내 얼굴에 대고 훅 연기를 불어 넣으면서 입꼬리를 단단하게 비틀어 웃었다.

"어림도 없어. 보낼 때 보내더라도 곱게는 안 보냅니다. 이서단 씨가 나를 하루 이틀 본 것도 아니고, 내가 이런 사람인 줄 알고 시비건 것일 테니까, 각오 단단히 다져요. 어디 한번 누가 먼저 죽나 봅시다."

입술 안쪽을 물며 그에게서 고개를 돌렸다. 눈을 감자 뜨거운 눈물이 눈꺼풀 안쪽에 차올랐다.

처음부터 당연한 일이었는데, 왜 착각했는지 모를 일이었다. 누구보다 잘 알아야 할 내가 어떻게 잠시라도 잊었을까. 조금이라도 내가 그에게 의미가 있었다면, 그는 나를 때리지 않았을 것이다. 세상 어디에도 애정을 가진 상대를 학대하는 사람은 없었다. 폭력이라는 것은 한 번도, 누구에게서도, 그런 의미가 아니었다.

희미해진 의식으로 몸이 가볍게 들리는 것을 느꼈다. 머리 밑으로 푹신한 것이 밀어 넣어지고, 몸 위로 부드러운 것이 덮였다.

🖂

비가 내렸다. 일기예보에도 없는 소나기였다.

아침에 출근할 때까지만 해도 맑던 하늘에 짙게 구름이 깔리더니, 점심때가 되자 굵은 빗줄기가 쏟아져 내리고 있었다. 자판기 옆 창문을 내다보고 있는데 뒤에서 누가 어깨를 톡톡 두드렸다. 돌아보니 김 주임이었다.

"이서단 씨 커피 아니에요?"

"아, 네."

식어 가는 종이컵을 황급하게 꺼냈다. 김 주임은 동전을 딸깍 넣더니 팔짱을 끼고 서서 기다렸다.

"서로 모른 척해 줘야 해요."

"……네?"

"믹스커피 마시는 거 알면……."

위이잉, 자판기가 돌아가다 멈췄다.

"팀장님이랑 팀원들한테 무시당해서."

김 주임이 300원짜리 커피를 들어 올렸다. 나는 그제야 무슨 소리인지 깨닫고 웃었다. 나는 굳이 말하자면 자판기 커피를 마시고 싶은 게 아니라 한 팀장과 마주칠 가능성이 없는 곳이 필요했던 것이었지만, 의외로 4층 구석의 외진 복도는 김 주임이 즐겨 찾는 곳인 모양이었다.

"우산 안 가져왔는데."

중얼거린 김 주임이 먼지 낀 창틀에 종이컵을 올려놓았다. 올려다보니 우중충한 하늘은 먹구름이 걷힐 기미가 보이지 않았다.

"빌려드리고 싶은데, 저도 안 가지고 와서……."

"이서단 씨는 차 몰아요?"

"아니요, 지하철 타고 다녀요."

커피가 달았다. 고급 취향을 맞추다 보니 내 혀까지 까다로워진 모양이었다. 프로젝트가 끝나면 어떻게 할까. 나도 원두를 사 와서 따로 탕비실에 보관해야 할 판이었다.

내 생각을 읽은 것처럼 김 주임이 말했다.

"나는 사실 카페에 가도 시럽 넣은 라떼만 마셔요. 커피 맛도 잘 모르고."

"……네."

"이것도 맛있잖아요? 덜 귀찮고. 작년에 프로젝트 하고 나서 나도 원두 비싼 거랑 내리는 기계 같은 거 샀는데, 바쁘니까 금방 처박아 놓고 안 쓰게 되더라고요. 백 개짜리 믹스커피 같은 거 사다 마시고. 의외로 금방 또 적응해요."

미지근해진 커피가 맛없고 텁텁했다. 그럴까요, 라고 느리게 대답했다. 비가 계속 왔다. 들어가서 일해야 할 텐데 창에서 눈길이 떨어지지 않았다.

"얼굴이 더 마른 것 같은데. 밥 안 먹어요, 요즘?"

"……아니요, 먹고 있습니다."

"나는 스트레스 받으니까 오히려 살이 찌던데. 무서워서 재 보진 않았어요."

커피를 원샷한 김 주임이 기지개를 켰다. 별로 살이 찐 것 같지는 않았지만, 눈 밑이 검게 물든 피곤한 얼굴이었다. 종이컵을 구겨서 쓰레기통에 던져 넣으며 김 주임이 하품 끝에 잠겨 든 목소리로 말했다.

"나는 들어갈게요. 아니, 더 쉬다 와요. 나는 일 밀려서."

"네, 들어가세요."

또각또각 멀어지는 발소리를 듣던 나는 마시던 커피를 창틀에 올려 두고 오래된 자판기에 몸을 기댔다.

한 팀장은 일주일 내내 얼굴 볼 일이 거의 없을 정도로 바빴다. 마주칠 때마다 그에게서는 싸늘한 칼바람 같은 게 불어왔다. 지난 토요일의 멍 자국은 이제까지 중 가장 처참했고, 앉을 때마다 통증이 신경 쓰였다. 더군다나 일요일 아침에 나를 집 앞에 데려다준 그가 차갑게 말했던 것이다.

"체력 다져 놔요. 다음 주엔 이렇게 만만하게 안 넘어갑니다."

내일 출근할 수 있기나 할까. 얼굴을 천천히 기울여, 빗물로 차가워진 유리에 쿠끔욱 붙였다.

✂

89

"얼굴이 아주 폈네."

나를 빤히 들여다본 그가 빈정거렸다.

"왜, 이제 몇 번 남지 않았다고 생각하니까 기분이 날아갈 것 같습니까? 오늘도 해치우면 이제 한 번밖에 안 남는다, 생각하고 아침부터 설렜습니까?"

한 팀장의 차 안이었다. 저녁 시간도 훨씬 넘어 일이 끝나서, 나오다가 기다리고 있던 그에게 붙들렸다. 어차피 집까지 다녀오기에는 시간이 아슬아슬했고, 그가 주차장으로 끌고 내려가는 것을 어떻게 할 수 없었다.

차 문을 닫자 빗소리가 들리지 않았다. 비 내릴 때의 습한 공기만 남아 있었다. 그에게서 말없이 고개를 돌리고 나는 안전벨트를 맸다. 회의실에서 봤을 때는 괜찮았는데, 이렇게 가까이에서 보니 또 손끝이 차갑게 식었다.

"얼굴이 여기서 더 작아지다가는 없어질 것 같네요."

시동을 걸며 그가 말했다. 얼굴을 훑고 가는 시선이 레이저처럼 홧홧하게 느껴졌다. 주차장을 벗어나자 앞유리를 가로지르며 와이퍼가 작동하기 시작했다. 나는 대꾸하지 않고 말했다.

"약국 들러야 합니다."

"구비해 뒀으니까 괜찮습니다."

처음에는 그가 호텔을 말하는 줄 알았다. 신호등에서 멈춰 섰을 때에서야 이상한 낌새를 눈치 챘다. 뭔가 했더니 차선이었다. 히터 세기를 조절하던 한 팀장이 나를 보지도 않고 심드렁하게 말했다.

"눈치 많이 빨라졌네."

"팀장님, 저한테 얘기도 없이……."

"여기든 저기든 똑같이 침대인데 무슨 상관입니까. 어차피 두 주 있으면 다시 볼 사이도 아닌데, 낯선 사람 집이면 호텔이나 마찬가지지."

불이 초록색이 되었다. 좌회전이 아닌 직진. 요새로 가는 방향이었다.

내가 내뱉은 말의 메아리에, 나는 파헤쳐지듯 상처를 입었다. 입을 다물고 시선을 유리창으로 돌렸다. 차가 막히고 있었다. 앞차의 꼬리등이 빗물에 붉게 번졌다.

"일주일 내내 잘 지냈습니까."

침묵을 깨고 한 팀장이 물었다. 핸들을 짚은 손가락이 가늠하듯 가볍게 두드려졌다. 건조한 목소리만 들으니 그가 정말로 내 안부를 묻는 것 같았다.

"팀장님은 어떠셨습니까?"

기울인 시선을 무릎에 고정했다. 대답을 하기에는 잘 지냈다는 말도 그렇지 않다는 말도 우스울 것이다. 잠시 말이 없던 한 팀장이 핸들을 꺾으며 답을 알면서 왜 물어, 라고 산뜻하게 되물었다.

"밤표는 두 주 낚았는데 일은 밀려 있고, 팀원들은 때아닌 반항에, 어머니는 어머니대로, 이서단 씨는 이서단 씨대로 작정하고 나를 괴롭히는데, 내가 잘 지냈을 것 같습니까?"

묻는 것부터 잘못이었을 것이다. 나는 마른 입술을 축이면서 눈을 깜박였다.

"제가 언제……."

내가 아는 대로라면 늘 그 반대였는데. 한 팀장이 웃었다. 메마른 소리였다.

"이서단 씨는 나보다는 잘 지낸 것 같네요."

나는 그의 눈을 피해 창밖을 내다봤다. 빗줄기가 점점 굵어지고 있었다.

와이퍼 속도가 빨라졌다. 빗방울이 길게 창을 타고 꼬리를 그렸다.

&

한 팀장의 집은 그때 봤던 그대로였다. 조명의 조도를 조절하자 비 오는 창밖의 야경이 잘 보였다. 서류가방을 놓고 나온 그가 내 코트를 받아 들며 무심히 물었다.

"운치 있지 않습니까."

"……네."

창이 커다랗게 나 있으니 마치 비 내리는 밖과 바짝 맞닿아 있는 것 같았다. 한 팀장은 유리를 향해 다가서는 나를 내버려 두고 부엌으로 사라졌다. 희미하게 달그락거리는 소리를 흘려들으면서 나는 창밖을 내다봤다. 발바닥에 닿는 러그가 부드럽고 따뜻했다. 베란다 테이블 위의 재떨이에는 꽁초가 수북하게 쌓여 있었다.

거실을 가로지르는 발소리가 들렸다. 한 팀장은 소파 옆의 커다란 은색 조명을 켰다. 둥그런 물방울처럼 생긴 갓 밑으로 불빛이 들어왔다. 그는 조도를 낮게 조절하고, 내 옆에 나란히 잠시 멈춰 섰다.

"식탁으로 와요."

팔을 잡을 것처럼 다가왔던 손이 어깨 위를 미지근하게 스치고 지났다. 나는 가볍게 움츠리면서 몸을 틀었다. 거실 저편의 원목 식탁에 투박한 디자인의 파란 머그잔 두 개가 마주 보고 놓여 있었다. 나는 벽을 등진 채 앉았고, 그는 반대편의 의자를 끌어내 그 끝에 걸터앉았다.

머그잔 안에는 검고 진한 액체가 들어 있었다. 코 가까이 대기만 했는데도 한약재 향이 강하게 느껴졌다. 올려다보니, 한 팀장이 시선을 창밖에 두고 말했다.

"꿀 탔으니 먹을 만할 겁니다."

"……감사합니다."

한 모금 마셔 보고 쓴맛에 혀가 움츠러들었다. 꿀 향이 뒤늦게 희미하게 감돌았다가 금세 사라졌다. 남은 뒷맛이 묵직하고 아렸했다.

잔을 가만히 들여다보고 있는데 그가 입을 열었다.

"대화하기는 호텔보다 여기가 나을 것 같았습니다."

차가운 손끝으로 감싼 잔의 표면이 뜨끈했다. 그는 내가 동의하기라도 한 듯이 말을 이었다.

"나와 할 이야기가 있지 않습니까."

지난주의 분노가 침전물처럼 가라앉아 있는 차분한 목소리였다. 시린 바람이 지나간 것처럼 몸이 흔들렸다. 나는 멈췄던 호흡을 놓았다.

"저는 팀장님과 할 얘기 없습니다."

한 팀장은 잔을 들어 한 모금 마시고 내려놓았다. 숙인 내 이마를 향해 간결하게 말했다.

"그럼 듣기라도 하세요."

"말만 하실 거면 가겠습니다. 팀장님 이야기 들어 드리러 여기까지 온 게 아닙니다."

하, 그가 실소했다.

"막 나가기로 아예 작정했습니까."

"……."

나는 내리깐 눈으로 식탁의 나뭇결을 의미 없이 따라 그렸다.

"잘잘못을 따지는 것도 우습지만, 지난주의 그 꼴사나운 상황이 온전히 내 책임이었습니까? 어느 정도는 이서단 씨 지분도 있지 않습니까."

"어떤 상황을 말씀하시는 건지 모르겠습니다. 평소랑 똑같이―"

"이해력 딸리는 척은 그쯤 하지."

이 악문 목소리였다. 신호라도 감지한 듯이 예민하게 떨리는 손끝을 잡아 내리며 나는 눈을 들었다.

"애초에 팀장님이 왜 화가 나신 건지 모르겠습니다."

"⋯⋯진심으로 하는 말입니까."

"옥상에서 처음 뵈었을 때 토요일마다 보자고 하셔서 지금까지 그렇게 했고, 제 쪽에서 약속을 어긴 적은 없습니다. 오히려, 일을 복잡하게 만드신 것은 팀장님 쪽입니다."

그어 놓은 선을 그가 먼저 넘어왔다. 가지런한 손으로 아무렇지 않게 내 정돈된 일상을 엉망으로 흐트러뜨렸다. 폭풍이 지나간 후에는 알 수 있었다. 지난주의 관계가 차라리 정상이어야 했고, 내가 몸과 시간을 내맡기며 각오한 것은 그런 것이었다. 그러니 원래 있었어야 하는 곳으로 돌아온 것뿐이었다.

"어찌나 잘 조잘거리는지, 입술을 꿰매 버리고 싶네."

감긴 눈두덩이 위를 꾹 누르던 그가 가라앉은 목소리로 중얼거렸다.

"저는⋯⋯."

"이제 그만 입 다무세요."

고저 없는 명령이 내 말을 무딘 칼날로 동강 냈다. 나는 목구멍 안쪽으로 뜨겁고 일렁이는 것이 차오르는 것을 느끼며 말을 멈췄다. 한 팀장은 나를 보고 있지도 않았다. 창 쪽으로 건너간 시선이 무심히 내게로 돌아왔다.

"출석 도장 찍었다고 할 일 다 한 것 같습니까."

"⋯⋯."

"평생을 통틀어 침대에서 누군가를 이렇게 신사적으로 대한 건 이서단 씨가 처음입니다. 진심으로 내 욕구를 풀려고 들었으면 이서단 씨가 지금까지 이렇게 사지 멀쩡할 것 같습니까."

"알고 있습니다."

배 속이 화답하듯이 떨려 왔다. 목소리를 쥐어짜 내서 겨우 말을 이어갔다.

"애초에 그러실 필요 없었습니다. 처음부터 팀장님이 원하시는 대로—"

"손가락 하나만 넣어도 무서워서 앙앙 울던 것이."

그가 무표정으로 일갈했다.

"안 봐주고 해 보면 어떤 꼴 날지, 오늘 보고 싶습니까."

"……"

"시비를 걸 거면 이서단 씨가 손꼽아 기다리는 대로 프로젝트가 끝난 다음에 걸었어야지. 방음 잘 되는 내 집에서, 나와의 섹스를 목전에 두고, 무슨 배짱으로 그렇게 떠드는 겁니까?"

단단한 손이 내 턱을 붙잡아 억지로 들어 올렸다. 마주치게 된 그의 눈동자에는 진득하고 음습한 것이 똬리를 틀고 있었다. 배 속이 꽉 오그라들었다. 고개를 돌리려 했지만 어림없었다.

"우리가 그동안 해 온 게 도대체 뭐라고 생각합니까? 말해 봐요."

"……"

"이서단 씨가 조금이라도 내 생각을 했다면, 문제가 무엇이 됐든 나한테 물어보고 이야기할 기회를 줬을 겁니다. 혼자서 결론 내리고 선 그어서 그걸 나한테 통보할 게 아니라. 내 말이 틀렸습니까?"

나를 도망칠 수 없게 붙들고 그가 한 자 한 자 끊어 내듯이 다그쳤다. 그가 말을 할수록 나는 머릿속이 흐릿하게 뭉그러졌다. 혼란스러웠다. 무슨 이야기인지 하나도 알아들을 수 없었다.

"제가 언제 팀장님께……. 잠시만요, 팀장님. 잠깐만, 저 일단 놓아주시면……."

턱을 쥔 손가락의 악력이 아니더라도, 그의 얼굴을 가까이에서 마주 보고 있으니 생각이 자꾸만 헛돌았다. 반사적으로 손가락을 뻗어 그의 손목을 잡았다. 잡아 놓고 생각보다 뜨거운 체온에 놀라, 떼어 낼 생각은 못 하고 쥐고만 있었다.

"나한테 잘못한 게 정말 없습니까. 밥 먹자고 해 놓고 왜 취소했어요?"

"……."

"전날까지만 해도 멀쩡하더니, 갑자기 뭐? 다 끝나면 아무 일 없던 걸로? 평생 나를 마주치고 싶지도 않아?"

"으!"

턱을 쥔 손에 힘이 들어갔다. 내가 잡고 있는 손목의 힘줄이 팽팽하게 도드라졌다. 새어 나온 소리를 악물자 그가 말하다 말고 미간을 찌푸렸다. 손이 갑자기 떨어져 나갔다. 매달려 있는 내 손목도 함께였다.

고개를 돌리려다가 손목이 잡혀 앞으로 끌어당겨졌다. 엉덩이가 의자에서 들리고, 허벅지가 식탁 모서리에 아프게 부딪혔다.

"안전어는 왜 안 썼습니까."

코가 거의 맞닿을 정도였다. 그는 새파랗게 시선을 맞대고 짓씹듯이 물었다.

"다칠 수도 있다는 생각은 안 했어요? 내가 어디까지 갔을 줄 알고. 멍청한 겁니까, 생각이 없는 겁니까?"

"때리신 건 팀장님이신데, 제가 왜 그런 소리를 들어야 합니까."

울컥, 꽁꽁 다물었던 입술 사이로 나도 모르게 말이 터져 나갔다.

"때리신 팀장님이 문제가 아니라, 안전어를 안 쓴 제가 잘못입니까?"

"……."

치켜 올라간 눈썹을 보자 어쩐지 목이 콱 잠겨 들었다.

"잘잘못을 가리자는 게 아니라, 이서단 씨 행동에 대한 이유를 묻는 겁니다. 내 상식으로는 도저히 이해할 수가 없어서, 설명이라도 들어 보자는 거라고."

"팀장님이 저한테 상식 운운하실 입장입니까?"

눈을 마주 보고 입에서 말을 밀어냈다. 서늘하게 굳는 그의 표정도 아랑곳하지 않았다. 한번 말하기 시작하자 나머지는 거센 물살처럼 뒤따랐다.

"이유 없이 때리는 건 팀장님의 상식이지, 세상 어디 가서 누구한테 물어봐도 그게 상식이라는 사람은 없을 겁니다. 일반적으로 때린 사람이랑 맞은 사람이 다음 날에도 웃으면서 얼굴 보는 일이 어디 있습니까. 맞은 사람은 멍이 남고 상처가 남는데, 그걸 어떻게 일어나지 않은 일처럼……."

"……."

"팀장님이랑 만나면서 저는 한 번도…… 정말로 단 한 번도, 팀장님께 맞는 게 서럽지 않은 적이 없었습니다. 플레이라는 말만으로, 저는 팀장님께 어떤 취급을 받든 아무렇지 않아야 하고, 끝나면 아무 일 없었던 것처럼 약 발라 주시고, 그거면 다……."

"……."

"전부 놀이고 게임이면, 왜 저는 침대가 아닌 곳에서도 팀장님을 무서워해야 합니까?"

그의 손을 뿌리쳤다. 덜덜 떨리고 있는 내 볼썽사나운 손가락을 그의 앞에 내밀었다. 그는 눈썹을 한껏 들어 올린 채로 나를 뚫어져라 보고 있었다.

"폭력이 아니라 플레이라는 말 같지도 않은 궤변에 설득당하고, 별 시답잖은 이유로 매 맞고 벌 받고, 팀장님 하시는 말 한마디까지 무서워해야 하고……. 그게 서럽고 혼란스러웠던 건 전부 제 잘못입니까? 지난주의 일도, 주제넘게 팀장님을 화나게 하고 안전어까지 쓰지 않은 제 책임입니까?"

"……."

길고 긴 침묵이 자리 잡았다. 그는 미간을 찌푸린 채로 나를 보다가, 바들바들 떨리고 있는 내 손끝을 물끄러미 응시했다. 나는 입술 안쪽을 깨물었지만, 기어이 눈시울이 뜨거워졌다.

손을 올려 내 눈가를 훔친 그가 손끝에 묻어난 물기를 보고 입꼬리를 비틀었다.

"차라리 이게 낫네."

"……."

"지난주 일은, 내 잘못이 큽니다. 더 현명하게 대처할 방법이 있었을 텐데, 완전히 꼭지가 돌아서 이서단 씨 배려를 못 했습니다. 미안합니다."

깔끔하게 말끝이 떨어진 순간 뺨이 무섭도록 뜨거워졌다. 시야가 뜨겁게 일렁여서 그의 얼굴이 보이지 않았다. 짧게 침묵한 그가 말을 이었다.

"그리고 내가 뭐라고 불렀든, 이서단 씨가 폭력이라고 느꼈다면 그건 폭력입니다. 그동안 침대에서의 역할을 떠나서, 상사라는 위치나 우리가 한 계약의 갑을관계를 빌어 이서단 씨에게 강압적으로 굴었던 것도 사실입니다. ……그걸 두고 변명할 생각은 없는데, 다만……."

힘이 풀어진 다리가 기어이 몸을 주저앉혔다. 한 팀장은 내 손목 하나를 끌어와 도망을 미리 방지하려는 것처럼 감아쥐었다.

"일부러 그런 것은 아닙니다. 이서단 씨가 고분고분 잘 따라와 줘서, 내 방식이나 상식에 대해서 어느 정도는 납득하고 있다고 생각했습니다. 플레이와 실생활의 구분선도…… 나는 확실히 구분했다고 생각했고, 이서단 씨가 보기에 흐릿할 거라고는 생각하지 못했습니다."

"……."

"여기가 회사가 아니고 침대 위가 아니어도 내가 무섭습니까?"

고개를 돌려 시선을 외면하자 그가 한숨을 쉬었다. 내 손목을 놓더니 일어섰다. 식탁을 돌아 내 자리로 성큼 다가오자 나는 뒤늦게 도망치려 했다.

의자에서 일어나기도 전에 그에게 붙들렸다. 그는 덜덜 떨리는 몸을 훌쩍 들어 올려 짐짝처럼 어깨에 둘러멨다. 갑자기 아찔하게 빙글 돌아간 시야에 비명을 반쯤 삼키는 동안, 한 팀장이 나를 든 채로 계단을 올라가기 시작했다.

나는 떨어질까 봐 제대로 발버둥도 치지 못했다. 뻣뻣하게 굳은 몸으로 눈을 깜박이다가, 결국 그의 목을 한 팔로 더듬더듬 끌어안았다. 침실 문을 젖혀 열며 그가 한숨처럼 일갈했다.

"안 떨어뜨리니까 긴장 풀어요."

"……끅."

놀라서 그런지 딸꾹질이 나왔다. 한 팀장은 넓은 침대 위로 몸을 굽혀 나를 이불 위로 내려놓았다. 목을 두른 내 팔을 떼어 놓고, 나를 반듯하게 눕혔다. 나는 눈을 들어 그를 올려다봤다. 침실 문을 닫고 온 그가 내 옆으로 걸터앉으며 무심히 말했다.

"그렇게 긴장할 거 없습니다."

"……그럼 왜……."

침대가 없는 아래층 쪽이 더 안전하게 느껴진 건 사실이었다. 눕혀진 몸을 일으켜 그에게서 한 뼘 물러났다. 무릎을 끌어안고, 나오는 딸꾹질을 하나씩 삼켰다.

한 팀장은 한동안 물끄러미 나를 보다가 일어섰다. 그리고 주름 하나 없이 반듯하게 침대를 덮은 이불 끝자락을 잡아, 내 몸 위로 덮었다. 둥근 공을 싸듯이 반대편 이불자락도 끌어왔다. 푹신한 이불 여러 겹으로 꼼꼼하게 나를 둘렀다.

나는 고치의 중앙에서 고개만 들어 불안하게 내다봤다. 끅. 또 딸 꾹질로 몸이 들썩거리자, 그의 입꼬리가 조금 들렸다.

"……웃을 때가 아닌데, 미안합니다. 거기 좀 있어 봐요, 생각 중이니까."

오늘이야말로 야차처럼 채찍을 휘두르는 그를 마주할 줄 알았는데, 이상하게 반응이 고요했다. 아직도 뚝뚝 떨어지는 눈물이 그의 이불에 묻을 것 같아 소매를 올려 대충 닦았다. 그를 올려다보다가 조심스럽게 물었다.

"무슨 생각 중이신데요?"

한 팀장은 대답하는 대신 침대 반대편으로 다리를 내려 일어섰다.

"이런 상황에서 보여 주려고 한 건 아니지만, 어차피 다 엉망이 됐으니……. 있어 봐요."

그가 욕실 문을 열고 시야에서 사라졌다. 달그락 서랍이 열리는 소리가 들렸다. 나도 모르게 몸에 바짝 힘이 들어갔는데, 그가 가지고 나온 것은 둥근 고리에 매달린 작은 열쇠였다. 내 눈앞에 열쇠를 내밀어 보여 주고, 그가 고갯짓으로 침실 반대편의 옷장 문을 가리켰다.

"저걸 열 겁니다."

"옷장을 왜……."

"옷장이 아닙니다."

그는 침대를 빙 둘러 방을 가로질렀다. 지금 보니 옷장의 문손잡이 밑에 열쇠 구멍이 있었다. 그 안으로 열쇠가 미끄러져 들어가고, 건조한 소리가 달칵 울렸다. 한 팀장은 손잡이를 잡아 문을 젖혀 열고, 내가 안을 볼 수 있게 옆으로 물러섰다.

"……!"

나는 눈을 감았다 떴다.

잘못 본 것이 아니었다. 네모난 방은 본래 워크인 형식의 옷장이었을 것이다. 개조된 좁은 공간은 옷걸이 대신 선반이 벽을 두르고 있었다. 선반에는 빼곡하고 가지런하게 도구가 걸려 있었는데, 각종 굵기의 회초리도 있었고, 채찍도 있었고, 내가 모르는 것도 수두룩했다. 그 외에도 잘 보이지 않는 쪽의 벽에는 성기를 닮은 커다란 모형이 줄줄이 늘어서 있었고, 중앙에는 세모꼴로 생긴 무시무시한 가죽 가구 같은 게 있었다.

손끝에서 피가 싸하게 빠져나가는 느낌이 들었다. 창백해진 얼굴을 지켜보던 그가 무덤덤하게 덧붙였다.

"지금 이서단 씨에게 쓰겠다는 게 아니니까 오해 말아요. 다 봤으면 닫겠습니다."

툭 닫으니 문은 다시 평범한 옷장이 되었다. 한 팀장은 열쇠로 문을 잠그고 나를 향해 돌아섰다. 나는 아까의 용기는 어디 가고 눈앞이 깜깜해질 정도의 무서움만 남았다. 그가 그동안 나를 많이 봐줬다는 말은 사실이었다. 저걸 진작에 보여 줬다면 나는 버티지 못했을 것이다. 내 옆에 다시 걸터앉은 그가 무심하게 물었다.

"그래서, 어떻습니까."

"……고문실입니까."

"뭐?"

멈칫한 그가 쓴웃음을 지었다.

"그렇게 보입니까."

"……."

"궁금한 게 있으면 질문해 봐요. 때리지도 않고, 화내지도 않겠습니다. 대화 마친 후에는 무사히 집에 데려다줄 테니까, 할 말 있으면 지금 전부 하세요."

그가 이불 틈새로 나온 내 손 위로 열쇠를 떨어뜨렸다. 금속이 그의 체온으로 미지근하게 덥혀져 있었다.

그가 억지로 쥐여 준 고리를 나는 이불 속으로 끌어 들였다. 턱을 무릎에 묻고 숨을 쉬었다. 울음도 딸꾹질도 어느새 멎어 있었다.

"할 말 없습니까?"

"……."

"그럼 내가 먼저 하겠습니다."

그가 다리를 뻗고 앉았다. 한쪽 발이 이불 너머로 내 엉덩이를 스쳐서, 나는 그가 준 열쇠를 툭 떨어뜨렸다. 손바닥으로 시트 위를 더듬는 것을 지켜보던 그가 무심하게 입을 열었다.

"BDSM에는 스물셋 정도에 발을 들였습니다. 지금 이서단 씨보다도 훨씬 어린 나이입니다. 그전에도 비슷한 건 했었지만, 제대로 체계적으로 배운 건 그때부터였습니다."

콜록, 들이쉰 공기에 사레가 들렸다. 굳어 버린 나를 두고 그가 담백한 어조로 말을 이었다.

"이서단 씨는 나를 지나치게 좋게 봐주는 경향이 있는데, 나는 지금도 성질머리 더럽고 별 볼일 없는 남자이고, 그때는 지금보다 훨씬 엉망이었습니다. 목숨이 아깝지 않은 사람처럼 위험한 데도 곧잘 갔고, 위험한 짓도 곧잘 했습니다. SM도 그때 시작했던 취미 중 하나입니다. 제법 본격적으로 했습니다. 서른 즈음에 슬슬 시들해졌는데, 그때 처분한 기구나 도구는 저 옷장이 아니라 이 방을 다 채울 정도였습니다."

"……."

멍하니 그를 보고 있었다. 내 체온으로 덥혀진 이불 속이 폭신했다. 열쇠가 땀으로 젖은 손바닥에 딱딱하게 배겼다. 한 팀장은 조금 피곤한 얼굴이었다.

"지금은 그렇게까지 강도 높은 플레이는 안 하고, 하고 싶은 마음도 없습니다. 배운 게 달리 없으니 기질이나 습관은 남아 있는데, 지금까지 이서단 씨에게 한 것에서 크게 벗어나지 않는 정도가 내 상한선이에요. 전문가가 보면 취미보다 못한 수준입니다. 나한테는 미리 안전어를 정할 정도의 플레이도 아니라서, 이쪽 분야에 문외한인 이서단 씨 입장을 생각 못 했습니다. 나름대로는 동참하고 있는 줄 알았고, 침대를 떠나서까지 서러운 기분 들게 하려던 게 아닙니다."

구름 같은 곳에 붕 떠 있는 것처럼 듣고 있는 말이 현실감이 없었다. 몸을 뒤로 기대며 그가 고저 없이 말했다.

"그래서, 이제 내가 어떻게 해 주길 바랍니까."

"……네?"

"여기서 그만할까?"

그가 표정 하나 변하지 않고 조용히 물었다. 나는 숨을 멈췄다.

"말해 봐요. 오늘 집에 보내 주고, 나머지 한 번은 없다치고, 이서단 씨 말대로 아무 일 없던 걸로 하면…… 그러면 되겠습니까? 다만 프로젝트에서까지 빼 줄 순 없으니 두 주는 내 얼굴 보는 게 싫어도 참아야 할 겁니다. 그 이후에는 이서단 씨가 원했던 대로 다른 회사에서의 자리를 알아봐 주겠습니다. 래원은 다니고 싶은데 내 얼굴이 보기 싫은 거라면 내가 옮겨도 될 일이니까, 원하는 걸 솔직하게 말하세요. 이서단 씨 의사대로 진행하겠습니다."

"왜……."

조용해졌던 심장이 다시 쿵쿵 뛰기 시작했다. 눈앞이 깜깜하게 닫혔다가 열렸다. 마른 눈가가 따끔거렸다.

"갑자기 그런 건…… 남은 한 번은 그대로 하고 싶습니다. 오늘 안 하고 넘어갈 거면, 끝나고도 한 주 더……."

"……왜?"

그가 미간을 찌푸리고 물었다. 나는 입을 다물었다. 왁스로 고정되어 있던 그의 앞머리 한 가닥이 이마로 스륵 떨어졌다. 빈틈없이 다려져 있던 셔츠와 소매도 구겨져 있었다. 눈가까지 내려온 머리가 귀찮은지 쓸어 넘기면서 그가 몸을 조금 멀찍이 물렸다.

"내가 더 이상 안 해도 된다는데, 나서서 그럴 이유 없지 않습니까."

"그래도."

"그동안 말만 안 했지 전부 서럽고 힘들었다면서. 그 싫은 걸 억지로 몇 번 더 시킬 정도로 내 욕구가 급한 건 아닙니다. 이서단 씨 기준으로는 강도 높은 섹스를 여러 번 했으니, 마지막 몇 번 정도는 한 셈 칩시다."

"그런 계산법이 어디 있습니까."

덤덤히 말하려고 애쓰면서 시선을 내리깔았다. 발밑의 땅이 끝도 없이 떨어져 내리는 느낌이었다.

"그건, 그런 건 싫어요. 처음에 약속한 대로 하고 싶습니다. 팀장님도 약속대로 저를 프로젝트에 넣어 주셨으니까, 저도…….."

그가 그어 놓은 선을 구명줄처럼 붙잡는 것은 이제 오히려 내 쪽이었다. 표정 변화 없는 얼굴을 보자 급박함이 목까지 차올랐다. 하얗게 질린 손끝으로 이불을 그러쥐고 더듬더듬 덧붙였다.

"오늘 제가 한 얘기는 신경 쓰실 필요 없습니다. 어차피 상관이 없고."

"그게 왜 상관이 없습니까."

그가 거의 이를 악문 채 침착하게 되물었다.

"이서단 씨는 나를 여기서 얼마나 더 쓰레기로 만들 건데. 나와 관련된 모든 게 이서단 씨에게 마냥 서럽고 괴로운 걸 알았으니, 이제

하던 대로 진행하면 되는 겁니까? 나랑 이 얘기를 해 놓고, 여기서 나한테 다리 벌리고 싶습니까?"

짜증이 미간의 골에 험악하게 묻어 있었다. 심장이 너무 뛰어서 나는 눈을 감았다 떴다.

"지금은 화 안 내고 제 말 들어 주신다고⋯⋯."

"내가 화를 안 내게 생겼습니까. 이서단 씨 말이 앞뒤가 하나도 맞지 않는데. 지금 나를 이렇게 만들어 놓고, 본인 자존심이나 지키자고 같잖은 고집 부리는 겁니까? 프로젝트고 거래고, 내가 지금 그런 이야기나 하자고⋯⋯."

"⋯⋯팀장님."

그는 말하다가 뚝 멎었다. 말없이 침대를 내려다보다가 내게 시선을 주지도 않고 일어섰다.

"안 되겠으니까, 일어나요. 데려다주겠습니다. ⋯⋯머리 좀 식히고, 정리되면 나중에 다시 얘기합시다. 지금 이서단 씨와 같은 방에 더 있다가는 내가 돌아 버릴 것 같으니까."

"팀장님."

미련 없이 돌아선 뒷모습이 나를 내버려 두고 방을 가로질러 성큼성큼 멀어졌다.

멍하니 따라 일어나려다가 이불에 발이 걸렸다. 넘어지다시피 침대 밖으로 걸음을 내디뎠는데도 그는 돌아보지 않았다. 문 너머로 사라지는 그를 하릴없이 따라갔다. 난간을 잡고 나무 계단을 내려가니 그는 벌써 방에서 내 코트를 들고 나오고 있었다.

"입어요."

코트를 던져 주며 그가 끊어 말했다. 아예 내 쪽은 쳐다보고 있지도 않았다. 현관 쪽의 고리에서 그가 차 열쇠를 낚아채고, 구두에 발을 구겨 넣었다. 현관문을 열고서야, 거실에 아직도 서 있는 나를 돌아봤다.

"뭐 하는 겁니까."

"⋯⋯."

표정 없이 서늘한 얼굴이 낯설었다.

눈앞에 서 있는 남자는 상사도, 주인도, 가끔 다정하던 사람도 아니었다. 평생에 한 번, 길거리에서 스쳐 간 사람. 교차로에 멈춰선 차 유리 너머의 사람. 그 정도였다. 이미 작은 실도 남기지 않고 나를 끊어 낸 타인의 얼굴이었다.

입을 열었는데 아무 말도 할 수 없었다. 손가락 틈새로 하염없이 흘러내리는 모래를 느꼈다. 발밑에 까마득한 틈이 입을 벌렸다.

남자는 우두커니 서 있는 나를 물끄러미 쳐다봤다. 화를 내지도 않고 귀찮다는 듯이 끊어 말했다.

"끌어내게 만들지 말아요."

"⋯⋯."

"니 오라고 분명히 말했어요. 마지막으로 경고합니다."

그가 문에서 손을 뗐다. 구두를 신은 채로 나를 향해 성큼성큼 거실을 가로질렀다. 나는 반걸음, 또 반걸음, 뒤로 물러섰다. 그가 붙잡을 수 없도록 등 뒤로 손목을 감추고 손가락을 엮었다. 소파 가장

자리에 걸려 넘어질 뻔하며 뒷걸음질 쳤다. 마침내 더 이상 물러설 곳이 없었다. 차가운 유리에 등이 부딪혔다. 올려다본 서늘한 얼굴이 아무런 흔들림도 없이 나를 지켜보고 있었다.

알고 있었다. 그의 손에 이끌려 저 문을 나서면, 끝이었다. 마지막 귀환 불능 지점이었다. 다시 그가 없는 토요일이었고, 그가 없는 일주일이었다. 그가 내게 준 말미는 여기까지였다.

그제야, 참았던 흐느낌이 둑이 터지듯이 어깨를 뒤흔들었다. 흘러내린 눈물이 그의 러그 위로 둥글게 웅덩이를 만들었다. 쓰라린 울음이 가슴을 찢고 목구멍에 차올랐다. 언어를 모르는 아이처럼, 희로애락의 전부가 눈물이 되는 서글픈 시기처럼. 말없이 내려다보는 그를 앞에 두고, 헐떡거리는 울음을 끊임없이 쏟아 냈다.

내가 이렇게 서툴지 않았더라면. 언제라도, 누구와라도, 만남과 헤어짐을 연습해 봤더라면. 까마득한 경험의 간극을 넘어, 더 현명한 말들을 찾을 수 있었을까. 당신이 나를 제대로 돌아보고, 정면으로 마주하게 만들 수 있었을까.

이게 아니었을 텐데. 더 나은 길이 있었을 텐데. 필사적으로 생각했지만, 알 수 없었다. 어떤 말을 해야 그를 붙잡을 수 있을지 알 수 없었다.

"……뭐 하는 겁니까, 지금."

그가 잠긴 목소리로 물었다. 나는 대답하지 않았다. 후들거리는 다리로 몸을 그에게 더 가까이 붙였다. 그의 등을 두른 팔에 꽉 힘을 주었다. 밀쳐 내려는 손이 내 어깨를 잡을 때마다 울면서 막무가내로 품속으로 더 파고들었다. 생명줄처럼, 마지막 구원처럼, 온 힘을 다해 매달렸다.

건조했던 셔츠가 내 눈물로 온통 축축하게 젖어 들었다. 심장의 고동 소리, 따뜻한 체향. 어느새 익숙해져 버린 타인의 체온이었다.

스물여덟 해. 언젠가 누군가를 좋아하게 된다면, 나를 좋아해 주는 사람이었으면 했다. 대단하고 거창한 사랑을 바란 것도 아니었다. 다만 시간이 지나면 나의 곁에 누군가 있어 주었으면 했다. 누군가 옆자리에 늘 머물러 주었으면 했다.

해가 질 무렵 날씨가 쌀쌀해지면, 한적한 동네를 함께 산책하고. 서로의 무릎을 베고 누워 책을 읽고, 영화를 보고. 하루의 끝과 시작을 소박하게 함께할 사람이 갖고 싶었다. 기다리다 보면, 그렇게 숨 쉬듯이 자연스럽게 만나지리라 생각했다.

내가 원한 것은 한 번도 이런 게 아니었다. 이렇게 아프고, 이렇게 절실한 것이 아니었다. 내 가치를 바닥으로 떨어뜨리는 관계는 갖지 않으리라 다짐했었다. 찬란한 빛이 갖고 싶다고 불길에 몸 던지는 어리석은 사랑은 하고 싶지 않았다.

내가 그를 만나며 마주하게 된 것은 나 자신의 허공이었다. 한 줌의 애정에 메말라 자신을 헐값에 팔아 버리는 내 안의 공허였다.

"……프로젝트가 끝나고 나면, 그때는…… 그때도, 저를……."

"……."

"가끔씩이라도…… 결혼하실 때까지 만이라도, 괜찮으니까."

"……."

"토요일이어도, 괜찮고, 아니라도 좋으니까……. 아무 때나, 팀장님이 필요하실 때, 뵐 수 있게 해 주세요. 불러 주시면 언제든 제가 갈 테니까……. 앞으로는 쓸데없는 불평하지 않고, 어리광 안 피우고, 제가 더 연습해서……."

확, 어깨를 잡은 손이 나를 강하게 밀어냈다. 턱이 잡혀 눈을 드니 한 팀장이 나를 뚫어져라 보고 있었다. 차갑기만 하던 표정이 일그러져 있었다. 처음 보는 미묘한 얼굴이었다.

"지금 본인이 무슨 말을 하는 건지는 알고 있습니까."

"……."

입을 다물고 고개만 잠자코 끄덕거렸다. 내 턱에서 그의 손 위로 후두둑 동그랗게 눈물방울이 떨어졌다. 그는 내 어깨를 부서뜨릴 것처럼 강하게 쥐고 다그쳤다.

"본인이 어떤 취급을 자처하는 건지 알고 있냐는 말입니다."

"……."

"이서단 씨를, 내가……."

그가 말하다 말고 실소했다. 나를 놓아주고 뒤로 물러서면서 머리를 거칠게 쓸어 올렸다. 그의 시선이 나를 스쳐 지나면서 흔들렸다. 비 오는 창밖에 머무른 시선이 반쯤 어둠에 잠긴 거실을 헤매다가, 비로소 내게로 돌아왔다. 눈앞의 것을 찢어 놓을 듯이 형형한 눈빛이었다.

"뭣도 모르면서 그런 얘기 쉽게 하는 거 아닙니다. 내 욕구는 이서단 씨가 상상하는 것보다 훨씬 지저분하고, 훨씬 잔인합니다. 내가 아까 그 방을 다시 열겠다 하면 따라 올라올 겁니까? 새벽에 연락하면, 당장 달려와서 다리 벌려 줄 겁니까? 이서단 씨가 그걸 어떻게 견딥니까. 엉덩이 몇 번 때렸다고 훌쩍거리는 사람이, 그건 안 서럽고 안 힘들 것 같습니까?"

"……그래도 상관없습니다."

목소리가 잠겨 나왔다. 그가 화를 내자 오히려 내 쪽이 차분하게 가라앉았다. 거짓말처럼 몸의 떨림이 멈춰서, 흔들리지도 않고 그를 올려다볼 수 있었다.

"무슨 말씀이신지 이해하고 있습니다. 그래도…… 아예 못 뵙게 되는 것보단 나으니까, 전부 상관없습니다."

그는 입을 벌렸다가 다시 잠자코 다물었다.

내게서 시선을 거두고 아무 말 없이 소파에 걸터앉아, 손으로 미간과 눈두덩이를 꾹 눌러 문질렀다. 가까운 하늘에서 번개가 쳤다. 그의 얼굴 반쪽이 새파란 빛으로 물들었다가, 천천히 다시 어둠에 잠겼다.

긴 침묵이 지나고, 얼굴을 가린 손가락 사이로 잠긴 목소리가 흘러나왔다.

"좋습니다."

"……."

"그거, 합시다. 좋은 생각이에요. 언제부터 시작하면 되겠습니까?"

나는 입을 다물었다. 이렇게까지 그가 쉽게 동의할 거라고는 생각하지 않아서 얼떨떨했다.

"그러면, 프로젝트 끝나고……."

"아니, 그럴 필요도 없지. 내일은 어떻습니까?"

그가 고개를 들었다. 팔이 순식간에 내 허리를 감아 끌어당겼다. 방심하고 있던 나는 그의 위로 넘어지다시피 했다. 허벅지 위로 나를 태운 한 팀장이 두 팔로 등을 단단히 감아 끌어안고 말했다.

"굳이 기다릴 필요 없잖아요. 지금부터 합시다. 왜, 그건 또 싫습니까?"

"……아닙니다."

나는 아마도 구제불능이었다. 이런 상황에서도, 몸이 바짝 맞닿자 심장이 쿵쿵 소리 높여 뛰었다. 한 팀장은 미묘하게 일그러진 표정으로 내 뺨을 느릿하게 쓰다듬고, 부어오른 눈가를 손끝으로 쓸어 주었다. 닿은 곳마다 저릿저릿 전기가 통하는 것 같았다. 가까이에서 눈이 마주치자 나는 입을 다물었다.

"한 가지만 확인해도 되겠습니까."

시선을 맞댄 채로 그가 무심하게 물었다.

"내가 잘못 알아들은 게 아니라면. 그렇게까지 할 각오가 되어 있다는 건, 이서단 씨가 나를 좋아하는 것이라고 생각해도 되겠습니까?"

"……."

순식간에 달아오른 얼굴이 아마 그에게는 보이지 않을 것이다. 머금었던 숨을 삼켜 내리고, 그의 어깨 즈음에 시선을 고정한 채로 고개를 끄덕였다. 그는 나를 더 가까이 당겨 안으면서 다시 물었다.

"내가 선봤다고 했을 때, 기분 나빴습니까? 질투했습니까? 그래서 지난주에 그렇게 삐딱하게 나온 겁니까?"

"……비슷합니다."

그가 내 엉덩이를 받쳐 올리며 나를 든 채로 일어섰다. 이번에는 떨어질 것 같은 위태로움은 없었다. 나는 그의 허리에 다리를 감고, 목에 팔을 감은 채로 매달렸다.

계단을 올라가면서, 귀에 대고 그가 웃었다. 온몸의 솜털이 오스스 곤두설 정도로 나직한 소리였다.

"나 참, 미치겠네."

"……."

"그래요. 이서단 씨가 원하는 대로 해 줄 테니까, 이제 가서 잠이나 잡시다. 밤새 실랑이하는 걸로 시간 낭비했어도 출근은 해야 할 것 아닙니까."

"……죄송합니다."

"내일 회사로 가기 전에 이서단 씨 집에 들를 겁니다. 회사에서 입을 옷 몇 벌 더 챙겨 와요. 내일부터 며칠은 내 집에서 못 나갑니다."

눈이 마주쳤다. 그는 눈가를 서늘하게 접어 웃고 있었다.

침실 문을 닫으면서 그는 불을 껐다. 나를 침대 한쪽에 내려놓고, 아까 엉망으로 흩어진 이불을 잡아 내려 정돈했다. 어둠에 눈이 익숙해지자 그의 실루엣이 보였다. 꼼꼼하게 귀퉁이를 맞춰 이불을 간 그가 넓은 침대의 반대쪽 끝에 몸을 눕혔다. 침대가 무게로 흔들리고, 잠잠해졌다.

돌아누운 등을 보고 들릴 듯 말 듯 작게 말했다.

"안녕히 주무세요."

대답을 바란 것은 아니었다. 하지만 저만치에서 팔이 뻗어와, 머리를 가볍게 쓰다듬고 내 가슴께로 스쳐 내려왔다. 손 뻗으면 닿을 거리에 멈춰 서서 더 움직이지 않았다.

나는 천천히 눈을 감았다. 머나먼 간극을 건너온 가느다란 외줄처럼, 그가 내밀어준 손에 몸을 붙였다.

어느덧 새벽이었다. 창밖의 빗소리가 차차 잦아들고 있었다.

매듭

속옷, 로션, 칫솔, 치약. 양말은 세 켤레였는데 지금 보니 한 켤레
는 짝짝이였다. 왜 챙겼는지 모를 연필과 책 한 권도 뒤적거리던 손
에 들려 나왔다. 가방 바닥에 뜯지도 않은 관장약 상자들이 굴러다
녔다. 아침에 그가 차를 밖에 대놓고 기다리는 동안 챙긴 가방은 황
급히 싼 피난민의 짐처럼 들쭉날쭉했다.

나는 가방 지퍼를 다시 잠가서 옆으로 밀어 놓고 운전석과 조수
석 사이로 고개를 내밀었다. 양 등받이에 팔꿈치를 기대고 앞유리
에 시선을 고정했다. 회사에 차가 별로 없는 일요일이라, 차량과 기
둥 사이로 주차장 저편까지 드문드문 보였다. 그래서 나는 엘리베
이터 로비로 이어지는 문에서부터 이쪽까지 한 팀장이 걸어오는 것
을 전부 지켜볼 수 있었다. 오늘따라 방향제의 향이 달짝지근했다.

"……뒷좌석에서 뭐 해요."

차 문을 열고 그가 물었다. 매연이 희미하게 섞인 주차장의 내음

이 훅 차 안으로 들어왔다. 멀리서 보이다가 이제 가까이에서 보이는 얼굴에 정신이 팔린 나는 대답할 박자를 놓쳤다.

"앞좌석 비워 놓고 거기 타게?"

"……아니요, 가방 때문에……."

더플백을 들어 그에게 보여 주었다. 그는 그게 뭐? 하는 시선을 되돌렸다.

"까먹고 못 챙긴 게 있어서, 아무래도 집에 다시 다녀와야 할 것 같아서요."

"안 됩니다."

대답이 너무 빠르고 평온해서 이해가 늦었다. 내가 눈을 깜박이는 사이 한 팀장은 운전석에 올라타며 차 문을 닫았다. 시동을 걸며 말했다.

"앞쪽으로 오세요."

"……먼저 들어가시면, 지하철 타고 집에 다녀와서 팀장님 집으로 바로 가겠습니다. 오래 안 걸리게……."

"안 된다고 벌써 말했습니다."

백미러를 통해 그의 눈이 나를 보고 있었다. 데려다 달라고 한 것도 아닌데 그의 거부가 이해되지 않아 나는 입을 다물었다. 잠자코 가방을 두고 차에서 내려서 조수석에 올라탔다. 차 문이 닫히자 코트를 벗어 뒷좌석에 두고, 그는 차를 출발시켰다.

8시가 조금 넘은 시각이었다. 매일 보는 회사 앞 교차로인데, 하루 종일 형광등에 익숙해져서인지 스쳐 가는 가로등의 불빛이 샛노랗고 낯설었다. 손을 뻗어 히터를 틀고 조절한 한 팀장이 말했다.

"저녁부터 먹어야 할 텐데, 먹고 싶은 거 없습니까?"

"……아."

"가는 길에 들러도 되고, 사서 가져가도 되고. 아무거나 대 봐요."

이상하게 아까부터 입안이 바짝 말랐다. 그가 무슨 말을 한 것도 아니고, 무슨 행동을 취한 것도 아니었다. 옆에 앉아 있을 뿐인데 심장이 어지럽게 쿵쾅거렸다. 나는 좁은 곳에서 운전석과 조수석이 파티션도 없이 옆에 바짝 붙도록 설계된 자동차라는 공간 자체가 비정상적이라는 생각을 했다. 작은 소리도 들리고, 작은 움직임도 서로 보일 것이다. 내가 있는 곳에서는 그의 커프 링크스에 새겨진 미세한 격자무늬까지 눈에 다 들어왔다.

핸들에서 손을 뗀 그가 불쑥 내 손목을 잡아 올렸다. 미세하게 달달 떨리고 있는 손끝을 가늠하듯 손으로 쓸어보더니, 어이없다는 듯이 웃었다.

"왜 이렇게 떨어."

"……초밥은 어떠세요?"

떠오르는 게 하필이면 그것밖에 없었다. 뱉어 놓고는 스스로도 놀라서 부연 설명을 다다다닥 붙였다.

"호텔에서 먹는 거 말고, 아무거나……. 초밥이 아니어도 상관없는데……. 팀장님은 뭐 드시고 싶으세요?"

"초밥 괜찮네요."

다행히 그는 더 묻지 않았다. 나는 그가 놓아준 손목을 오른쪽 허벅지 저편으로 숨겨 놓았다. 핸들로 돌아간 단정하고 길쭉한 손가락이 툭 방향 지시등을 켰다. 차가 옆 차선으로 매끄럽게 끼어들었다.

"괜찮은 초밥집이 있긴 한데, 들어가서 먹기에는 정신이 좀 없을 것 같고. 사 갖고 가서 집에서 먹어도 괜찮겠습니까?"

"네, 그렇게 하면…… 저도, 그렇게 해도 좋을……."

말을 듣지 않는 혀가 원망스러워서 나는 말하는 것을 포기하고 아예 입을 지퍼로 잠그듯 꽉 다물어 버렸다. 목이 아플 정도로 그에게서 고개를 돌리고 창문을 내다봤다. 희뿌옇게 김이 껴 있어서 밖이 잘 보이지도 않았다.

얼마 가지 않아 한 팀장은 비좁은 골목의 가로등 아래 차를 세우고 시동을 껐다. 안전벨트를 막 풀려던 나를 손 뻗어 가볍게 제지했다.

"여기 있어요, 다녀올 테니까."

"……네."

반쯤 들린 몸을 다시 등받이에 붙였다. 길을 건너는 그의 등이 흐트러짐 없이 단정했다. 발 뒤로 그의 윤곽을 따라 그린 듯한 검은 그림자가 길게 드리워지고, 문을 열고 들어가는 그의 뒤를 따라 사라졌다.

내다보이는 인도의 갈라진 틈 사이로 잡초가 돋아나 있었다. 그가 차에서 내리면서 폐를 짓누르는 공기가 다 빠져나갔는지, 한결 편하게 숨을 쉴 수 있었다.

그가 들어간 문을 지켜봤다. 오래 걸리는 것 같아 눈을 내리깔고 무릎 위의 가방끈을 만지작거렸다. 가로등 불빛이 새어든 차 안은 모든 것이 빛바랜 주황색이었다. 나는 문득 주황색으로 물든 손을 들어, 희뿌옇게 김이 낀 창문 위로 손가락 끝을 닿을락 말락 붙였다. 고민하다가 꾹, 꾹, 찍어 눈을 만들고, 그 밑으로 느리게 곡선을 그었다. 양 입꼬리가 내려가 있는 얼굴이었다.

차로 돌아온 한 팀장은 하얀 비닐봉지에 포장된 상자를 내게 넘기고 안전벨트를 맸다. 묵직한 것을 받아 무릎 위로 얹어 놓자 그가 시동을 켰다. 기어를 바꾸며 좁은 주차 공간에서 차를 빼내기 위해 힐끗 옆으로 향한 시선이 그대로 멎었다.

"뭡니까, 저건."

"……네?"

따라서 시선을 돌리자 빛 때문인지 내가 해 놓은 낙서가 선명했다. 나는 굳어 있는 그의 표정에 당황했다. 아예 기어까지 다시 주차로 바꿔 놓고 그가 내 쪽으로 몸을 틀었다.

"이서단 씨 기분을 표현한 겁니까?"

"아니요, 그런 게 아니라……."

"대놓고 내 집에 끌려가는 게 싫다고 말할 순 없으니까 내 차 창문에 저런 걸 그려 놓고 알아 달라고 시위하는 겁니까?"

"팀장님   ."

그 정도로 깊은 의도가 있었을 리 없는 나는 내려다보는 눈빛의 형형함에 말문이 막혔다. 고개만 열심히 흔들어 아니라는 것을 피력했다.

내 표정이 설득력이 있었는지 한 팀장은 조금 심기가 덜 불편해진 얼굴로 고개를 돌리며 끊어 말했다.

"고치세요."

"네?"

"그런 게 아니면 얼굴 고쳐 놓으라고."

일단 손을 들긴 했지만 창문을 보자 막막했다. 그가 시동을 켜고 차를 출발시키는 사이 유리 위로 손끝이 애매하게 망설였다. 내려가 있는 입꼬리를 어떻게 웃는 얼굴로 둔갑시켜야 했을까. 어쩔 수 없이 양쪽 입 끝에 올라가는 곡선을 붙였다. 얼굴은 웃는 것도 우는 것도 아닌 것처럼 우스꽝스러워졌다.

미적지근하게 손을 내리고 그를 쳐다봤다. 운전하다가 힐끗 시선을 준 그가 아무 말 않는 것을 보니 그럭저럭 합격점인 모양이었다.

☙

현관에 들어서자 한 팀장은 먼저 구두를 벗었다. 잠시 내려놓았던 내 가방이 그의 손으로 옮겨 갔다. 손잡이를 몇 번 감아쥐며 무게를 가늠해 보던 그가 말했다.

"필요한 건 따로 적어 놓으세요. 사다 놓을 테니까."

"네."

"이쪽으로 와 보세요. 밥은 거기 놓고."

소파 옆 테이블에 봉지를 놓아두고 배낭과 옷가방을 든 채로 그의 뒤를 고분고분 따라갔다. 그가 열어 준 방은 옷방으로 쓰는 작은 방인 모양이었다. 손님용 방 정도의 크기였는데, 침대도 가구도 없이 옷 행거와 서랍장 같은 것만 놓여 있었다. 옷이 방을 가득 채울 정도로 많은 것도 아닌데 왜 방이 있는가 하니, 그의 침실에 딸린 옷장이 옷장 구실을 못하기 때문인 모양이었다.

내 가방을 내려놓으면서 그가 조명 스위치를 켰다. 방 안이 밝아지면서 색깔별로 정돈되어 걸려 있는 셔츠가 눈에 들어왔다. 한 팔 장은 한쪽 행거에 빈 옷걸이 몇 개를 옮겨 걸고, 걸려 있는 옷을 한쪽으로 몰았다.

"이쪽 옷걸이 쓰면 됩니다. 저쪽 서랍도 두 개 비워 줄 테니까 속옷하고 양말 정리해서 넣고, 보관할 물건 있으면 보관하고."

"네."

그는 코트를 벗어 옷걸이에 걸면서 손을 내밀었다. 얼떨결에 코트를 그에게 넘겼더니, 그는 내 것으로 지정된 행거에 걸고 구겨지지 않게 꼼꼼하게 각을 잡아 두었다.

"가방 정리는 나중에 하고 일단 나오세요, 밥부터 먹게."

"……네."

허리를 숙여 가방을 열려던 나는 그가 조명을 끄기 전에 재빨리 따라 나갔다. 비로 옆에 있는 문을 가리키며 그가 말했다.

"이쪽은 저번에 봤지만 욕실입니다. 그 옆은 서재고, 위층에 욕실 하나 더 있으니까 편한 쪽으로 쓰세요. 이서단 씨가 지난번에 썼던 칫솔도 위층 욕실에 그대로 뒀습니다. 부엌도 필요하면 알아서 쓰고. 더 궁금한 점 있습니까?"

"없습니다."

서재는 한 번도 본 적 없어서 궁금했는데, 그는 문을 열어 주지 않았다. 그 대신 나를 다시 거실로 끌어서 데려갔다. 소파에 앉으려는데, 한 팀장은 내 손목을 잡아 나를 그 옆에 세우고 부드럽게 말했다.

"옷차림부터 어떻게 좀 합시다."

"……네?"

겉옷을 벗어 뒀으니 특이할 것 없는 셔츠와 바지였다. 편한 옷으로 갈아입으라는 의미인가 싶어 고개를 드니, 그가 무심하게 말을 이었다.

"내 집에서 앞으로 이서단 씨가 옷을 입고 있을 필요는 없을 것 같은데. 안 그렇습니까?"

알아듣자마자 몸이 경직되었다. 느슨해졌던 신경줄이 다시 팽팽하게 당겨졌다.

한 팀장은 소파에 걸터앉아 느릿하게 다리를 올려 꼬았다. 나를 올려다보면서 산뜻하게 덧붙였다.

"꾸물거리지 말고 벗어요. 밥 먹어야지."

"……."

감각 없는 손가락으로 단추를 풀어 내렸다. 겨우 셔츠를 풀고, 바지 버클을 풀었다. 허벅지 안쪽을 스륵 스치면서 바지가 발목께로 흘러내렸다. 그의 시선이 드러난 속옷 위로 무심하게 머물렀다.

알고는 있었지만 눈앞이 까마득했다. 여기는 침대도 아니고 거실 한복판이었다. 집 안에서 옷을 입는 것도 허락받지 못하는 처지는 어떤 처지인가. 그야말로 언제든지 그가 필요하면 몸을 내줄 수 있도록 대기하고 있는 것에 불과했다. 그렇게까지 생각하니 입술이 덜덜 떨렸다.

무슨 정신인지 모르게 속옷을 벗어 내렸다. 멀쩡하게 불 켜진 거실에서, 알몸으로 앞을 간신히 가리고 그의 앞에 서 있었다. 흘긋 훑어 내린 그가 물었다.

"추워요?"

"……조금……."

머릿속이 엉망이었다. 한 팀장은 눈을 가늘게 뜨더니 몸을 일으켜 내 옆을 스쳐 지나갔다. 문 열리는 소리가 들렸다. 가까스로 고개를 틀었더니 옷방에서 나온 그가 하얀 것을 들고 있었다. 휙 날아온 것을 두 손으로 받아 안았다.

"입어요. 집 안에 있을 때는 그걸 입거나, 아무것도 입지 않는 것으로 합시다."

내 옷인 줄 알았는데 아니었다. 펼쳐 보니 그의 셔츠였다. 그냥 봐도 품이 넉넉할 것 같았는데, 머리를 집어넣었더니 아이가 어른의 옷을 빌려 입은 것처럼 컸다. 체격 차이가 이렇게까지 났을까. 소매도 손등을 덮을 정도로 한참 길고, 밑단은 허벅지 중간 정도로 아슬아슬하게 떨어졌다.

그래도 없는 것보다는 나았다. 긴 소매 끝을 손끝으로 그러쥐며 더듬더듬 시선을 내렸다. 섬유유연제 향이 낯익었다. 심장이 귀까지 올라와 쿵쿵쿵 뛰었다.

"이서단 씨는 다리가 예쁘네."

"……."

"거기서 한 바퀴 돌아보지 그래요."

나를 세워 두고 하얀 셔츠 밑의 허벅지를 감상하던 그가 변태 상사처럼 느물거렸다. 나는 대꾸도 못 하고 뺨이 달아올랐다. 희미하게 입꼬리를 틀어 웃은 그가 내게서 시선을 떼지 않은 채로 테이블 위의 봉지를 열었다. 초밥이 든 긴 상자를 꺼내고, 나무젓가락을 반으로 갈랐다.

"이리 오세요."

통통한 연어가 올라가 있는 초밥을 그가 깔끔한 젓가락질로 집었다. 들어 올리고 내게 손짓했다. 주춤 다가가자 그가 발치의 러그를 툭 발끝으로 짚으며 말했다.

"여기 앉아요, 밥 줄 테니까."

"……으……."

차오른 숨이 새어 나갔다. 더듬더듬 그의 벌어진 허벅지 사이로 무릎을 꿇어앉았다. 엉덩이에 스치듯이 닿은 러그가 푹신했다. 그가 소파에 앉고 내가 바닥에 앉자 눈높이가 확연하게 차이가 났다. 시선을 들어 올려다보자 초밥을 든 젓가락이 슥 위쪽에서 내려왔다.

나는 기계적으로 입을 벌렸다. 쏙 하고 초밥이 혀 위로 안착했다. 입을 다물었더니 입술 안쪽을 미세하게 긁으며 젓가락이 빠져나 갔다.

"맛있습니까?"

내 얼굴을 지켜보며 그가 물었다. 나는 생선살을 아무 생각 없이 씹으면서 고개를 끄덕였다. 그가 자세를 고쳐 앉으며 허벅지를 조 금 좁혔다. 팔에 스치듯이 그의 바지의 옷감이 닿았다.

"다 먹었어요?"

"……네."

먹을 때는 머릿속이 하얗게 비어 아무 생각이 없었는데, 삼키고 나자 배가 뒤늦게 고팠다. 그가 무릎 위의 상자를 돌려 보여 주며 물 었다.

"이번엔 뭘 줄까. 계란? 새우?"

새우에서 고개를 끄덕였더니 그가 젓가락을 비스듬히 눕혀 초밥 을 집어 들었다. 간장에 툭 찍더니 다리 사이의 내 입 앞으로 매끄 럽게 배달해 주었다. 나는 반사적으로 입을 벌려 받아먹었다. 먹고 있는 나를 지켜보다가 그는 머리를 흩트리듯 가볍게 쓰다듬어 주 었다.

"……팀장님."

세 개인가 네 개를 받아먹고 빠졌던 얼이 돌아왔다. 고개를 옆으 로 틀어 다가온 젓가락을 피하며 입을 열었다.

"제가…… 알아서 먹으면 안 될까요?"

"목이 마르면 물이라도 마시겠습니까? 아니면 녹차?"

"팀장님도 저 때문에 제대로 못 드시는 것 같고⋯⋯."

비닐봉지 안에는 나무젓가락이 남아 있었다. 한 팀장은 들은 체도 않고 초밥 끝으로 내 다물린 입술을 툭툭 두드렸다. 말을 끝맺으려고 고개를 뒤로 물리며 입을 열었더니 통통한 생선살이 입안으로 비집고 들어왔다. 나는 눈을 들었다가 그의 얼굴을 보고 그냥 얌전히 입을 벌렸다.

내가 씹는 동안 그가 팔을 뻗어 흐트러진 앞머리를 정돈해 주었다. 느릿하게 쓰다듬고 이따금씩 파고들어 두피를 간질이는 손가락이 따뜻했다. 나는 무릎이 아파서 다리를 옆으로 포개고 앉았다. 올려다봤지만 그는 별말 없었다.

배가 부를 때쯤 고개를 흔들었더니 그는 독촉 없이 젓가락을 거두어 갔다. 듬성듬성 비어 있는 상자를 정리하는 그를 보다가 나는 문득 물었다.

"팀장님은 개 키워 본 적 있으세요?"

"없습니다. 동물 싫어합니다."

상자 뚜껑을 닫고 그가 간장 종지를 테이블 위로 밀어 두었다. 그가 상체를 기울이자 나도 따라서 뒤로 물러났다. 테이블의 딱딱한 모서리가 등에 닿았다.

"커피 마시겠습니까?"

"⋯⋯아니요, 괜찮습니다."

"그럼 씻고 나올 테니까 여기 있어요."

"아, 저도…… 이도 닦아야 하고……."

뒤의 말은 생략했지만, 욕실 쪽으로 향하던 한 팀장이 나를 돌아봤다.

"이만 닦고, 뒤는 그냥 두세요."

"……네? 그럼."

그는 욕실 문을 닫았다. 나는 일어서서 안절부절못하다가 물소리가 들리기 시작하자 마음이 급해져 위층으로 달려 올라갔다. 욕실로 들어가기 전에 그의 셔츠를 벗어 침대 위에 펼쳐서 두었다. 정말로 세면대 위의 둥근 홀더에는 그의 칫솔과 내 것이 엑스 자 모양으로 교차되어 꽂혀 있었다.

뜨거운 물로 몸을 간단하게 씻기만 했는데도 아래층에 내려가 보자 한 팀장이 벌써 소파에 앉아 있었다. 계단 중간쯤에서 나는 멈춰 섰다. 뭐가 다른가 했더니 넓은 유리를 커튼이 가리고 있었다. 테이블 옆으로 못 보던 은색 양동이가 있었다. 내가 있는 곳에서는 내용물이 보이지 않았다.

"이쪽으로 오세요."

핸드폰을 내려다보며 그가 말했다. 나는 관장약이 잔뜩 든 가방을 떠올리며 옷방 문을 한 번 쳐다보고 느릿느릿 소파 쪽으로 다가갔다.

"저 약, 가져왔는데……."

"가만있어요. 괜찮습니다."

뭐가 괜찮다는 건지 알 수 없었다. 핸드폰을 내려놓고 일어선 한 팀장은 그의 셔츠를 입고 우두커니 서 있는 나를 물끄러미 보더니, 양동이를 끌어왔다. 그 안에서 얇은 흰색의 라텍스 장갑을 꺼내 꼈다. 손가락을 능숙하게 밀어 넣고 밑으로 팽팽하게 당겨 내렸다. 고무가 맞비벼지는 메마른 소리가 났다. 멍하니 지켜보던 나는 막연하게 치과 같은 것을 떠올렸다. 그가 장갑을 다 낀 손으로 커다란 주사기를 꺼내 들었을 때도, 상황을 이해하는 데는 한참이 걸렸다.

"……팀장님—"

"울기엔 좀 이르지 않나 싶습니다."

내 얼굴을 보고 그가 무심하게 말했다. 머릿속이 텅 비어서 나는 주춤주춤 뒤로 뒷걸음질 쳤다.

"도망치지 말고."

그가 올려다보지도 않고 말했다. 양동이에 든 나머지를 비우고 비닐 팩 같은 것을 뜯어 그 안으로 희뿌연 액체를 쏟아 넣었다. 꿀럭꿀럭 점성이 있는 것 같은 액체가 양동이에 차올랐다. 그는 팩 세 개를 연달아 뜯어, 양동이가 찰랑거리는 액체로 거의 가득 찰 때까지 쏟아 부었다. 나는 숨도 제대로 못 쉬고 바닥만 내려다보고 있었다.

봐주지 않을 것을 알면서도, 그가 내 팔뚝만 한 주사기를 조립해 액체를 집어넣기 시작하자 나도 모르게 입이 열렸다. 팀장님…… 하고 흔들리는 목소리로 부르자, 그가 주사기에 든 액체를 가늠하며 대답했다.

"포기가 너무 빠른 것 아닙니까."

"……."

"이제 내 옆에 있을 수만 있다면 이서단 씨는 뭐든지 참을 수 있다고 했던 것 같은데, 내가 잘못 들었습니까?"

즈윽, 주사기에 뿌연 액체가 가득 차올랐다. 그는 몸을 일으켜 내게로 다가오기 시작했다. 환한 대낮처럼 불이 켜져 있는 거실을 둘러본 나는 일단 다급하게 입을 열었다.

"여기가 아니라…… 욕실에서 하면, 아니면 저쪽에서……."

나 혼자 집에서 할 때도 좁은 욕실 문을 단단히 걸어 잠그고 했었는데, 이렇게 트인 공간에서 주사기를 든 그를 보고 있자니 비현실적인 악몽 같았다. 러그가 깔린 이쪽에서 조금만 더 식탁 쪽으로 가면 맨 마룻바닥이 있는데. 덜덜 떨리는 손으로 가리켰지만 한 팀장은 나를 보고 있지도 않았다. 내 옆에 주사기를 내려놓고 둥근 통 같은 것을 열어, 장갑 낀 손가락에 하얀 크림을 가득 묻혔다.

"엎드려서 엉덩이 드세요. 뒤 잘 보이게."

나는 차오른 호흡을 억눌렀다. 눈을 감으며 그의 말대로 엎드린 채로 엉덩이를 들어 올렸다. 그는 하얀 셔츠가 등 위로 흘러내리도록 두고 엉덩이 사이를 잡아 벌렸다. 크림 묻힌 손가락이 가운데의 오므라든 항문 위로 미끄러졌다. 라텍스의 감촉이 소름 끼칠 정도로 낯설고 불쾌했다.

숨이 바닥에 엉망으로 흩어졌다. 허벅지가 바들바들 떨리는 게 그에게도 보였을 거이다. 네가 너ㄴ를 꽉 그러잡고 버티는 동안 그는 사무적으로 입구 위를 문질러 크림을 덧발랐다. 손가락을 한 마디 정도 넣어 안쪽도 돌리듯이 문질렀다.

"힘 너무 주지 마세요. 그러다가 다칩니다."

그가 통을 내려놓고 내 시야 끝에 잡히던 주사기를 집어 들었다. 무서움에 목이 꽉 잠겼다. 주사기 끝의 뾰족한 부분에 크림을 바르는 그의 눈은 익히 아는 빛을 띠고 있었다.

"그래도 초심자니까."

"흐, 으, 으윽!"

"처음부터 많이 넣진 않겠습니다. 엉덩이 치켜들어요, 다 흘릴 생각입니까?"

뾰족한 게 입구를 비집어 열었다. 주둥이를 삽입하고 그가 주사기 위를 천천히 누르기 시작했다. 울컥, 차가운 액체가 구멍 안으로 쏟아져 들어왔다. 이를 악물고 있었는데도 저절로 입이 벌어졌다. 내가 러그를 떠올리며 어떻게든 엉덩이를 높이 들려고 애쓰는 동안 한 팀장은 느리게 주사기를 눌렀다. 안에 액체가 출렁거리면서 차올랐다.

"아, 흐아아, 아⋯⋯."

손끝이 문지르듯이 접합부를 눌렀다. 빠져나갈 수 없게 주사기의 뾰족한 주둥이를 안쪽으로 박아 넣고, 꽉, 한 번에 주사기의 남은 부분을 눌러 내렸다. 몸 안이 홍수가 난 것처럼 액체로 가득 차올랐다. 조금만 움직여도 장이 터져 버릴 것 같았다.

숨도 겨우겨우 쉬고 있는데, 그가 주사기를 뽑아냈다. 빠져나간 입구가 아릿했다. 어떻게든 힘을 줘서 뒤를 다물었다. 그 사이 그는 다시 양동이에 주사기 끝을 담그고 액체를 빨아올리고 있었다. 내가 눈을 크게 뜨고 쳐다보자 다시 가득 찬 주사기를 들고 일어선 한 팀장이 무심하게 말했다.

"뭘 그렇게 죽어 가는 표정입니까. 이제 반 넣은 겁니다."

여기서 더 넣었다가는 정말로 죽을 것 같은데, 그 말을 듣고 눈앞이 깜깜해졌다. 참고 있던 눈물로 눈가가 따끔거렸다. 다물린 뒤에 다시 툭 딱딱한 것이 부딪치고, 파고들었다.

"으, 으윽, 흐읍……."

배를 만져 보면 동그랗게 부풀었을 것 같았다. 안에서 물이 부글부글 들끓어 자꾸만 밖으로 터져 나가려 했다. 다른 것보다 그게 무서워서 숨을 멈췄다. 한 팀장은 내가 정말로 더 이상 넣으면 죽을 것 같을 때까지 액체를 밀어 넣고, 주사기를 깔끔하게 뽑아냈다.

나는 수치스러운 것도 모르고 엉덩이를 높이 든 채로 그를 간신히 올려다봤다.

"팀장님, 저 진짜……."

"십오 분 재겠습니다."

주사기를 양동이 속에 던져 넣은 한 팀장이 시계를 힐끗 올려다보면서 말했다. 그 말에 나는 기어코 눈시울이 뜨거워졌다. 일 분도 더 버틸 수 없을 것 같았다. 힘을 주고 있느라 허벅지와 엉덩이가 저리고 아려왔다. 당장이라도 오므린 구멍에서 액체가 흘러내려 그의 러그를 적실 것 같았다.

그런 내 꼴을 지켜보던 그가 소파에 걸터앉으며 느긋하게 말했다.

"이리 기어 와서 빨아요. 잘하면 시간 단축시켜 줄 테니까."

"으으, 흐윽, 으……."

말은 자비로운 뉘앙스였는데 내용은 그러지 못했다. 선택지가 달리 없는 나는 엉덩이를 치켜올린 채로 바들거리며 기어갔다. 그 추태를 무심하게 감상하는 시선에 무서움마저 이기는 끔찍한 수치심이 몰아쳤다. 나는 그의 벌어진 다리 사이로 간신히 자리를 잡아 그의 성기를 꺼냈다. 핏줄이 도드라진 불그죽죽한 기둥은 이제 겨우 반 정도 발기되어 있었다.

무작정 입을 크게 벌려서 그의 귀두를 빨았다. 비릿한 살 냄새가 구강을 가득 메웠다. 질척거리는 소리가 났다. 그는 성기를 문 내 머리를 다정하게 쓰다듬어 주었다. 높게 들어 올린 엉덩이를 만지작거리고, 일부러 작게 오므라든 입구 위를 손끝으로 툭 치고 지나갔다. 요동치는 배 속에 힘을 주자 온몸의 땀구멍이 열리는 것처럼 괴로웠다. 정말로 참을 자신이 없었다. 말도 나오지 않아 눈물을 뚝뚝 흘리면서 그를 올려다보자, 그는 내 입술 사이에서 성기를 아예 빼버렸다. 젖은 소리가 났다. 둥글게 부푼 귀두가 뺨에 느릿하게 문질러졌다.

"목구멍 열어요. 도와줄 테니까."

"흐, 으…… 아, 읍!"

입을 크게 벌렸다. 그래도 짓찢듯이 안으로 쑤셔 든 성기가 기어이 입술 한쪽을 찢어 놓았다. 한 팀장은 이를 꽉 악물며, 내 머리통을 잡아 발기한 성기를 목구멍까지 한 번에 처넣었다. 배 속이 울렁거리자 안에 든 액체가 더 들끓었다. 허공을 휘젓는 손을 그가 잡아 결박했다. 뺨을 감싼 채로 느릿하게 성기를 넣었다가 빼고, 점점 질 컥거리는 속도를 높였다.

"읍! 흐, 으윽! 하윽, 하아아, 아⋯⋯."

숨을 쉴 수 없어 눈앞이 노랗게 차올랐다. 나는 입을 벌린 채로 뒤에 힘을 주는 일에만 집중했다. 끝없이 이어지는 시간이 지옥 같았다. 배가 아프고, 무참히 짓눌리는 목 안쪽이 아프고, 불안에 눈물이 멈추지를 않았다.

마침내 한 팀장이 안까지 처박았던 성기를 느릿하게 빼 주었다. 귀두만을 입안에 남겨 놓은 채로 사정했다. 뜨겁고 비린 액체가 입 천장까지 튀어 올랐다. 진탕이 된 입안으로 그가 성기를 몇 번 더 미끄러뜨렸다.

"삼키세요."

필사적으로 헛구역질을 참았다. 그가 성기를 빼내 주자 목울대를 울렸다. 부은 목으로 진득한 액체가 흘러 넘어갔다. 엉덩이를 애타게 들썩이는데, 그는 거의 한계까지 다다른 내 턱을 손끝으로 붙잡았다.

"마무리까지 해야지."

"흐윽, 팀장님, 진짜 저, 더 이상⋯⋯."

쑥, 젖은 입술 사이로 둥근 귀두가 밀려들어 왔다. 나는 저항을 포기하고 눈물을 뚝뚝 흘리면서 뜨끈한 성기에 남은 타액과 정액을 빨아올렸다. 헛구역질을 참으며 더듬더듬 뿌리 부분까지 혀끝으로 핥아 올리자 그가 마침내 살기등을 입에서 물러 주었다.

"데려다줄까."

벌벌 떨며 몸을 웅크리는 것을 보고 그가 친절하게 물었다. 흐느끼면서 고개를 끄덕이자 팔이 잡혀 일으켜 세워졌다. 출렁, 배 속의 액체가 쏟아질 것처럼 무서운 무게로 다물린 입구를 밀어 댔다. 그의 팔에 손목이 잡혀 엉거주춤 걷는 내내 다리에 힘이 들어가지 않았다.

눈물로 범벅이 된 얼굴을 그가 들여다보았다. 욕실 문을 열고, 식은땀으로 축축한 내 허리를 잡아 변기 위로 앉혀 주었다. 하릴없이 울면서 올려다보니, 입술 위로 가볍게 깃털 같은 입맞춤이 떨어졌다.

"다 하고 씻고 나와요."

그가 문을 닫고 나간 후에도, 속을 괴롭히던 물을 몇 번에 걸쳐 다 비워 낸 후에도, 서러운 울음이 그치지 않았다. 덜덜 떨리는 손등으로 얼굴을 훔쳐 내면서 스스로를 타일렀다. 아무것도 아니었다. 몰랐던 것도 아니고, 막연하게라도 알고 있던 일이었다. 그래도 턱에 매달린 눈물이 뚝뚝 끊임없이 떨어져 내렸다.

겨우 몸을 일으켜 샤워기를 틀었다. 뜨거운 물을 맞다가 다리에 힘이 풀렸다. 젖은 바닥에 주저앉아 끌어안은 무릎 사이로 들썩이는 턱을 묻었다. 물소리가 빗소리처럼 나를 덮었다. 내 울음소리가 내게도 들리지 않았으니, 그에게는 닿지 않는 것이 당연했다.

몸을 말리고 나서는 다시 그가 준 하얀 셔츠를 걸쳐 입었다. 예민해진 피부에 부드러운 면이 닿았다. 심호흡을 길게 하면서 문을 열었다. 한 팀장은 소파에 앉아 태블릿을 들여다보고 있었다. 양동이는 어딘가로 사라지고 없었다.

"수건도 가지고 나와요."

끼고 있던 이어폰의 한쪽을 뺀 그가 올려다보지 않고 말했다. 나는 욕실에서 하얀 수건을 하나 챙겨서 후들거리는 다리로 그의 앞까지 걸어갔다.

내 어깨를 가볍게 눌러 러그 위로 주저앉힌 그가 수건을 받아 들었다. 젖은 머리를 감싸 말려 주면서 장난처럼 말했다.

"그새 토끼 눈이 됐네."

"⋯⋯."

"이서단 씨 수도꼭지는 누가 틀어 줬습니까."

머리를 수건으로 슥슥 어루만지는 손길이 다정했다. 나는 입을 다물고 앞만 쳐다봤다.

"집에 가고 싶어요?"

귓바퀴를 둥글게 문질러 닦아 주며 그가 무심히 물었다.

"하루 해 보니까 못 하겠다 싶습니까?"

"⋯⋯아니요."

목소리가 갈라져 나왔다. 가다듬으려 하자 콜록, 기침이 터졌다. 나는 아픈 목구멍으로 몇 번 침을 넘겨 보고 다시 앞을 보며 말했다.

"그 정도는 아닙니다."

"⋯⋯그래요?"

잠깐의 침묵이 지나고, 등 뒤에서 그가 대답했다.

"이서단 씨가 아무래도 나를 많이 좋아하나 본데."

웃음기가 밴 목소리였는데, 턱을 잡는 손길에 고개를 돌리자 보이는 것은 오히려 굳은 표정이었다. 멍하니 올려다보고 있자 그는 상체를 앞으로 기울여 살짝 벌어진 내 입술 위로 가볍게 입을 맞췄다.

"이리 올라와요."

그가 허벅지 위를 두드렸다. 내 허리를 붙잡아 기어오르는 것을 도와주었다. 맨 엉덩이가 로브 위로 눌렸다. 단단한 허벅지의 체온이 적나라하게 전해졌다.

머리를 말려 주던 수건을 테이블 위로 던져 놓은 그가 나를 가까이 당겨 안았다. 셔츠 밑으로 파고든 손이 등 아래쪽을 느리게 문질렀다. 나는 반사적으로 팔을 올려 그의 목을 끌어안았다.

가까이에서 눈이 느리게 마주쳤다. 그가 한숨처럼 뱉어 낸 숨 끝이 내 목덜미에 와서 닿았다.

"내일 눈이 붓겠는데."

"……괜찮습니다. 어차피 신경 쓸 사람도 없을 거고……."

요즘 팀원들의 상태로는 눈두덩에 멍을 달고 들어간다 해도 별말 없을 것이었다. 그래? 라고 되물은 팀장이 따뜻한 손바닥으로 엉덩이를 감싸 쥐듯이 잡았다.

"그럼 더 울려도 되겠네."

"……훗!"

두어 번 주무르는 동안 담백했던 접촉이 끈적해졌다. 손끝이 무심히 스치듯 골 사이로 파고들었다. 예민하게 부어오른 주름을 손톱 끝으로 긁고 지나갔다. 나는 몸을 그에게로 더 가까이 붙이며 움찔 떨었다.

"이런 식으로 관장해 놓고 바로 쑤셔 주면 안이 착착 달라붙는데, 알고 있습니까?"

"흐아, 읏."

"민감해져서 느끼는 것도 잘 느끼고."

엉덩이 사이를 문지르던 손이 떨어져 나갔다. 그는 목에 두른 내 팔을 떼어 내고 만세 자세를 취하게 하더니 셔츠를 머리 위로 벗겨 냈다. 소매를 풀기 위해 꼼지락거리는 동안 달그락거리는 소리가 들렸다. 아까의 크림이 든 통을 허벅지 위로 얹어 두고 그가 오른손 중지에 크림을 짜내서 꼼꼼하게 문질렀다. 등 뒤로 돌아간 손이 입구의 주름 위를 몇 번 어루만지더니 그대로 꾹 누르고 파고들었다.

"흐읏!"

"아까처럼 나 잡으세요."

그가 손목을 잡아 목 뒤로 둘러 주었다. 나는 눈을 꽉 감고 이마를 그의 어깨 위로 기댔다. 길고 마디가 불거진 손가락이 뿌리까지 들어와 안을 느릿하게 문질렀다. 예민해져 있는 내벽이 달아나려고 움츠릴수록 그는 손끝을 깊게 밀어 넣어 양옆을 건드렸다. 그의 말 대로였다. 감각이 활짝 열린 것처럼 미세한 움직임까지 전부 느껴졌다. 조금만 자극을 더 가했다가는 몸이 와르르 무너질 것처럼 위태로웠다.

손가락이 드나드는 속도가 점점 빨라졌다. 쿨쩍, 쿨쩍 미끄러지는 소리가 났다. 그는 한마디 말도 없이 손가락을 길게 세워 내게 박아 넣었다. 마찰로 입구가 따갑고 안이 뜨거워졌다. 달아나 봤자 그의 품 안이라서 나는 입술을 물고 후들후들 떨리는 엉덩이를 그가 가를 수 있도록 들어 올렸다.

목 뒤에 뜨거운 것이 닿았다. 말랑한 입술이 닿았다가 떨어지더니 강한 힘으로 젖은 살갗을 빨아들였다. 따끔한 통증이 벼락처럼 등줄기를 타고 내렸다.

"피부가 하얘서 그런지, 자국도 잘 남고."

도드라진 척추뼈 위로 그가 단단한 이를 세웠다. 얇은 살갗을 뚫을 것처럼 아슬아슬하게 지근거렸다. 닿아 있는 몸 탓에 목소리가 낮은 진동처럼 스며들었다.

잠시 멈췄던 몸 안의 손가락이 죽 긁어내리며 부푼 지점을 건드렸다. 튀어 오르는 몸을 꽉 잡은 채로 그가 손끝을 계속해서 놀렸다.

"거기, 싫…… 아, 흐아아."

뇌 속에 때려 박히는 듯한 쾌감이었다. 몸을 위로 물리려 하자 그는 내 등을 안고 소파에 눕혀 버렸다. 다리를 크게 벌리게 해서 가슴에 한쪽 무릎이 닿을 때까지 붙이고, 젖은 구멍으로 손가락을 쑥 밀어 넣었다. 안이 모양을 따라 그리듯이 꽉 수축했다. 그가 손가락을 느리게 물리자 달라붙은 내벽까지 전부 딸려 나갈 것 같았다.

드러난 허벅지 안쪽의 예민한 피부에 집요한 입맞춤이 쏟아졌다.

몸 안을 헤집는 손가락도 견디기 힘들었는데, 그는 손과 입술로 온 몸을 집어삼킬 듯이 쓰다듬고 빨았다. 손톱으로 문지르거나 이를 세워 씹기도 했다. 어디서 오는 통증인지 나중에는 구분도 되지 않았다. 한 줌의 면적도 남겨 놓지 않을 것처럼 그는 구석구석을 찾아 내 입술로 쓰다듬었다. 팔뚝 안쪽, 귀 뒤, 복사뼈, 엉덩이. 몸 전체가 달구어진 것처럼 열이 올랐다. 감은 눈꺼풀 안쪽으로 검고 붉은 것이 획획 지나갔다.

언젠가부터 그는 말도 없었다. 손가락만으로 나를 두 번 사정시키고 나서야 딱딱하게 부푼 귀두 끝이 벌어진 주름에 와 닿았다. 한마디 경고도 없이 그는 성기를 안쪽으로 때려 박듯 한 번에 밀어 넣었다. 경련하는 몸을 꽉 붙들고 느리게 입구까지 기둥을 물렸다.

"흐, 으응, 으으읏!"

가쁜 숨 때문에 벌어진 입술이 집어삼켜졌다. 길쭉한 기둥으로 배 속을 점령하듯 뜨거운 혀가 입안을 메웠다. 볼 안쪽의 살을 빨아들여 핥으며 목구멍까지 차지할 기세로 파고들었다. 숨이 쉬어지지 않아서 울면서 그를 밀어내자, 힘없이 덜덜 떨리는 손을 잡아 손가락 사이로 깍지를 낀 그가 손을 내리누르며 다시 입을 맞췄다.

배 속을 얻어맞듯 움직임이 거칠어졌다. 고환이 엉덩이에 철썩 철썩 부딪힐 정도로 깊고 빠른 삽입이었다. 발갛게 부르튼 눈가를 깨물며 그가 어리 빈 낮은 목소리로 욕을 짓씹었다. 뺨에 와 닿는 숨이 뜨겁고 불안정했다.

얼얼하게 부어오른 입술을 꽉 깨물며 그가 물었다. 깊은 곳에서 끌어 올려지듯이 낯설고 초조한 목소리였다.

"내가 좋습니까?"

"으, 흐윽, 그!"

"내가 좋다면서. 이서단 씨는 내가 좋아요?"

겹겹으로 얽힌 감각의 홍수를 뚫고 언어가 흐릿하게 번졌다. 나는 새어나온 울음 틈새로 연신 고개를 끄덕거렸다.

그걸로는 충분하지 않았는지 그가 자세를 고치며 나를 꽉 당겨 안았다. 위로 밀어 올려진 엉덩이를 잡아 고정시키고 수직으로 성기를 꽂아 넣었다. 짓밟듯 한 번에 안쪽까지 길을 내며 그가 악문 목소리로 속삭였다.

"말로 해야지. 내가 좋은 거면, 좋다고, 제대로."

"흐윽, 좋, 좋아. 흐아악, 너무 깊!"

"누가 그렇게 좋은데, 응?"

"흑, 흐윽, 팀장님, 팀장님이요…… 으, 흐아아."

목에 울음이 끊임없이 들어찼다. 그가 만져 주지도 않았는데 성기 끝에 하얀 게 맺히고 뚝뚝 말갛게 떨어져 내렸다. 눈을 뜨고 있는데도 앞이 깜깜했다.

그는 나를 으스러뜨릴 듯이 소파에 꽉 짓누른 채로 사정했다. 최대로 부푼 살기둥이 여러 번 안을 드나들며 길게 사정액을 뱉어 냈다. 경련하는 내벽에 치덕치덕 펴 바르듯이 끈질기게 안을 비집어 열었다. 형태를 기억하려는 듯이 배 속이 오므라들었다. 뿌리까지 그를 삼키고 수축했다.

142

땀에 젖은 몸이 무너져 내리듯 겹쳐졌다. 내 어깨에 뜨거운 이마를 누른 그는 숨이 가라앉을 때까지 아무 말이 없었다.

"……팀장님……."

배 속이 불편하게 들끓었다. 아직 안쪽에 박혀 있는 성기를 빼내 줬으면 해서 나는 그의 어깨에 조심스럽게 손을 올렸다.

그때 그가 나를 일으켰다. 성기를 빼내며 그대로 나를 잡아 돌렸다. 러그 위로 상체가 무너지고, 하반신만 소파 위로 끌려 올라갔다. 놀라서 러그를 잡고 상체를 간신히 지탱하는 사이, 다리를 찢듯 양쪽으로 벌리고 그 사이로 그가 몸을 밀어 넣었다. 퉁퉁 부어 다물린 주름에 다시 둥근 선단이 닿았다. 길쭉한 살기둥이 한 번에 깊숙이 꿰뚫었다.

"흐으윽! 흑, 으, 천천히……."

"천천히는, 무슨."

거친 추삽질을 견디다 못해 러그를 쥐어뜯으면서 소리 내어 울었다. 눈물 젖은 뺨을 비비면서 헐떡거렸다. 괴롭혀지고 달아오른 안이 뜨겁고 시리고 아팠다. 붉게 부은 극점 위로 그가 귀두를 거칠게 미끄러뜨렸다. 나는 목이 쉬는지도 모르고 울음을 끅끅 삼켰다.

"뭐로, 만들었길래, 이렇게, 달아."

그가 귓바퀴에 뜨거운 숨을 흘려 넣으며 끊어 말했다. 그러고는 나를 끌어당기듯이 안아 가슴의 돌기를 쥐어뜯듯이 문질렀다. 손이 닿는 곳마다 몸이 달구어지고 녹아내렸다. 끝이 없을 것처럼 뜨거운 체온이 부딪치고 섞여 들었다. 기억에 없을 정도로 길고 집요한 섹스였다.

눈이 떠진 것은 새벽이었다. 핸드폰을 찾으려고 머리맡을 더듬다가 내 침대가 아니라는 사실을 깨달았다. 바로 고개를 돌렸지만 옆에 그는 없었다. 넓은 침대에 나만 덩그러니 남겨져 있었다.

이른 아침의 회색빛으로 물든 침실이 아늑했다. 열린 문 사이로 희미하게 들리는 소리가 아니었다면 다시 웅크려 잠들었을지도 모른다. 침대 옆으로 다리를 내려 천천히 일어서려는데, 온몸이 쓰리고 아팠다. 욱신거리지 않는 부분이 없는 것 같았다.

"아……."

무심코 내려다보고 잘못 본 줄 알았다. 허벅지에 붉은 자국이 듬성듬성 찍혀 있었다. 멍이 든 것 같기도 하고 색소가 침착된 것 같기도 한 자국을 문질러 봤다. 그러다가 또 움찔했다. 팔꿈치 안쪽과 팔뚝에도 검붉은 자국이 남아 있었다. 턱을 가슴에 붙이고 내려다보다가 결국 욕실 문을 열고 들어갔다. 거울에 비쳐 보고 할 말을 잃었다. 복부, 가슴, 등, 허벅지의 가장 안쪽과 엉덩이의 둥근 부분까지 가리지 않고 난잡하게 자국이 남아 있었다. 들여다보니 선명한 잇자국 모양의 멍도 있었다.

다시 이불을 뒤집어쓰고 눕고 싶었다. 힘이 들어가지 않는 다리로 후들후들 침실로 돌아가니 역시나 침대 옆에 그가 갖다 놓은 것으로 보이는 하얀 셔츠가 있었다. 어제와는 다른 셔츠인지 깨끗하게 다려진 면에서 기분 좋은 향이 났다. 사각사각 빳빳한 면이 피부에 닿자 그것도 기분이 좋았다. 나는 조심스럽게 계단을 내려가며 흘러내리는 소매를 한 번씩 접어 올렸다.

새벽의 푸른 기가 넘실거리는 거실에는 그가 보이지 않았다. 식탁 위의 둥근 조명이 하나 켜져 있었다. 달그락 소리가 들려오는 부엌 쪽으로 벽을 잡아 몸을 지탱하면서 걸음을 옮겼다.

부엌에는 환하게 불이 들어와 있었고, 고소한 냄새가 났다. 문턱에 멈춰 서자 뒤집개를 들고 프라이팬에 계란을 굽고 있던 남자가 이쪽을 돌아봤다. 눈이 마주쳤다.

"더 자도 되는데 왜 일어났어요."

"……팀장님은……."

목소리가 갈라지고 쉬어 있었다. 말해 놓고 놀라 눈을 깜박이니 한 팀장이 나를 뚫어져라 쳐다봤다. 벌써 샤워까지 마쳤는지 그는 머리가 젖어 있었고, 단추를 대충 한두 개 풀어 낸 셔츠는 깃까지 말끔하게 다려져 있었다.

"앉아요."

스툴을 밀어 주며 그가 말했다. 나는 지글거리는 계란의 노란 노른자를 바라보다가 멍하니 물었다.

"도와드린 건   ."

"다 됐습니다. 나중에 수저나 가져가요."

전기밥솥을 열고 그가 동그란 밥그릇에 밥을 퍼 담았다. 수저를 찾으려고 둘러봤지만 어떤 서랍인지 알 수 없었다. 국이 끓어 넘치기 전에 손을 뻗어 불을 끈 그가 그릇을 들고 지나가며 내 쪽에서 가까운 서랍을 열어 주었다.

"⋯⋯감사합니다."

"밥도 옮겨 주면 고맙겠습니다."

동그란 밥그릇이 두 개 나란히 있었다. 적은 쪽이 내 것인 모양이었다. 숟가락 두 개, 젓가락 두 쌍, 밥그릇 두 개를 가지고 식탁으로 갔다. 지난번 마주 앉았던 자리대로 가지런히 내려놓고는 한참 가만히 서서 쳐다보고 있었다.

부엌으로 돌아가자 그가 계란이 하나씩 앉은 작은 접시 두 개를 내밀었다. 나는 또 식탁까지 운반하고 돌아갔다. 문턱에 서서 기다렸더니, 국그릇에 국을 옮겨 담던 그가 무심하게 물었다.

"가서 앉아 있지, 왜 서성거립니까."

"⋯⋯."

"할 말 있으면 해요."

"팀장님은⋯⋯ 안녕히 주무셨어요?"

국자를 내려놓은 그가 나를 돌아봤다. 접힌 눈가에 희미한 웃음기가 묻어났다.

"잘 잤습니다, 덕분에. 이서단 씨는 잘 잤습니까?"

"⋯⋯네."

"잠깐 이리 와 봐요."

몇 뼘을 남겨 두고 그의 앞에 어색하게 멈춰 섰다. 그는 바닥을 내려다보는 내 허리를 한 팔로 끌어왔다. 쪽. 다문 입술에 가볍게 키스가 내려앉았다. 이마, 뺨, 귓불에 차례로 그가 부드럽게 입을 맞췄다. 마지막으로 감긴 눈꺼풀 위로 길게 입술이 머물렀다.

엉덩이를 토닥토닥 가볍게 두드린 그가 나를 밀어냈다.

"가서 앉아 있어요. 금방 갈 테니까."

대답도 못하고 뒤돌았다. 수명이 몇 년은 줄어든 것 같았다.

내가 식탁에 앉아 있는 동안 그는 국그릇을 옮겨 오고, 물컵과 물통을 가져왔다. 새빨갛게 양념이 묻은 김치를 가운데에 놓았다. 그가 맞은편에 앉아서 숟가락을 들 때까지도 나는 식탁의 무늬만 덧그렸다. 먹어요, 라고 그가 짧게 말했다. 망설이다가 수저를 들어 국을 떠먹어 봤다. 말간 국물이 따뜻했다.

"먹을 만합니까."

"······네."

물컵에 물을 따라주며 그가 덧붙였다.

"진짜 잘하는 요리는 따로 있습니다. 시간이 다 좀 걸리는 종류라······. 나중에, 프로젝트 끝나면 해 줄게요. 이서단 씨는 평소에 집에서 밥 잘 안 해 먹습니까?"

"······라면은 끓일 줄 압니다."

"라면은 요즘 유치원생들도 끓입니다."

김치를 집어 내 밥 위로 놓으며 그가 말했다. 나는 그가 집어 준 김치를 먹다가 멈칫했다. 입꼬리가 따끔거렸다.

"약 발라 줄까."

손끝으로 찢어진 곳을 더듬었더니, 그가 아무렇지 않게 물었다.

"……아니요, 괜찮습니다."

"앞으로는 익숙해지는 게 좋을 겁니다."

무심한 말이었는데, 가슴이 어딘가로 뚝 떨어져 내리는 기분이었다. 국그릇으로 얼굴을 가리고 한 모금씩 마셨다. 심장 귀퉁이가 소독약을 바른 것처럼 시큰거렸다. 그와 마주 앉아 있는 것만으로도 사탕을 문 듯 입안이 달았고, 그가 나를 어떻게 취급하는지 기억할 때마다 목이 쓰게 조여 왔다. 내내 미열이 있는 것처럼 몸이 달떠 있었다. 머릿속에서는 언젠가부터 프로젝트도 이직도 동생도 어머니도 말끔하게 사라지고, 한 팀장을 주어로 둔 문장들만 남았다.

"잠버릇이 험하던데."

먹다 말고 그가 불쑥 말했다. 나는 국의 말간 표면을 막 파고들려던 숟가락을 멈췄다.

"이 얘기 처음 듣습니까?"

"……제가 어떻게……."

"자다가 떠들고, 이불을 줘도 안 받고 밀어내고. 그래 놓고 추운지 몸을 콩벌레처럼, 이렇게."

그가 수저를 든 채로 대충 작은 동그라미를 허공에 그려 보였다.

"자꾸 동그랗게 말아서 그걸 펴 놓느라 고생했습니다."

"……죄송합니다."

귀가 뜨거워졌다. 김치를 집어 먹는 한 팀장의 입꼬리가 미묘하게 솟아 있었다. 나는 젓가락으로 국물을 건드리다가 말했다.

"팀장님 자는 데 방해되시면 따로 자겠습니다."

"침대도 없는데 어디서."

"소파에서······."

"섹스 끝나면 혼자 거기로 내려갈 겁니까?"

그 말에 나는 입을 다물었다. 밥그릇 모서리에 붙어 있는 동그란 밥알에 시선을 고정했다. 내 표정이 보이지도 않았을 텐데 한 팀장은 김빠지는 소리를 내며 웃었다.

"그러니까 말은 왜 꺼내."

"······잠버릇이 있는지 처음 알았습니다. 혼자서 잘 때는 잘 몰라서······."

말해 줄 사람이 없었으니 당연했다. 알았더라면 미리 그에게 말이라도 할 수 있었을 텐데. 젓가락으로 국을 휘젓고 있자 그가 깨작이지 마세요, 라고 짧게 말했다. 나는 단번에 숟가락을 들어 밥을 펐다.

그가 내 물컵을 다시 채워 주었다. 내가 입안에 밥을 가득 넣고 먹는 것을 지켜보더니 입을 열었다.

"먹으면서 들으세요. 지난주 일 때문에 마무리를 못 지은 얘기가 있는데, 결정할 시간이 좀 촉박해졌습니다. 이서단 씨는 아직도 내 얼굴을 안 봐도 되는 곳이면 어떤 회사든 괜찮습니까?"

"아······."

입을 열었는데 그가 말할 틈을 내주지 않았다. 대답을 원하는 건 아닌 모양이었다.

"이서단 씨 의사가 워낙 뚜렷해서 알아보긴 했는데, 지금으로선 옵션이 세 가지 정도 있습니다. 하나는 아는 후배가 작년에 차린 회사인데, 웹 개발이랑 클라우드 쪽입니다. 사원수는 스무 명 정도고. 지금까지 성과가 꽤 좋았고, 앞으로도 성장이 빠를 겁니다. 일이 많고 연봉이 상대적으로 적은 게 문제지만, 그건 이런 종류의 스타트업은 어쩔 수 없고. 기업 문화가 수평적이고 자유로워서 일에 재미 붙이기 좋을 겁니다."

"……."

그리고 두 번째는…… 하면서 그가 말을 이어 갔지만, 나는 집중을 할 수 없었다. 규모든 뭐든 그가 말하는 것과 달랐는데 갑자기 인천에 있던 회사의 풍경이 생각났다. 래원 말고는 들어가 본 회사가 거의 없어서였을 것이다. 어두컴컴하던 회사 앞의 도로와 땀 냄새가 희미하게 맺혀 있던 서늘한 엘리베이터 같은 것을 떠올렸다. 상상 속의 회사는 차가웠고, 낯설었고, 무엇보다 멀리 떨어져 있었다. 같은 팀에든 다른 층에든 그가 없었다.

그가 말을 하다가 멈춘 줄도 깨닫지 못하고 있었다. 젓가락 끝을 식탁에 날카롭게 탁탁 두드린 그가 물었다.

"안 듣고 있지, 지금."

"……아니요, 듣고 있었는데……."

"내가 방금 뭐라고 했어요."

"……이직……."

두 번째 회사는 규모든 분야든 아예 생각도 나지 않았다. 곤란해서 눈을 내렸더니 젓가락을 내려놓은 한 팀장이 한숨을 쉬었다.

"죄송합니다."

그제야 정신을 차리고 고개를 숙여 사과했다.

"알아봐 주셔서 감사합니다. 바쁘신데 신경 써 주셔서……."

"말한 것 중에 이서단 씨 마음에 드는 게 없습니까?"

그가 평소대로 군더더기를 다 잘라 내고 물었다. 직선처럼 곧게 질문이 나를 향해 뻗어 왔다.

"어딜 가서 무슨 일을 하고 싶은지 구체적으로 말을 해 보세요, 그럼."

"……."

거짓말을 할 순 없어서 입을 다물고 입술 안쪽을 깨물었다. 떠오르는 답은 하나밖에 없었는데, 그가 이미 매몰차게 끊어 낸 이야기였다. 내가 침묵을 지키자 그는 답답한지 다시 물었다.

"아니면 어떤 기업 문화가 좋은지, 혹은 어떤 상사 밑에서 일하고 싶은지. 생각해 본 적 있을 게 아닙니까?"

"……."

혀 위의 말을 열심히 다시 목구멍 쪽으로 말아 넣었다. 힐끔 시선을 들었을 뿐인데 마주친 눈을 피할 수 없었다. 한 팀장은 내 얼굴을 뚫어져라 보더니 어이없다는 듯이 웃었다.

"이마에 대답이 쓰여 있네."

"……팀장님 같은 상사……."

까지 말하고 남은 뒷말은 기어들었다. 그의 빈 밥그릇을 보면서 다시 말했다.

"가능하다면 팀장님 같은 상사분 밑에서 일하고 싶습니다."

"이서단 씨."

"팀장님 팀은 안 된다고 하셨으니까, 그럼 팀장님 같은 분이 상사인 다른 회사……."

내가 들어도 허무맹랑한 이야기였다. 애초에 한 팀장의 이름을 내가 처음에 알게 된 것도 그가 워낙 사내에서 독보적인 존재였기 때문이었는데, 어딜 간다고 비슷한 사람을 찾을 수 있을까. 식탁 건너편에서 넘어오는 그의 침묵이 불안해졌을 때쯤 그가 입을 열었다. 아까와는 달리 가라앉은 목소리였다.

"이서단 씨는 컨설팅 일을 하고 싶은 겁니까, 내 밑에서 일하고 싶은 겁니까?"

"……둘 다입니다."

올려다볼 수가 없었다. 이곳은 그의 집이었고, 나는 속옷도 안 입고 그의 셔츠만 달랑 걸치고 있었는데도, 눈앞의 공간이 서늘한 회사 자료실로 둔갑할까 봐 겁이 났다.

긴 침묵 끝에 한 팀장은 짧게 한숨을 쉬었다. 그 한숨이 나로 인해 쌓인 피로도를 말해 주는 것 같아서 나는 움츠러들었다.

"이서단 씨는 왜."

까지 말하고 그는 말을 잠시 끊었다. 나는 가만히 시선을 들어 미묘한 표정을 짓고 있는 얼굴을 올려다봤다.

"애초에 왜 이서단 씨가 나를 좋은 상사로 여기는지 모르겠는데,

어디서 주워들은 얘기만으로 판단하면 안 됩니다."

"팀장님 밑에서 일해 보고 나서……."

"TF는 일반 부서와 다릅니다."

그가 눈썹 하나 까딱하지 않고 대꾸했다.

"TF에서야 내 입맛에 맞는 유능한 사람들을 골라 와서 흥미로운 일 맡기고 내 멋대로 굴릴 수 있지만, 부서는 내가 원하는 대로 안 돌아가는 것이 수두룩합니다. 래원은 큰 회사고, 어떤 일을 어떤 방식으로 하는지에 대해서 내가 모든 결정을 내릴 수 있는 것도 아닙니다. 이서단 씨가 원하는 이상적인 환경을 내가 제공해 줄 수 있는 것도 아니고, 이서단 씨를 무조건적으로 보호해 줄 수 있는 것도 아니고. 물론 이서단 씨 예전 부장보다는 낫겠지만."

"그건 당연히……."

"그게 왜 당연한 일입니까. 팀원이 성희롱당하는 걸 묵인한 상사와, 지원자를 옥상으로 불러내서 성을 대가로 팀에 끼워 준 상사는 따지고 보면 동급 아닙니까? 오히려 후자가 더 악질적인데."

강조 없는 덤덤한 말이었다. 나는 뒤통수를 얻어맞은 것처럼 하려던 말을 전부 잊었다. 빈 그릇과 숟가락, 젓가락을 챙겨 든 한 팀장은 식탁에서 몸을 일으켰다.

"늦었습니다. 출근해야 하니까 그만 먹고 그릇 가져오세요."

"…… 팀장님."

밥그릇을 들고 그를 부엌까지 따라갔다. 싱크대에 그릇을 넣고 물을 받아 놓는 그의 등을 쳐다보고 서 있었다.

"이 얘기는 나중에 합시다."

돌아보지 않고 그가 피곤한 목소리로 말했다.

"이서단 씨는 본인이 원하는 것이 무엇인지부터 명확하게 정리해야 할 필요가 있는 것 같습니다. 이번 주 안에 시간 내줄 테니까 다시 생각해서 오세요. 내가 말한 옵션은 정리해서 파일로 보내 줄 테니까 따로 조사해 보고."

나는 다시 거실로 그를 따라갔다. 서재로 들어가는 그를 서서 지켜보다가 옷방 문을 열었다. 어두컴컴한 방 안에서 호흡을 정리했다. 그의 말과 다르게 내가 원하는 것은 아주 명확했다. 입사했을 때부터 거의 쭉 그랬고, 그를 사적으로 알게 되고, 그의 밑에서 일해 본 지금도 똑같았다. 그를 동경해서 컨설팅 일에 관심이 생겼든, 그가 하는 일이 좋아서 더 그를 상사로 두고 싶게 되었든, 결과는 다르지 않았다.

조명을 켜고 내려다봤다. 옷가방은 어제 있던 자리에 없었다. 둘러보니 옷방 한쪽의 옷걸이에 내 옷이 다 가지런하게 걸려 있었다.

가슴에 따끔한 가시 같은 게 걸렸다. 벽에 등을 천천히 기대고 나는 눈을 감았다.

⚹

가방을 챙겨 나오자 한 팀장은 소파에 앉아 기다리고 있었다. 나는 핸드폰을 주머니에 넣으며 거실 시계를 확인했다. 생각보다도 더 늦은 시간이었다.

"지금 나가도 안 늦나요?"

평소엔 정신없이 휘몰아쳤을 출근 전의 시간을 느긋하게 보내서 그런지 불안했다. 한 팀장은 들여다보던 서류를 덮어 가방에 가지런히 넣으며 대답했다.

"잊은 모양인데, 여기서는 회사가 그렇게 멀지 않습니다."

"⋯⋯네."

"오늘은 오전 회의 같이 들어가게 되겠네요."

나는 그 말에 잊고 있던 업무가 생각나 마음이 급해졌다. 미리 가서 회의 전에 한 번이라도 살펴보고 싶었다. 코트를 들고 현관으로 향하는 내 팔을 한 팀장이 손 뻗어 붙잡았다.

"서두를 필요 없습니다. 시간 좀 남았으니까."

"⋯⋯."

"모처럼 좋은 아침인데, 매 좀 맞고 나갑시다."

산뜻한 목소리였다. 나는 눈을 두어 번 깜박이고 나서야 말뜻을 이해했다.

창백해진 나를 그가 자신의 앞으로 당겨왔다. 끌어안듯이 팔을 둘러, 바지 위로 엉덩이를 가볍게 쓸어내리고, 양쪽을 다 움켜쥐었다. 맞닿은 가슴이 따뜻했다. 심장이 점점 속도를 높였다.

"제기 뭘, 잘못⋯⋯."

"내가 때리고 싶다는 게 이유로선 충분한 것 같은데, 불만 있습니까?"

"……아니요."

"그럼 이리 와요."

손목이 붙잡혔다. 고개를 숙이고 불안정해진 숨을 가다듬는 사이에 한 팀장은 나를 소파 위로 엎어 놓았다. 엉덩이가 앉는 부분의 끝에 걸쳐졌다. 그는 내 바지 버클을 풀어 속옷까지 허벅지로 끌어 내리고, 드러난 맨 엉덩이 위로 손을 부드럽게 쓸었다.

"이서단 씨 엉덩이는 내 손자국이 남은 편이 훨씬 어울립니다."

"홋……!"

"회사 가기 전에 분홍색으로 예쁘게 물들여서 보내 줄 테니까, 자세 잘 잡고 있어요."

나는 소파 등받이 부분을 꽉 그러쥐었다. 긴장이 저릿저릿 등줄기를 타고 올랐다. 따뜻한 손이 엉덩이를 어루만지고 떨어져 나갔다.

"스무 대만 때리겠습니다. 숫자는 셀 필요 없어요."

깔끔한 말끝에서 웃음기가 묻어났다. 나는 대답하지 않고 눈을 감았다. 출근 복장을 다 차려입고 엉덩이만 내놓은 채 기다리고 있으니, 밤새 무뎌졌다고 생각한 수치심이 속에서 시리게 들끓었다.

짝— 손바닥이 내리쳐졌다. 몸을 긴장시켰지만, 못 견딜 정도로 아픈 매는 아니었다. 따끔따끔한 열기가 스며들고 퍼져 나갔다. 그는 분홍색으로 금세 달아오른 부분을 손바닥으로 위로하듯이 부드럽게 문질러 주었다. 목에서 앓는 소리가 새어 나갈까 봐 이를 악물어야 했다.

열다섯 대가 넘어갈 때까지도 아프다는 생각은 들지 않았다. 따끔거리는 야릇한 열기로 몸이 이상하게 달아올랐다. 마지막 몇 대만 숨을 완전히 앗아갈 정도로 무자비했다. 욱신거리는 통증이 사라지지 않고 얼얼하게 깊숙이 스며들었다.

가만히 가쁜 숨을 삭히고 있는 사이 그가 붉고 울퉁불퉁하게 부어오른 엉덩이 위로 입술을 쪽 붙였다가 떼었다. 반대쪽에도 가벼운 입맞춤이 떨어졌다.

"회사에서든 어디서든, 앉을 때마다 내 생각나겠는데."

"……끝나셨으면, 일어나도 됩니까."

"목소리는 왜 그럽니까. 아침부터 울게?"

눈꺼풀이 시큰거리긴 했지만, 대답 없이 일어서서 무릎까지 내려간 바지를 더듬더듬 당겨 올렸다. 속옷에 쓸린 엉덩이가 화끈거리고 아팠다. 그의 말대로 분홍색으로 물들어 손자국이 선명하게 남아 있었다. 표정을 정돈하는 나를 그는 웃는 얼굴로 지켜보고 있었다.

"아침마다 스무 대씩만 맞읍시다. 손맛이 괜찮네, 이거."

"……먼저 나가 있겠습니다."

기다리지 않고 먼저 등을 돌렸다. 그를 돌아보지 않고 가방을 집어 들었다.

현관에서 구두를 신다가 확, 손목이 잡아채였다. 뒤쫓아 온 그는 내 가방과 코트를 빼앗아 옆으로 내던지면서 신발장에 내 등을 밀어붙였다.

반사적으로 한 대 맞을 것처럼 움츠러들었는데, 닿아 온 것은 입술을 집어삼킬 듯한 열기였다.

"으, 읏……."

"입 벌려야 내가 혀를 넣지."

아랫입술을 핥으면서 그가 낮게 속삭였다. 불분명한 발음에 거친 호흡이 섞여 있었다.

찢어진 입꼬리를 달래듯이 빨아들이던 혀가 입안을 뜨겁게 헤집었다. 아직 부어 있는 목을 까끌한 표면으로 핥고, 부러 타액이 찰박이는 소리를 내면서 혀를 얽었다. 그는 한쪽 손으로 내 엉덩이를 그러쥐어 주무르면서 잠시 떨어진 입술을 다시 붙여 왔다. 붉게 열이 오른 눈가에 손끝이 닿았다. 맞물린 입술이 녹아들 것처럼 부드럽게, 느릿하게 문질러졌다.

긴 입맞춤이 끝나고, 그는 나를 잠자코 당겨 품에 안았다. 단단한 팔이 으스러뜨릴 것처럼 등을 꽉 둘렀다.

맞닿은 가슴에서 메아리처럼 심장 소리가 들렸다. 나는 눈을 감고 조용히 숨을 죽였다.

집에 가지 못한 지 6일째였다. 그의 차 옆좌석에 앉아 퇴근하면서 가물가물 떠올려 보니 집에 바나나 한 송이가 있었던 것도 같았다. 아직 여름이 아니라고는 하지만 지금쯤이면 새까맣게 변해 초파리

가 꼬여 있을지도 모른다. 집을 이렇게 오래 비운 적이 한 번도 없어서 낯설고 불안했다. 실제로 일주일 만에 그럴 리도 없는데, 우편함이 청구서로 미어터지거나 폐가처럼 바닥에 먼지가 그득하게 쌓이는 것을 상상했다.

가져온 속옷과 양말은 다 떨어진 지 오래였다. 이틀 전에 세탁기를 써도 되냐고 조심스럽게 물었더니 한 팀장은 일하다 말고 눈썹을 치켜세웠다. 한참 나를 보더니 어이없다는 듯이 웃었다. 요즘 들어 내가 좋아하는 표정이었다.

드럼세탁기의 동그란 창문으로, 그의 옷과 내 옷이 섞여 돌아가는 것을 한참 쪼그려 앉아 지켜봤다. 세탁기가 어련히 알아서 잘할 텐데도, 발걸음이 쉬이 떨어지지 않았다.

"이서단 씨."

부르는 목소리에 반짝 눈이 떠졌다. 그의 차 안이었다. 벌써 시동이 꺼져 있었고, 주차장의 불빛이 앞유리로 노랗게 비쳐 들고 있었다. 가까이에서 나를 들여다보던 한 팀장이 정신 못 차리는 꼴을 물끄러미 보더니 안전벨트를 대신 풀어 주었다.

"내리세요, 다 왔습니다."

"……네."

차에서 내리다가 넘어질 뻔했다. 그를 따라 주차장을 가로지르며 나는 잡은 께러고 열심히 눈을 깜박였다. 엘리베이터 옆에 걸려 있는 디지털시계는 벌써 새벽 12시가 넘어 있었다. 어제는 퇴근이 1시였고, 그 전날도 비슷했다. 아무래도 일주일 남은 발표회까지는 새벽 출근과 새벽 퇴근이 계속될 것 같았다.

나보다 훨씬 멀쩡해 보이는 한 팀장은 현관을 들어서자 내 코트를 받아 들고 말했다.

"씻고 오세요. 배고프면 먹고 나서 씻어도 되고."

그가 손에 들린 하얀 봉투 두어 개를 테이블에 내려 두고 서재로 들어갔다. 들여다보니 한쪽 봉투에는 빨갛고 탐스러운 딸기가 두 팩 들어 있었고, 다른 봉투에는 모자를 쓴 문어가 그려진 스티로폼 상자가 있었다. 상자 안에는 달걀판처럼 가지런하게 동그란 빵이 들어 있었다. 둥근 구 하나를 꼬치로 푹 찍어서 입에 넣어 봤다. 문어가 씹히는 속이 아직도 뜨거웠다.

문어볼을 하나 더 입에 물고 나는 씻으러 위층으로 올라갔다. 옷을 벗다가 거울을 보니 입술에 소스 묻은 얼굴이 갑자기 낯설었다. 얼굴이 부은 게 아니면 그새 볼 살이 좀 붙은 것 같기도 했다.

씻고 내려갔더니 소파에 앉아 양옆으로 서류를 늘어놓고 작업 중이던 한 팀장이 발치를 향해 턱짓했다. 테이블에는 접시에 옮겨 담은 문어빵과 유리그릇에 수북하게 쌓인 딸기가 있었다.

나는 그를 방해하지 않기 위해 조용히 테이블 앞으로 몸을 당겨 앉았다. 막 딸기를 하나 집어 입안에 넣었는데 등 뒤에서 그가 물었다.

"머리도 말렸어요?"

"네."

"잘했네."

다른 데 집중하는 듯 느린 목소리였다. 팔이 뻗어 와 대충 말려 부슬부슬해진 머리 위를 쓰다듬었다. 나는 목을 약간 움츠리면서도 손이 떨어질 때까지 가만히 있었다.

식은 문어빵을 하나씩 입안에 넣고 먹었다. 도중에 그의 부엌에 가서 냉장고에 있는 보리차를 파란 잔 가득 따라 왔다. 등 뒤에서 서류가 넘어가는 건조한 소리가 났다.

꼬치로 찍어 올린 빵을 빙빙 돌리며 고민하던 나는 결국 고개를 들었다.

"팀장님은 안 드세요?"

"······저녁 먹어서 괜찮습니다. 많이 먹어요."

대답이 늦었다. 그의 눈이 클리어 파일과 태블릿 사이를 바쁘게 오가고 있었다. 저녁은 나도 먹었지만, 더 이상의 말을 삼키고 나는 무릎을 세워 앉았다. 배가 부르니 다시 눈꺼풀이 무거워졌다. 머리가 점점 아래로 숙여졌다.

툭, 소파 위 위태롭게 쌓여 있던 파일 더미의 맨 위 클리어 파일이 미끄러지며 아래로 떨어졌다. 나는 화들짝 놀라 몸을 틀며 와르르 무너지려는 탑을 비몽사몽 붙들었다. 파일을 옮겨 더 이상의 붕괴를 막은 한 팀장이 손 떼세요, 괜찮습니다, 라고 말했다. 정작 나는 별로 괜찮지 않았다. 빽빽하게 쌓인 파일의 무게를 몸으로 느껴 보니 기가 질렸다.

"이걸 전부 다 보고 주무실 거예요?"

저절로 질문이 튀어 나갔다. 한 팀장은 그때에서야 눈을 들었다.

"기다리라고 한 적 없습니다. 다 먹었으면 올라가세요."

"그게 아니라…… 일을 너무 많이 하시는 것 같아서요."

말해 놓고 보니 의미 없는 감탄사처럼 들릴 것 같아서 덧붙였다.

"도와드릴 수 있는 게 있으면……."

평소라면 칼같이 끊어 냈을 그가 나를 물끄러미 보더니 한숨을 내쉬었다. 태블릿 펜을 내려놓고 감은 눈 위를 손바닥 아랫부분으로 느리게 문질렀다. 팔꿈치까지 걷어 올린 소매의 단추가 풀려 있었다.

요즘 야근하고 일에 쫓기는 것은 나도 팀원들도 마찬가지였지만, 한 팀장의 경우 그 정도가 심했다. 가까이에서 매일 지켜보니 비로소 그의 업무량을 실감할 수 있었다. 새벽에 그의 침대에서 눈이 떠지면 그가 옆에 없었고, 문 밑의 틈새로 켜져 있는 거실의 불빛이 희미하게 새어 들었다. 도대체 언제 잠을 자는 건지도 알 수 없었다.

소파 등받이에 느리게 등을 기대앉은 그는 한쪽 팔을 얼굴 위로 덮은 채로 더 이상 미동이 없었다. 그새 잠이 든 것 같기도 했다.

"……."

파일 더미 위로 손을 짚고 가까이에서 그를 올려다봤다. 다물린 입술과 약간 거뭇해진 날카로운 선의 턱이 눈에 들어왔다. 그의 한쪽 허벅지 위로 보고 있던 서류가 흩어져 있었다. 그 위에 늘어진 그의 손은 힘이 들어가 있지 않았다.

그 순간, 나는 그가 이대로 깨어나지 않을지도 모른다고 생각했다. 확신처럼 무시무시한 무게로 찾아든 망상이었다.

그를 흔들어 깨우고 싶은 마음을 억지로 누르며 마른 입술을 축였다. 소파에 바짝 몸을 붙여 눈으로 그를 훑어 내렸다. 지금 보니 단추가 두어 개 풀린 가슴팍이 느리고 미세하게 오르락내리락하고 있었다.

그래도 곧바로 안심이 되지는 않았다. 그의 어깨를 향해 뻗어가려는 손을 잡아 누르고, 물러나 앉아서 숨을 가라앉혔다.

이렇게까지 무방비한 상태의 한 팀장을 한 번도 본 적이 없어서였을 것이다. 빈틈 하나 없을 것 같은 표면에 미세하게 균열이 일어나고, 그 사이로 본 적 없는 것들이 들여다보이는 기분이었다. 틈새로 눈을 댄 내가 훔쳐보게 된 것이 웬일로 그답지 않은 모습이었는지, 평소보다 그다운 모습이었는지는 알 길이 없었다.

문득 팀원들이 원망스러워졌다. 그들은 이런 한 팀장을 알 턱이 없으니, 사사건건 작은 일도 그에게로 가져와 확인받고 의존하려 하는 것이었다. 끊임없는 야근에 대한 짜증을 그에게로 돌리고, 집에서 아이가 기다린다고 빠져나가고. 그 사정이야 어쨌든 뒷수습은 한 팀장의 몫이었고, 발표회의 결과에 대한 책임도 결국 한 팀장의 것이었다. 그가 내색하지 않게 켜켜이 쌓였을 스트레스와 중압감이 문득 눈에 보일 듯 선명했다. 내 짐도 아닌데 그 무게에 숨이 막혔다.

한동안 미동 없이 있아 사는 그를 지켜보다가 몸을 일으켰다. 소리를 내지 않으려고 조심조심 걸음을 옮겼다. 러그의 푹신한 털 속으로 오므린 발가락이 파고들었다.

"어디 갑니까."

거실 중앙까지 다다르기도 전에 등 뒤에서 잠긴 목소리가 발목을 잡았다. 나는 나쁜 짓을 하다 들킨 아이처럼 제자리에 멈춰 섰다.

"올라가려고?"

"……주무시는 것 같아서, 불 꺼 드리려고요."

"불은 됐고. 당장 잘 게 아니면 커피 한 잔만 내려 주겠습니까?"

드문 부탁이었다. 돌아보고 마주한 얼굴은 업무 외에 다른 것에 쏟을 에너지가 조금도 남아 있지 않은 것처럼 보였다. 지금은 내가 엉덩이를 앞에 들이댄다고 해도 때리지 않을 것 같았고, 심술궂은 말이나 희롱도 안중에도 없을 것 같았다.

성적인 의도가 조금도 없는 덤덤한 시선이 오히려 낯설었다. 조금 어색하게 몸을 틀며 나는 고개를 끄덕였다.

"진하게 타 드려도 괜찮아요?"

"진한 편이 나을 것 같습니다."

부탁합니다, 라고 그가 여전히 잠긴 목소리로 덧붙였다. 나는 부엌 쪽으로 향하다가 그를 다시 한번 돌아봤다. 창 쪽으로 돌려진 얼굴의 윤곽이 보였다.

그가 예전에 작동법을 가르쳐 준 에스프레소 머신과 소리 없는 사투를 거듭했다. 마침내 완성된 커피잔을 들고 거실로 돌아가자 소파는 비어 있었고, 흩어졌던 파일은 한쪽으로 말끔히 정리되어 있었다. 욕실 불도, 서재 불도 꺼져 있었다. 그때 발코니 문이 드륵 열리는 소리가 났다. 슬리퍼를 벗으며 들어오는 그에게서 바람 냄새와 희미한 담배 냄새가 풍겼다.

한결 혈색이 돌아온 얼굴에 안심이 되었다. 가까이 온 그의 앞에 두 손으로 잔을 내밀었다.

"약간 너무 진하게 타진 것 같긴 한데……."

아무 말 없이 받아 들고 한 모금 마신 그가 느리게 잔을 든 손을 내렸다. 표정이 떫은 듯 미묘했다.

"잠 깨는데 효과가 좋을 것 같긴 하네요."

"과자 같은 것도 갖다 드릴까요?"

"괜찮습니다."

커피를 또 한 모금 마신 그가 살짝 미간을 찌푸리며 잔을 테이블에 내려놓았다. 태블릿 펜을 슬롯에 끼워 넣고 커버를 덮으며 나를 힐끗 올려다봤다.

"서재에 들어가서 작업할 겁니다. 이서단 씨는 먼저 올라가서 자세요."

"……네, 필요하시면 부르세요."

"올라갈 때 거실 불은 꺼도 괜찮습니다."

고개를 끄덕이고 그가 파일과 태블릿, 커피를 챙겨 서재로 들어가는 것을 지켜보고 서 있었다. 문이 깔끔하게 닫히자 환하게 불 켜진 거실에 나 혼자 남았다.

그의 말대로 현관 쪽으로 가서 조명 스위치를 눌렀다. 서재 방문 밑으로 새어 나오는 노란 불빛 말고는 거실이 어둠에 잠겨 들었다.

나는 2층으로 바로 올라가지 않고 가만히 서 있다가 그가 앉아

165

있던 소파에 엉덩이를 붙였다. 말려 올라간 셔츠 자락을 다시 허벅지까지 끌어 내리고 앉아 그가 내다보던 유리창 쪽으로 고개를 돌렸다.

축축하고 선연한 어둠이 유리를 뚫고 들어와 물기처럼 몸에 달라붙었다. 발코니 테이블의 재떨이에서는 아직도 희미하게 가느다란 연기가 피어오르고 있었다.

새벽이었다. 어깨를 가볍게 흔드는 힘에 의식이 수면 위로 천천히 떠올랐다. 깊이 잠든 것은 아니어서 정신이 드는 데는 오래 걸리지 않았다.

"……지금, 몇 시……."

잠긴 목소리로 올려다보면서 띄엄띄엄 물었더니, 내 위로 깔고 앉아 셔츠 단추를 풀어 내던 팀장님이 무심하게 답했다.

"새벽 네 시 정도입니다."

"……별로 못 주무셔도…… 괜찮아요?"

멍하니 팔을 들어서 그가 나를 벗기는 것을 도왔다. 유니폼이 된 셔츠 하나만 입고 있으니 아래는 벗길 것도 없었다. 내 발목을 양손에 감아쥐고 잡아 벌리며, 그가 나지막하게 웃었다.

"나를 걱정할 때가 아닌 것 같은데."

"으, 읏!"

"빨리 끝내 줄 테니까, 다리 놓치지 말고 잘 잡고 있어요."

"……으."

정신을 서서히 차리자 찾아든 긴장으로 몸이 뻣뻣했다. 한 팀장은 내 몸을 완전히 반으로 접듯이 해서 넓게 벌어진 양 발목을 내 손에 쥐여 주었다. 나는 베개 위로 뺨을 기대면서 천천히 호흡했다. 몸을 이완시키려 했지만 소용없었다. 허공에 훤히 드러난 좁은 틈새로 그가 젤 묻은 손가락을 집어넣었다.

"흐으, 읏! 으, 아, 아파……."

"힘을 더 빼세요."

굵은 손가락이 뿌리까지 밀려들었다. 그는 수일간의 반복된 섹스로 부어 있는 주름을 뚫어져라 처다보면서 손가락을 갈고리처럼 구부려 안쪽을 헤집었다. 따갑고 시린 통증이 등줄기를 타고 치달았다.

나는 뜨거워지려는 눈시울을 깜박이며 숨을 천천히 내쉬었다. 안쪽을 휘젓는 손가락의 수가 금세 늘었다. 쓰라린 입구를 그가 잡아당겨 늘리듯이 문질렀다. 충분히 늘어났는지만 확인하는 무심한 절차였다.

"읏! 아, 흐으으……."

손가락이 경련하는 내벽을 몇 번 문지르다가 빠져나갔다. 젖은 입구가 허공에 드러나사 빠끔 벌어진 틈으로 찬바람이 새어드는 것 같았다. 나는 몸을 비틀면서 눈을 감았다. 지퍼 내려가는 소리가 섬찟하게 들리고, 툭, 두꺼운 귀두가 젖은 엉덩이 사이로 문대어졌다.

벌어진 구멍을 비껴가며 회음부에 문질러지는 탓에 나는 불안정한
호흡만 연신 참았다.

"다리 잘 잡고 있으라니까."

놓친 발목을 다시 손에 쥐어 주며 그가 낮게 말했다. 팽팽하게 입
구를 벌린 귀두가 다시 뒤로 물러났다. 그는 성기로 미처 다물리지
않은 입구 위를 느리게 비비다가, 골반을 잡은 손에 힘을 주며 한 번
에 안쪽까지 꽉 밀어 넣었다.

"흐윽!"

배 속을 얻어맞는 것처럼 몸이 경련했다. 아프다는 말을 물어 삼
키면서 나는 땀에 젖은 손으로 더듬더듬 발목을 고쳐 잡았다. 그가
움직이는 것이 수월하도록 위로 허리를 치켜 올렸다.

사정 봐주는 것 없는 피스톤질은 점점 거칠어졌다. 겁이 나서 숨
을 죽일 정도의 속도였다. 엉덩이에 살 부딪치는 소리가 요란했다.
지퍼가 골 사이의 예민한 피부를 할퀴는 감촉이 섬찟했다. 깊숙이
찔러 넣은 채로 그가 상체를 굽히고, 내 양쪽 가슴을 잡아 올려 짓이
기듯이 세게 비틀었다.

"홋! 윽, 아, 아프……."

"더 꽉 조여야지. 좀 자주 쑤셔 줬다고, 벌써 안쪽이 다 헐렁해지
면 어떻게 합니까."

"아, 윽, 흐아아…… 으, 윽."

"자는 걸 마음대로 깨워서, 다리를 벌리라 해도, 얼굴 한번 안 찡
그리고."

눈앞이 흐릿했다. 또 허공을 헤매는 발목을 이번에는 그가 잡아 올렸다. 땀에 젖은 피부 위로 뺨을 문지르고, 벌벌 떨리는 종아리 안쪽을 뜨거운 입술로 쓰다듬었다.

"그건 나라서 그런 겁니까, 아니면 이서단 씨 성격입니까?"

"흐, 읏……."

"다른 사람을 좋아하게 되었으면, 다른 사람한테도 이렇게, 똑같이, 굴었을 겁니까?"

"아, 흐읏……."

올려다본 그의 얼굴이 심보가 꼬인 것처럼 굳어 있어서, 나는 입을 다물었다. 흔들리는 그의 등 너머로 보이는 천장은 그림자로 얼룩져 있었다. 뜨겁고 굵은 기둥이 끊임없이 열 오른 몸속을 헤집었다. 가슴이 시리고 덜컥거렸다. 몸의 가장 은밀한 부분이 맞닿아 격렬하게 마찰하고 있는데도, 올려다본 그가 한없이 먼 곳에 있는 것 같았다.

고여 든 눈물을 깜박여 없애면서 힘겹게 고개를 들어 올렸다. 굳게 다물린 입술 위로 쪽, 어설프게 입술을 부딪쳤다.

그러자 뚝, 안쪽을 무자비하게 쑤셔 대던 움직임이 멎었다. 숨을 몰아쉬며 올려다보자, 한 팀장이 미간에 깊게 골을 파고 나를 보고 있었다.

"그 정도로 밉습니까?"

"……네? 읏, 흐아아……."

딱딱하게 부푼 성기가 천천히 입구 밖으로 물려졌다. 달콤하고 저릿한 감각이었다. 두꺼운 선단이 완전히 뽑혀 나가자 딸려 나간 속살이 경련했다. 벌어진 입으로 가쁜 숨을 내쉬던 나는 그제야 뒤늦게 그의 말뜻을 깨달았다.

"아니요, 이건 그냥……."

급한 마음에 그의 어깨를 잡았다. 땀에 젖은 피부가 축축하고 뜨거웠다. 얼굴이 붉어지는 것을 스스로도 느낄 수 있었다.

"그냥…… 하고 싶어서……. 그게 아니니까, 계속……."

"……안전어를 바꿔야겠네."

내려다보던 그가 낮은 목소리로 말했다. 푹, 회음부에 문질러지던 성기가 다시 좁은 틈새를 짓찢듯이 파고들었다.

왈칵 새어 나간 울음을 그가 삼켰다. 맞닿은 입술이 부드럽게 문질러졌다. 질척하게 혀가 얽히고, 조금 완만해진 속도로 그가 빠져나갔다. 선단이 아슬아슬 걸쳐질 때까지 빼내고, 이번에는 느리고 농밀하게 파고들었다. 그는 내가 물러나지 못하도록 허리를 잡은 채로 길쭉한 기둥을 전부 밀어 넣고, 커다란 손바닥으로 벌벌 떨리는 뱃가죽 위를 쓰다듬었다.

"뭘 그렇게 떨어, 어디까지 들어갔다고."

"흐, 으, 조금, 조금만……."

"막상 빼면 싫어할 거면서. 보겠습니까?"

주룩, 젖은 소리를 내며 성기가 뒤로 빠졌다. 텅 빈 공간이 남자 연약한 살점이 뒤쫓듯 살기둥에 엉겨 붙었다. 부끄러움으로 눈꺼풀 안쪽이 새빨갛게 물들었다.

그가 땀에 젖은 앞머리를 쓸어 올리고 이마에 부드럽게 입 맞춰 주었다. 속도를 질컥질컥 서서히 높이면서 귓가에 대고 갈라진 소리로 속삭였다.

"여기 안쪽이, 내 모양입니다. 알아요?"

"훗, 그, 아아⋯⋯."

"매일 내 좆을 넣어 줬더니, 길이 든 겁니다. 이제 나 말고는, 그 뭘로 여길 쑤셔도."

"웃, 그만, 말하지⋯⋯!"

귀를 틀어막으려는 손을 그가 떼어 냈다. 도리질 치는 나를 붙잡아 질끈 감은 눈가와 얇은 눈꺼풀 위를 파고들 듯이 뜨거운 혀끝으로 헤집었다. 입술이 눈썹 끝과 관자놀이로 옮겨가, 마침내 발갛게 달아오른 귀를 부드럽게 빨아들였다. 귀를 씹어 없앨 듯이 입안에 넣고 잘근잘근 깨물었다. 겁이 나는데, 머릿속이 녹아내리는 것 같았다.

"귀도 느끼고. 가슴도 느끼고. 이런 데도 만져 주면 좋아서 죽을 것 같지?"

"으, 으응, 흡⋯⋯."

허리 안쪽의 잘록하게 들어간 부분을 그가 손톱으로 느리게 문질렀다. 발가락이 소리 없이 하얗게 오므라들었다. 그러쥔 발목에, 종아리에, 무릎 뒤쪽의 빈약한 피부에 입술이 스치듯 닿았다. 간질이듯이 혀끝이 문질러지고, 딱딱한 이가 눌렸다. 허공에 들린 허벅지가 덜덜 떨리자 그가 나직한 소리로 웃었다.

"야해 빠져서는."

"하으, 훗…… 원래는, 안, 그랬는데."

"내 책임이라는 겁니까. 내가 어떻게 책임져 주면 될까, 여길 빨아 주면 되겠습니까?"

"하아웃, 그, 안— 흐읏!"

그가 기어이 붉게 부은 유두를 입술 안에 가두고 세게 빨아들였다. 새하얀 게 눈앞에서 화드득 터졌다. 내 얼굴을 내려다보던 그가 갑자기 몸을 일으키며 성기를 한 번에 빼냈다.

"아윽!"

"뒤돌아서 엎드리세요. 제대로 박아 줄 테니까."

후들거리는 다리를 오므리며 몸을 돌려 엎드렸다. 등 뒤의 단단한 손이 엉덩이의 둥근 살집을 잡아 벌리고, 퉁퉁 부어오른 주름위로 뜨거운 선단을 눌렀다. 허리를 써서 한 번에 길을 내듯이 내벽을 젖혀 열었다. 눈앞이 번쩍거렸다. 못 견디게 아픈 것도 서러운 것도 아니었는데, 끌어안은 베개 위로 눈물이 뚝뚝 떨어졌다.

그는 더 이상의 말도 없이 나를 몰아붙였다. 열에 들끓는 몸 안쪽이 진탕이 될 때까지 살기등을 처넣었다. 구석구석 살갗을 쥐고 만지고 뜨거운 입술로 빨아들였다. 목과 등의 희미해져 가는 자국 위로 새로운 멍이 자리 잡았다.

남김없이 빼앗아가고 갈취하는 듯한 지독한 섹스였다. 그 끝에서 기절하듯이 잠들며 나는 문득 그가 잠보다 나를 필요로 했다는 사실을 깨달았다. 길었을 하루의 끝에서 일을 끝마쳐 놓고 올라와 찾은 것이 다른 게 아니고, 다른 사람도 아닌 나였다는 것을.

그것만으로도 새벽에 눈 떠야 했던 것이 아무렇지 않았다. 심지어는 서럽지도 않았다. 오히려 그가 가져간 만큼을 몰래 돌려받듯이, 작고 치졸한 만족감을 가슴 귀퉁이부터 차곡차곡 쌓아 넣었다.

발표회가 가까워질수록 나는 할 일이 점점 없어졌다. 3개월간 쌓인 방대한 양의 자료를 정리해 발표를 위해 추리는 일은 한 팀장과 박 대리, 권 대리에게 남겨진 일이었고, 당장 김 주임부터도 주어지는 일이 사소한 잡무 수준이었다.

마침 수가 맞아떨어져서, 위에서 내려오는 잡다한 볼일을 한 명씩 갈라 맡았다. 나는 박 대리의 책상 옆에서 종일 대기를 탔고, 권 대리의 성질을 받아 내느라 윤 대리는 눈 밑이 거뭇거뭇해졌다. 한 팀장은 사소한 일을 하달하지 않고 스스로 하는 편이라 김 주임은 오히려 일이 별로 없었는데, 그게 답답한지 회의실에서 자꾸 사라지기 일쑤였다.

월요일 아침에 출근한 김 주임은 지난번에 봤던 바구니를 또 들고 있었다. 이번에는 어딘가의 수입과자점을 쓸어 온 모양이었다.

한 팀장은 어딜 갔는지 돌아오지 않고 있었다. 회의 시작이 미뤄질 것 같아 간만에 나머지 다섯 명은 과자와 커피를 펼쳐 놓고 평화롭게 회의실 테이블에 둘러앉았다.

"처음 보는 게 많네. 어디서 샀어요?"

쿠키를 입안에 넣은 채로 박 대리가 묻자, 김 주임은 역에서의 위치를 대충 설명하기 시작했다. 나는 커피잔을 입에 가져가다가 멈추고 귀를 기울였다.

빼빼로를 닮은 막대 과자도 있었다. 같은 생각을 했는지 빨간 포장지를 까면서 이거 그냥 빼빼로잖아, 라고 권 대리가 말했다.

"빼빼로 작년에 먹고 처음 먹네요."

박 대리가 말했다.

"언제 먹었어요. 설마 11월에?"

"말투가 왜 그래. 와이프가 수제로 만들어 줬는데?"

나도 빼빼로를 떠올리고 있었다. 아침에 무심코 열어 본 그의 부엌 찬장에는 빼빼로가 차곡차곡 탑처럼 쌓여 있었다. 토스터 앞에서 빵이 튀어나오길 팔짱을 끼고 기다리던 한 팀장은 찬장 안을 보는 나를 눈치 챘는지, 나중에 가방에 색깔별로 하나씩 넣어 주면서 도시락, 이라고 무심하게 말했다. 그걸 팀원들이 알 리도 없는데 자꾸만 지퍼가 열려 있는 가방이 신경 쓰였다.

"아, 그러고 보니 발렌타인이나 화이트 데이나 올해는……. 이서단 씨."

"네. 네?"

"왜 넋이 나갔어요. 피곤해요?"

김 주임이 바구니를 내 쪽으로 밀어 주었다. 정신을 차리고 괜찮습니다, 라고 말하자, 김 주임이 좋겠네요, 라고 대답했다.

"나는 피곤해서 죽을 것 같은데. 진짜 일주일만 좀 쉬면 안 되나?"

"다 끝나 가는데 뭘 지금 쉬어."

"지금 쉰다는 게 아니라……. 끝나고도 못 쉬잖아요. 부서 돌아가면 일 밀려 있고."

"그렇긴 하죠……."

"딱 일주일만 휴가 내고 놀다 오고 싶은데, 안 되겠죠?"

나는 가방 지퍼를 닫았다. 회의실 문 틈새로 보이는 하얀 복도 한 조각을 지켜보고 있는데, 덥석, 어깨 위로 김 주임님의 손이 올라왔다. 화들짝 놀라 고개를 들었다.

"어디냐구요, 이서단 씨는."

"어디요?"

"못 들었어요? 나는 하와이."

하와이? 라고 멍하니 되묻자, 김 주임님이 아예 바구니를 치우며 테이블에 올라앉았다.

"친구가 작년에 다녀왔는데, 하와이 엄청 좋대요. 날씨 좋을 때 가서 바닷가에 타월 깔아 놓고 일주일 정도 일광욕하면……. 열대과일 같은 거 사서 실컷 먹고. 이서단 씨는 구아바 먹어 봤어요? 구아바 맛있겠던데."

"일주일이면 피부 싹 다 타 없어질걸."

듣던 긴 대비가 무덤덤하게 말했다.

"그리고 비행기 타는 데 하루씩 잡아먹으면 아깝지도 않아요? 시차 적응되면 일주일 다 가겠는데."

"그래도 국내에는 갈 만한 데가 없잖아요."

박 대리가 아니야, 의외로 있어요, 라고 끼어들었다.

"제주도도 좋고, 먹을 거 많은 데는 다 좋죠. 와이프는 주말에 벚꽃 보러 좀 멀리 가자고 하던데, 요즘 지방 축제도 괜찮고. 그냥 맛집만 찾아다녀도 일주일은 금방—"

"놀고들 있네."

싸늘한 목소리였다. 김 주임이 테이블에서 얼른 미끄러져 내려왔다. 어느새 등 뒤로 서 있던 한 팀장은 들고 있던 파일을 테이블에 짜악 내던졌다. 아침엔 이 정도로 저기압은 아니었던 것 같은데, 표정이 살벌했다.

"나흘 남겨 놓고 이런 식으로 해이해질 겁니까?"

"……아닙니다."

"휴가 일정 짤 시기가 따로 있지, 정신들 안 차려요?"

"죄송합니다, 팀장님."

박 대리가 대표로 말했다. 옆에서 듣고만 있던 나도 죄인처럼 같이 고개를 숙였다. 시끄럽던 회의실이 찬물을 끼얹은 것처럼 조용해졌다. 한 팀장은 말없이 등 돌려 칠판에 일정을 적어 내리기 시작했다.

비행기 하니까 해외가 생각난 나는 펼쳐 둔 노트 위쪽에 별 표시를 그렸다. 주말, 서영이, 전화, 라고 적었다. 어제도 소식을 확인하기 위해 들어가 본 페이스북에는 'D-'로 시작하는 카운트다운이 있었고, 서럽게 우는 모양의 이모티콘이 있었다. 마침 여동생이 돌아

올 때쯤 발표회가 끝나 있을 것 같았다.

⚘

점심시간에는 팀원들을 식당으로 먼저 보내 놓고 혼자 옥상으로 올라갔다. 정오의 햇살이 제법 봄답게 따뜻했고, 선선한 바람도 불고 있었다. 난간에 기대어 서서 빼빼로의 포장을 뜯었다. 막대 과자를 하나씩 꺼내 입에 물었다.

대로변에는 벚꽃이 분홍색으로 한껏 피어 있었고, 신호등에 줄줄이 멈춰 선 차 지붕이 알록달록했다. 그동안 무채색이 많았던 것 같은데, 겨울이라 그랬을까. 분홍색 꽃나무 옆으로 빨간 스포츠카와 주황색 택시가 나란히 서 있었다. 콧등에 햇볕이 아지랑이처럼 뜨겁게 어렸다. 그때 등 뒤에서 그가 말했다.

"그새 담배라도 배웠어요?"

나는 난간에 얹은 손이 바짝 오므라들 정도로 놀랐다. 빼빼로를 문 채로 빠르게 돌아보니 한 팀장이 서 있었다.

"그렇다고 과자를 진짜로 도시락으로 먹으면 안 되지."

"……점심 먹기 전에 잠깐 바람 쐬려고……. 이제 내려가서 밥 먹으려고요."

"잠깐 있어 봐요."

그가 간단하게 말했다. 지나치려던 나는 다시 난간에 등을 붙였다.

한 팀장은 내 옆으로 기대어 서서 담배를 피워 물었다. 지난번에 함께 이 옥상에 올라왔을 때가 생각이 나서 나는 바닥만 내려다봤다. 그때는 추웠던 것 같은데, 어느새 날씨가 따뜻해져 있었다. 오늘 그는 코트도 입고 있지 않았다.

한 팀장이 담배를 한 대 피우는 동안 나는 빼빼로 한 상자를 다 먹었다. 빈 상자의 바닥을 뜯어 편편하게 접고 기다렸다. 침묵을 지키던 한 팀장이 꽁초를 비벼 끄며 건조한 목소리로 말했다.

"오늘 집에 먼저 들어가세요."

"……어디 가시는데요?"

"일정에 없었는데, 쓸데없는 접대 자리에 따라가게 생겼습니다. 이 시기에…… 하나같이 생각이 있기나 한 건지. 뇌를 어디다 갖다 팔아먹어서."

텁텁한 짜증이 말끝에서 묻어났다. 난간에서 몸을 뗀 한 팀장이 덧붙였다.

"문자로 현관 비밀번호 찍어 주겠습니다."

"그러면, 저도…….''

뒤늦게 생각이 난 나는 가려는 그를 불러 세웠다.

"저도 오늘은 집으로 퇴근하겠습니다. 팀장님 안 계시면 굳이—"

"무슨 집."

그가 무표정하게 물었다.

"……제 집이요."

한 팀장은 대답 없이 핸드폰을 꺼내 들었다. 몇 번 화면을 누르자,

주머니에 든 내 핸드폰이 진동했다. 열 자리 비밀번호가 문자함에 도착해 있을 것이다. 안 봐도 알 수 있었다.

"주차장으로 들어가지 않으면 입구가 반대쪽입니다. 헷갈리지 말고 확인해서 들어가요."

"팀장님……."

"왜 집에 굳이 가야 하는지 나를 납득시켜 보든지."

"……급한 일은 아니지만, 너무 오래 비워 둬서, 청소도 해야 할 것 같고…… 챙겨 올 물건도 있고……."

그가 무덤덤하게 시선을 마주쳐 왔다. 굳이 묻지 않아도 납득 못한 얼굴이었다.

내가 눈을 먼저 내렸다. 한 팀장은 무딘 칼날처럼 잘라 말했다.

"내가 있든 없든 이서단 씨가 지금 퇴근해야 할 곳은 내 집입니다. 나한테 물어보지 않고 어디 가거나 집에 다녀오거나 할 생각은 미리 접으세요."

"……팀장님."

"다른 데로 새지 말고 곧장 집에 들어가세요."

할 말이 끝났다는 듯이 그가 몸을 돌렸다. 옥상을 가로질러 문 너머로 사라지는 등을 나는 황망하게 지켜보고 서 있었다.

※

박 대리가 퇴근하고 나니 12시가 조금 넘어 있었다. 팀장님은 벌써 회사에 없었다. 나는 오기로라도 집에 들렀다가 갈까 하는 생각을 잠시 하다가, 길들여진 동물처럼 회사 밖에서 택시를 잡았다.

주차장이 아닌 앞문으로 들어가려 하자 그의 말대로 입구가 찾기 어려워서 한참 헤매야 했다. 엘리베이터를 타고 올라가서 낯익은 문 앞에 섰다. 키패드를 만지자, 파란 숫자가 나타났다.

예정에 없는 일이었다고는 하지만, 그는 내게 비밀번호를 말해줘서 어떻게 할 생각이었을까. 오는 길에 몇 번 문자를 들여다봤더니 한 번도 틀리지 않고 열 자리를 그대로 꾹꾹 누를 수 있었다. 그가 잊어버리라고 해도 그럴 수 있을지 자신이 없었다. 찰칵, 잠금쇠가 풀리는 건조한 소리가 울렸다. 손잡이를 잡아당겼더니 요새의 문이 손쉽게 열렸다.

한 팀장이 없는 그의 집은 오늘 아침에 봤던 것보다 넓었고, 서늘한 어둠에 잠겨 있었다. 나는 구두를 벗어 현관에 가지런하게 두고 나서 조명 스위치를 켰다. 가방을 내려놓고 겉옷을 벗었다.

마음이 이상하게 들떠서 좀처럼 가라앉지 않았다. 두서없이 헤매던 시선이 현관 옆에 개켜진 와이셔츠에 가 닿았다.

"……."

뚫어져라 쳐다보다가 결국 타이를 끄르고 단추를 느릿느릿 풀어내렸다. 바지 버클을 풀고, 망설이다가 속옷은 놔두었다. 서늘하게 드러난 맨살 위로 재빨리 하얀 셔츠를 걸쳐 입었다. 건조한 면의 촉감이 좋았다. 낙낙한 품에, 허벅지를 스치는 옷자락에 그제야 마음이 편안해졌다.

습관은 무서운 거였어. 작게 중얼거리면서 소파 팔걸이에 걸터앉았다. 며칠 됐다고 현관에서 바로 옷을 벗지 못해 안달일 줄이야. 그가 봤다면 웃었을 것이다.

그의 셔츠를 걸치고 맨발로 서성서성 집 안을 돌아다녔다. 냉장고를 열었는데, 꺼내 본 재료는 다 다룰 자신이 없는 것들이었다. 두부, 콩나물, 오이. 초록색 피망의 표면이 매끈해서 만져 보니 기분이 좋았다. 사과가 있긴 했지만, 과일을 깎아 놓는 건 도움이 안 될 것 같았다. 하는 수 없이 전부 다시 원래대로 돌려놓았다.

식기 건조대에 아침에 쓴 접시와 컵이 보여서, 하나씩 꺼내 그릇장에 넣었다. 밥솥의 버튼을 훑어보니 대충 작동시킬 수 있을 것 같았지만, 맨밥이 무슨 소용이 있을까. 결국 포기하고 스툴에 무릎을 올려 걸터앉았다.

고등학교 때부터 혼자 살았는데, 전부 헛되게 흘려보낸 시간 같았다. 간단한 숙취 해소용 국이라도 배웠어야 했다. 콩나물을 쓰면 어떻게 될 것 같기도 했지만, 그는 맛이 없어도 정성만으로 말없이 먹어 줄 사람이 아니었다. 아침부터 식탁 너머로 건너오는 신랄한 말을 듣고 싶지는 않았다.

앉아 있다가 몸을 일으켰다. 그의 셔츠 밑으로 바지만 다시 걸쳐 입고, 겉옷과 지갑을 챙겼다. 맨발을 구두에 대충 밀어 넣었다.

밖은 어느새 부슬부슬 비가 내리고 있었다. 택시를 타고 오면서 얼핏 봤던 24시간 식당의 상호는 한참을 헤매도 없었다. 한참을 걸어 나오니 벚나무가 줄줄이 늘어선 큰길가였지만, 들여다본 상점들은 깜깜하게 문을 닫고 있었다. 핸드폰 가게의 유리 너머로 형광색 벽시계가 깜박이고 있었다. 처마에 매달린 빗방울이 머리 위로 툭 툭 떨어졌다.

결국 불을 밝힌 편의점에 들렀다. 인스턴트 북엇국, 담배 두 갑과 숙취해소제를 골라 카운터에 올려놓았다.

"그것보다 이게 나아요."

알바생이 말했다. 내가 물건을 골라오는 동안은 졸고 있더니, 눈이 벌겋게 충혈되어 있었다.

"그럼 그걸로 주세요. ……아, 저 이것도."

카운터 옆 진열장에 지난번에 그가 사 주었던 아이스크림이 있었다. 분홍색을 골라 집어 들고 진열장 문을 닫았다. 비닐봉지와 영수증이 카운터를 넘어왔다. 딸랑, 하고 편의점 문이 울렸다.

돌아가는 길에 아이스크림을 입에 물었다. 굵어지는 빗줄기로 인도 가득 꽃잎이 길처럼 흩어져 있었다. 이번에는 아파트 입구에서 헤매지도 않았다. 핸드폰을 가지고 나오지 않아서 잠깐 당황했지만, 기억을 더듬어 꾹꾹 누른 열 자리 숫자가 맞는 모양이었다.

식탁에 담뱃갑과 숙취해소제를 나란히 장난감 병정처럼 세워 놓았다. 위층 욕실로 올라가 씻고, 머리를 말리고, 침대 위로 올라갔다. 기억하는 것보다도 침대가 넓었다. 한참을 뒤척이다 결국 품 안으로 당겨 온 그의 베개에는 낯익은 체향이 스며 있었다.

눈이 떠졌다. 꿈인가 싶었더니 아니었다. 숨을 멈추고 귀를 기울이자, 아래층에서 희미하게 부스럭거리는 인기척이 들렸다. 열어 둔 문틈으로 희미한 빛이 새어들었다.

허리까지 말려 올라간 셔츠 자락을 더듬더듬 내리면서, 이불을 어깨에 두르고 일어났다. 열린 문까지 걸음을 옮기다가 이불자락에 걸려 넘어질 뻔했다.

차가운 문턱에 발끝을 걸치고 조심스럽게 내다보니, 그가 있었다. 훤칠한 키의 남자가 조도를 낮춰 켜 둔 식탁 조명 아래 멈춰 서 있었다. 검은 외투 자락에서 뻗어 나온 손이 툭, 담뱃갑 하나를 넘어 뜨렸다. 데구르르, 숙취해소제 병이 굴러갔다. 그는 모서리를 넘어 떨어지기 전에 병을 감아쥐고, 담뱃갑 위로 툭 올려 두었다. 나는 문을 잡고 가만히 입을 다물었다.

그는 팔을 대충 뻗어 휘적이다가 불을 껐다. 느린 걸음으로 계단을 하나하나 밟아 올라오기 시작했다. 술 향, 과일 향. 그의 옷자락에 묻어 들어온 것 같은 찬바람이 내 어깨를 흔들었다. 거리가 가까워질수록 가슴이 뛰었다. 입을 열었는데 말이 나오지 않았다. 거실로 새어 드는 희끄무레한 빛이 일렁이고 있었다.

"……."

계단을 다 올라오고 나서야 그가 나를 발견했다. 무표정하게 굳어 있던 얼굴이 멈칫했다. 눈살이 천천히 찌푸려지고, 굳게 다물렸던 입술이 살짝 벌어졌다. 눈을 내게 고정하고, 그가 가만히 숨을 내쉬었다.

"거기서 뭐 하는 겁니까."

거리가 성큼 좁혀지자 술 냄새가 더 강하게 났다. 와인 같은 달큼한 향이 훅 밀려들자, 두려움과 맞닿은 기대가 손끝을 저리게 했다. 나는 문을 밀어 열면서 주춤 뒤로 물러났다.

"나 때문에 깼습니까?"

"아니요, 그냥⋯⋯."

툭, 검은 그림자가 내 쪽으로 덮치듯이 기울어졌다. 비명을 지를 새도 없었다. 그가 나를 이불 째로 단단히 끌어안았다.

"팀장님."

"이상하지 않습니까."

간신히 뒷걸음질 치자 무거운 몸이 질질 딸려왔다. 내 머리 위로 턱을 무겁게 기댄 그가 중얼거리듯 말했다. 분명히 방금까지도, 기분이 거지 같았는데, 라고.

"팀장님, 저 좀⋯⋯."

발끝에 끌리는 이불자락을 그가 벗겨 내려는 듯이 확 들어 올렸다. 까치발로 겨우 버티고 있던 나는 결국 균형을 잃고 뒤로 넘어졌다. 가까스로 허공에서 몸을 틀어, 침대 위로 등이 풀썩 부딪혔다. 뒤이어 쓰러진 커다랗고 무거운 게 몸을 찍어 눌렀다.

"⋯⋯팀장님."

"⋯⋯."

"팀장님……. 조금만, 저 무거워서……."

무거운 머리가 어깨에 닿아 있었다. 바짝 긴장한 목덜미에 따뜻한 숨이 와 닿았다. 와인 향이 섞인 짙은 체향이 스몄다.

몇 번 숨을 가다듬고 흐트러진 정신을 다잡았다. 엉킨 이불을 걷어내며 그의 밑에서 꾸물꾸물 빠져나가려 했다. 온몸을 덮어 누른 그의 몸은 쇳덩이처럼 무거웠다. 다리 한쪽이 단단한 허벅지에 깔려 있어서 꼼짝할 수가 없었다.

소리 없이 애쓰다가 결국 지쳐서 늘어졌다. 그의 어깨 너머로 올려다본 천장에 푸르게 일렁이는 새벽빛이 어려 있었다.

"……이서단 씨."

그때, 잠든 것 같았던 그가 귓가에 대고 느리게 말했다.

"팀장님, 옷만—"

"이서단 씨가 왜, 여기 있습니까."

어깨를 천천히 더듬어 내린 손가락이 멍을 남길 것처럼 억세게 내 손목을 쥐었다. 맞닿은 가슴으로 전해져 오는 거친 고동은 내 것이 아니었다. 눈을 감고 소리 없이 숨을 내쉬었다. 손목의 아픔이 욱신욱신 잦아들 때쯤 가라앉은 목소리로 답했다.

"팀장님이…… 있으라고 하셨잖아요."

"……그러게."

어둠 속에서 그의 눈이 보였다. 술과 잠에 취해 있는 눈에는 평소의 여유가 없었다. 나를 조각조각 분해할 것처럼 뚫어져라 내려다보면서, 그가 느리게 끝맺었다.

"그러게, 내가 그랬지."

단단한 팔이 내 허리를 끌어안았다. 나를 무겁게 감싸 안은 몸에서 조금씩 힘이 빠져나갔다. 따뜻한 숨이 목덜미에 습하게 와 닿았다. 옴짝달싹할 수 없었다.

나는 눈을 감고 기다렸다. 그가 움직이지 않자, 머뭇머뭇 팔을 뻗어 그의 등을 안았다. 적응하고 나니 몸을 짓누르는 무게가 불편하지 않았다. 눈꺼풀이 자연스레 무거워졌다. 그러고 보니 그의 집에 발이 묶이고 난 후에 잠을 잘 시간이 별로 없기도 했지만, 잊고 챙겨 오지 못한 수면제가 아쉬웠던 적은 한 번도 없었다.

사건이 터진 건 프로젝트 발표회를 이틀 남겨 놓은 수요일이었다. 오전 회의 시작 시간이 되었는데 김 상무의 갑작스러운 호출로 위층에 다녀오겠다던 한 팀장이 돌아오지 않았다.

권 대리와 윤 대리는 자리로 돌아가 일을 시작했고, 나머지는 테이블에 엎어지거나 의자 등받이에 기대어 자기 시작했다. 폴더의 차가운 표면에 뺨을 대고 나도 불편한 자세로 졸았다. 20분이 지날 때쯤 박 대리의 핸드폰이 진동했다. 내 옆에서 부스스 깨어난 김 주임이 얼굴을 구겼다. 더듬더듬 전화를 집어 올린 박 대리의 얼굴이 차츰 굳었다.

"왜?"

그가 핸드폰을 내려놓기도 전에 김 주임이 성급하게 물었지만, 박 대리는 이미 일어서고 있었다.

"왜 그러는데요?"

"잠깐 올라갔다 올게요."

"팀장님이에요?"

그 정도도 답할 정신이 없는지 박 대리는 그냥 회의실에서 나가 버렸다. 빠르게 멀어지는 발소리를 들으며 김 주임이 멀뚱한 표정을 해 보였다.

회의는 흐지부지된 것 같았다. 의자를 끌고 자리로 돌아가며 김 주임이 이거 영 감이 안 좋은데, 라며 찜찜하게 중얼거렸다.

박 대리는 20분 만에 다시 회의실에 들어섰다. 나는 빠르게 고개를 들었지만, 그의 뒤에 따라 들어오는 사람은 아무도 없었다. 회의실 문턱도 그 너머의 복도도 비어 있었다.

"어떻게 됐어요?"

"뭔 일이에요? 팀장님은?"

사방에서 날아오는 질문에도 불구하고 박 대리는 곧바로 입을 열지 않았다. 회의실 테이블 옆의 의자를 자리까지 쭉 끌어와 앉고 신중하게 말을 고르는 표정이었다. 그때 의자를 빙 돌린 권 대리가 단번에 물었다.

"김 상무죠?"

그렇다고 하면 당장이라도 달려 올라가 멱살을 잡을 것처럼 새파란 안광이었다. 박 대리는 힐끗 눈을 들었다가 대답했다.

"팀장님이 수습하시는 중이니까 일단 기다려 봐요."

"……그 양반이 드디어 미쳤네. 안 그래도 올해는 좀 조용하다 했더니, 발표 이틀 남겨 놓고 타이밍 제대로 잡아서 지랄을 떨 생각인가 본데—"

"권 대리님."

"놔 봐요, 일단 올라가 보게."

그녀의 팔을 잡은 손을 박 대리는 놓지 않았다. 바퀴 달린 의자째로 권 대리의 힘에 질질 이끌려갔다. 놔요, 라고 다시 말한 권 대리는 이를 악물고 팔을 뿌리치려 했다. 환한 회의실에서의 때 아닌 육탄전이었다.

아무리 그래도 박 대리는 키도, 체격도 있는 남자였다. 그가 한 손으로 책상을 붙들자 권 대리가 아무리 잡아당겨도 소용이 없었다. 매섭게 노려보는 얼굴을 올려다보며 박 대리가 조용히 말했다.

"도움 안 되니까 여기 있어요."

"그래서, 대리님은 도움 안 될 것 같아서 다시 내려왔어요? 김 상무 앞에선 찍 소리 못하겠어서 그런 게 아니라?"

"권 대리님."

"그 인간이 한 팀장 끌어내리겠다고 작정하고 벌이는 짓이 뻔한데, 그걸 알아서 해결하시겠지 하고 태평하게—"

"팀장님이 나가라고 하는데 그럼 나보고 어쩌라고."

박 대리도 언성이 높아져 있었다.

"그래서 권 대리는 거기 올라가서 뭐 하게, 상무님 멱살이라도 잡게?"

"최소한 뭔 트집을 잡힌 건지 알아야……."

"그러니까 상황 파악을 뭐 하러 하냐고, 어차피 해결 못 하는 건 마찬가진데. 나서서 권 대리가 입 털다가 아예 발표회 취소되기라도 하면 책임질 수는 있고?"

넋이 나간 채로 지켜보던 김 주임은 그제야 정신을 차렸는지 사이로 끼어들어 둘을 떼어 놓았다. 박 대리가 더 만만한 상대였는지 그쪽의 어깨를 붙들고 일단 의자 째로 밀어내는 식이었다. 권 대리는 잡혀 있던 팔을 문지르며 김 주임의 등에 가려진 박 대리를 여전히 노려보고 있었다.

"날 왜 잡아, 저쪽이 올라가겠다는데."

박 대리가 짜증스럽게 말했다. 다시 일어나려 하다 김 주임에게 가로막히자 휙 둘러보더니 난데없이 나를 지목했다.

"이서단 씨, 거기 앉아 있지만 말고 권 대리님 못 나가게 좀 잡아요."

"……아……."

권 대리의 날카로운 시선이 곧바로 내 쪽으로 돌아왔다. 나는 앉지도 일어나지도 못한 애매한 자세로 멈춰 섰다. 누구의 편을 들어야 할지 알 수 없었다. 나도 마음만 같아서는 한 팀장이 혼자 김 상무와 대치하고 있는 곳으로 쫓아 올라가고 싶었고, 동시에 그게 그에게 아무런 도움이 되지 않을 일이라는 사실을 알고 있었다.

내가 결정을 내리기 전에 권 대리가 먼저 꺾였다. 욕인 게 분명한 말을 중얼거리더니 뒤돌았다. 다시 부르려는 박 대리에게 위층 안 가니까 잡지 마요, 라고 끊어 말하고 회의실을 나섰다.

박 대리의 눈짓에 김 주임이 얼른 뒤를 쫓아갔다. 열린 문이 삐걱 거리고 버려진 의자가 빙글빙글 느리게 돌았다. 회의실은 짧은 새 에 초토화가 되어 있었다. 내내 본인의 자리에서 안절부절못하던 윤 대리는 그제야 박 대리 옆으로 다가왔다.

"괜찮으세요?"

"……윤 대리도 가서 바람 쐬고 오세요. 어차피 당장은 일 진행해 봤자 소용없으니까."

"네. 그럼 하던 것 마무리만 해 놓고……."

"뭐가 어떻게 꼬였는지, 어디부터 어디까지 다시 해야 할지 모르 는데 일을 계속해 봤자 무슨 소용이겠어. 안 그래요?"

말에 가시가 돋쳐 있었다. 죄송합니다, 라고 윤 대리가 굳은 목소 리로 사과하자, 그제야 화풀이라는 것을 알았는지 박 대리가 고개 를 숙이며 마른세수를 했다.

"일단 팀장님 오시거나 따로 소식 있으면 연락 줄 테니까, 가서 이 기회에 좀 쉬어요. 이서단 씨도 그렇고."

"……네."

윤 대리는 벌써 회의실 문턱까지 가 있었다. 사라지는 등을 지켜 보다가 박 대리가 아이고야, 라고 작게 말했다.

이마를 문지르는 그의 눈 밑이 거뭇거뭇했고, 턱 부분의 피부가 하얗게 올라와 있었다. 슬슬 정신적 한계에 내몰린 것은 몇 주를 제대로 쉴 시간이 없었던 다른 팀원들도 마찬가지였다.

나는 굳이 나갈 마음은 들지 않아 자리에 앉아 있었다. 나에게 연락이 안 올 줄 알면서도 진동을 최대로 높인 핸드폰을 손에 쥐고, 이따금씩 열린 문을 향해 고개를 들어 올렸다. 박 대리는 머리를 뒤로 젖히고 의자 등받이에 기대어 앉아 있었다. 자는 것처럼 아무런 움직임이 없었다.

"이서단 씨."

눈을 뜨지 않고 그가 말했다. 나는 고개를 들었다.

"팀장님이 괜찮으실 것 같아요?"

"……네?"

왜 나한테 묻는 건지 알 수 없었다. 잠시라도 상황을 보고 온 박 대리도 모르는 것을 내가 어떻게 알까. 눈 감은 얼굴을 지켜보다가 조심스럽게 말했다.

"잘 해결하고 오시지 않을까요?"

"……."

"늘 그러시니까…… 팀장님은 얼핏 봐서는 마음대로 하시는 것 같아도, 또 막상 결정적인 부분에서는 적당히 타협하시잖아요."

긍정적인 뜻으로 한 말이었다. 그런데 입 밖에 내 보자 뜻밖에도 혀에 남은 울림이 쓰고 신랄했다.

이어진 침묵 속에서 박 대리는 눈을 뜨고 나를 쳐다봤다. 표정이 이상했다. 마치 대신 상처라도 받은 것 같은 굳은 표정으로 그가 조용히 말했다.

"이서단 씨가 그렇게 말하니까……."

"……"

"왠지 굉장히 배은망덕하게 들리네요."

그 말이 무슨 뜻인지 나는 묻지 못했다. 그때 마침 권 대리와 김 주임이 회의실로 들어섰기 때문이었다. 잔이 가득 올라간 트레이를 회의 테이블에 내려놓은 김 주임이 커피 마시러 오세요, 라고 밝은 목소리로 불렀다. 박 대리는 나를 다시 쳐다보지 않고 먼저 몸을 일으켰다.

⚜

점심시간이 되었는데도 한 팀장은 돌아오지 않았다. 박 대리는 중간에 한 번 연락을 받아 짧게 통화했다. 수화기 너머의 말이 들리지 않아도 상황이 좋지 않게 돌아가는 것은 뻔하게 알 수 있었다.

굶으면서 대기할 것까지는 없다는 박 대리의 판단 하에, 엎어져 졸고 있던 팀원들은 하나둘씩 느릿느릿 구내식당으로 내려가거나 매점으로 향했다. 일어나 따라가려던 내 팔을 박 대리가 붙잡았다. 별다른 표정 없이 물었다.

"나랑 점심 같이 먹을까요?"

"……네."

팀원들과 합류하자는 이야기를 하는 건 아닌 것 같았다. 예상대로 박 대리는 겉옷과 지갑을 챙기고 나를 데리고 회사 밖으로 나섰다.

대로변에는 여전히 나무마다 벚꽃이 흐드러지게 피어 있었다. 길을 건너려고 기다리는 동안 떨어진 얇은 꽃잎이 팔랑팔랑 얼굴에 달라붙었다. 나는 갑자기 박 대리가 했던 말이 기억났다.

"꽃구경 어디로 가실 거예요?"

"꽃구경?"

"아내분이랑 주말에 가신다고 하셨던 것 같아서."

"아…… 그랬나요?"

보행자 신호가 들어왔다. 걷기 시작하며 박 대리는 불현듯 미간을 구겼다.

"모르겠어요, 가게 될지는. 이번 주말에는 솔직히 아무 데도 안 가고 좀 집에서 쉬고 싶은데, 와이프 말로는 다음 주는 또 벚꽃이 벌써 진다고 하니까…… 안 그래도 그 일 때문에 어제……."

나는 묻지 말았어야 한다는 생각을 하면서 입을 다물었다. 박 대리는 길 건너의 좁은 골목으로 들어가 대충 식당 간판을 훑더니 말했다.

"간단하게 먹어야 할 것 같은데, 돈가스 이런 거 괜찮아요?"

"네, 괜찮습니다."

"나도 와 본 적은 없는데, 언제 팀장님 연락 올지 몰라서 멀리는 못 가니까."

부착되었던 전단지의 귀퉁이가 군데군데 남아 있는 유리문을 밀어 열고 박 대리는 나를 위해 문을 잡아 주었다. 가파른 나무 계단이 아래로 쭉 펼쳐졌다. 지하로 점점 내려가며 박 대리가 중얼거렸다.

"어째 좀 음산한데, 여기."

조명이 없어서 어두컴컴하긴 했다. 계단이 삐걱삐걱 크게 울렸다. 마침내 나타난 문을 열자 조명이 누렇고 침침한 넓은 공간이 눈에 들어왔다. 희미하게 찌든 기름 냄새가 풍겼고, 손님은 없었다.

문에 달린 종소리에 부엌에서 앞치마 차림을 한 남자가 고개를 내밀었다. 식사하시게요? 라고 물었다.

"네, 두 명이요."

"현관 옆에 메뉴판 집어 가시고 아무 데나 편한 자리에 앉으세요."

플라스틱 의자가 색이 바래 있었다. 박 대리는 나를 식당 구석의 안쪽 자리로 들여보내고 끈적거리는 코팅종이로 된 메뉴를 미심쩍은 눈으로 훑더니 돈가스를 두 개 시켰다. 튀긴 음식을 별로 좋아하는 편은 아니었지만 나는 잠자코 있었다.

음식이 나오는 동안 박 대리는 내내 바지런했다. 나를 보지 않고 오래된 영화 포스터 같은 게 붙은 벽을 둘러보거나, 물컵과 주전자를 가져와 따라 주거나, 소스 자국 같은 게 말라붙어 있는 테이블을 냅킨으로 박박 문지르거나 했다. 그가 무슨 말을 하고 싶은지 짐작이 가지 않아서 나는 포크와 나이프를 꺼내 세팅하며 가만히 침묵을 지켰다.

커다란 플라스틱 접시에 밥그릇 모양으로 엎어진 밥과 소스를 뿌린 돈가스가 나왔다. 주황색 소스가 쳐진 양배추도 있었다. 박 대리는 핸드폰을 다시 한번 확인하고 옆으로 치워 두었다.

"먹어요."

"네, 잘 먹겠습니다."

박 대리가 돈가스를 썰어 입에 넣을 때까지 기다렸다가 나는 포크로 밥 언덕의 귀퉁이를 잘라 먹었다. 한국 쌀이 아닌 것처럼 부슬부슬하고 길쭉길쭉한 밥알이었다. 어두침침하고 탁한 조명 아래서는 쌀이 노란색으로 보였다.

박 대리는 돈가스를 몇 입 천천히 씹어 먹었다. 나이프 끝으로 채썰린 양배추를 휘휘 섞으며 말했다.

"이서단 씨가 예전부터 TF를 하고 싶어했다고 팀장님이 그러시던데."

"아…… 네, 입사할 때부터……."

"올해 하게 돼서 다행이네요. 당장 내년부터도 TF가 없어질 것 같은 분위기인데. 제대로 경력 쌓고 준비됐을 때까지 기다렸다가는 아예 못 할 수도 있었겠네."

액면 그대로의 의미인 모양이었다. 고개를 숙이며 나는 조용하게 대답했다.

"네, 저도 다행이라고 생각합니다."

박 대리는 또 한참 아무 말 없이 밥을 먹었다. 나는 돈가스를 작게 잘라서 입에 밀어 넣어 봤다. 기름에 절어 있는 맛이 났다.

"그래서 어땠어요?"

박 대리가 물었다. 눈을 드니 그가 고개를 비스듬히 기울인 채 나를 보고 있었다.

"……네?"

"기대한 만큼 대단하진 않았죠? 이유야 다르지만 대부분 실망하던데. 일이 너무 많아서, 일이 너무 사소해서, 본인 의견이 생각보다 받아들여지지 않아서, 한 팀장이 마음에 안 들어서……."

물컵을 들어 올린 박 대리가 물을 술처럼 한 번에 털어 넣었다. 나는 한 팀장의 연락을 기다리는 상황이 아니라면 박 대리가 소주라도 한 병 시켰을 것 같은 느낌을 강하게 받았다. 제스처도 크고 반쯤 흐려진 발음으로 말을 내뱉는 것이 벌써 취한 사람처럼 보이기도 했다.

"권 대리는 뭘 아직 너무 몰라서……. 잘 몰라서 그러는 것 같은데, 아마 그 성깔머리 못 고치면 회사 오래 못 다닐걸."

"……."

"회사 다니다 보면 동의하지 않아도 상황에 따라서 네, 그렇습니다, 하고 병신처럼 웃고 그래야 되는 거죠. 그렇잖아요? 김 상무 그 양반이 작년에 회의마다 와서 김 주임을 지 비서 취급해도 우리 다 아무 말 못 했던 것처럼. ……이서단 씨는 내가 이렇게 말하니까 되게 한심하게 보이죠?"

"네?"

식당이 텅 비어 있어 다행이었다. 피식 웃는 박 대리의 머리 윗부분이 까치집처럼 헝클어져 있었다. 핸드폰을 힐끗 확인한 그가 물잔을 다시 쪼로록 채웠다. 내 물잔을 향해 주전자 주둥이를 뻗어서 나는 얼떨결에 술을 받듯이 두 손으로 컵을 내밀었다.

"이서단 씨가 한 삼 년만 일찍 입사하면 좋았을 텐데. 아니, 그래도 소용은 없나? 경력이 안 돼서?"

입사하기 3년 전이면 나는 이제 막 제대한 대학교 2학년이었다. 앞뒤가 안 맞는 얘기를 아무래도 술주정 듣듯이 인내심을 가지고 들어야 할 것 같아 나는 자리를 고쳐 앉았다. 박 대리는 손 위로 이마를 기대고 말했다.

"TF가, 원래 안 이랬거든요. 이렇게 세세한 부분 위주가 아니라……. 원래는, 삼 년 전에는, 회사에서 시스템적으로 잘못 돌아가는 거, 오래되고 비효율적인 거, 그런 걸 바로잡자고 만들어졌어요. 그래서 당시에 외부 영입 인사였던 한 팀장이랑, 여러 부서에서 젊은 팀원들 모아서 허심탄회하게 얘기해 보라고 하자, 뿌리 깊은 구조적인 문제점부터 파악하자……."

"네, 알고 있습니다."

"그래서 이서단 씨가 보기에는 지금 래원에서 잘못 돌아가는 부분이 남아 있는 것 같아요, 없는 것 같아요?"

내가 대답을 바로 못 하자 박 대리가 웃었다. 쇠로 된 물컵 가장자리를 뭉툭한 손톱으로 툭툭 튕기며 나를 빤히 쳐다봤다.

"직접 봤어야 했어요, 이서단 씨가. 못 본 사람은 얘기해 줘도 잘 모를 텐데. 삼 년 전의 한 팀장은…… 지금보다 덜 다듬어지고 좀 극단적인 부분이 있긴 했는데, 확신이라고 해야 하나, 그런 게 사람한테서 미친 듯이 뿜어져 나와서 누구든지 압도당하는 거죠. 내가 한 팀장보다 한 살밖에 안 어린데…… 처음 만나 보고 그날 밤에 잠이 안 왔어요. 저 사람이 저렇게까지 되는 동안 나는 뭐 했나……. 나 말고 다른 팀원들도 비슷했고. 그중에 팀장님보다 나이 많은 사람들이 대부분이었는데도……. 이렇게 말해도 상상이 잘 안 가죠?"

나는 작게 고개를 저었다. 박 대리는 뺨을 한 손에 받치고 숨을 길게 뱉었다. 내 뒤의 벽을 향해 있는 시선에는 초점이 없었다.

"막상 파기 시작하니까 잘못된 점이 끝도 없이 나왔어요. 이제까지 어떻게 회사가 돌아갔나 싶을 정도로. 교육 프로그램 문제부터 사내 소프트웨어는 뭔 십 년 된 걸 코딩 덕지덕지 붙여 가면서……. 게다가 인사 쪽도 얼마나 허술한지……. 직무급 제도 합병하면서 도입했는데 호칭 정리도 안 된 부서가 태반이고, 결국 보면 라인 타고 승진하는 사람은 정해져 있고, 여사원들은 늘 불이익 받고……. 거래처 접대나 회식 문화도……. 그간 흐지부지 대충 덮어 버린 것들, 말도 안 되게 불합리한 일들, 그런 게 무슨 고구마 줄기처럼 줄줄이 딸려 나오는 거예요. 보다 보면 이걸 다 어떡하나 패닉이 올 정도로."

"……."

"그때 한 팀장은 진짜 초인 같았어요. 일주일에 며칠을 밤샘해서 일하면서도 어디서 그 에너지가 나오는지, 옆에 있으면 홀린 것처럼 믿게 됐어요. 썩은 고름 짜내듯이 진짜 우리가 회사를 더 낫게 만들 수 있겠구나, 이런 식으로 고치면 앞으로 훨씬 잘 돌아가겠구나, 이제 잘못된 거 알면서도 입 다물고 귀 닫고 다닐 필요 없겠구나. 생전 없던 애사심도 생기고……. 거짓말이 아니라 진짜 될 것 같았어요. 다 같이 밤낮없이 매달려서 일하면서도 정말 하나도 안 힘들었고, 보람 있었고……."

식당 안의 공기가 무겁고 매캐했다. 기름 맛이 남아 있는 입안이 쓰고 떫었다.

박 대리는 거기까지라는 듯이 갑자기 말을 멈췄다. 나를 보지 않고 접시 가장자리를 잡아 느리게 만지작거렸다. 눅눅해진 튀김 조각 하나가 테이블 위로 떨어졌다. 박 대리는 목을 느리게 뒤로 젖혔다.

"지금 생각하면 다들 순진했죠. 아무리 NEB쪽 빽이 받쳐 주고 있다고 해도 역사만 삼십 년인 한국 기업을 뜯어고치겠다고……. 손대야 할 건 거의 다 위쪽 임원들이 만들었거나 얽혀 있는 시스템적 문제인데, 그렇다 보니 그때부터 한 팀장을 눈엣가시로 여기는 사람이 너무 많았고……. 거기다가 NEB 출신 임원들이 래원 쪽이랑 영향력 싸움하면서 TF는 거기 휘둘리고……. 무슨 드라마도 아니고, 팀원들 한 명씩 음산한 방에 불려가서 임원이랑 독대했어요. 거기서 무슨 얘기를 들었냐면……."

박 대리는 적당한 말이 생각나지 않는지 손을 허공에 대충 휘적였다. 비교적 덤덤한 목소리였다.

"TF 포커스를 바꾸든지, 퇴사하든지, 그러라고 하더라고요. TF 자료 발표하시 발고 폐기하라고, 발견한 것들 다 함구하라고. 그리고 그렇게 순순히 하면 좋은 자리 내주겠다, 유리한 조건으로 연봉 협상할 수 있게 해 주겠다, 가라앉는 배에 타 있지 말고 탈출

해라……."

듣고 있는 말들이 현실감이 없었다. 나는 체온을 앗아가 뜨뜻해진 포크의 아랫부분을 아프도록 세게 그러쥐었다.

물을 한 모금 마신 박 대리가 마른기침을 했다.

"중간 발표 때 김 상무랑 같이 들어왔던 사람 기억해요? 오른쪽에 앉아 있던 사람."

나는 기억을 떠올리려 애썼다.

"그…… 상무님이랑 이사님 말고 다른 한 분이요?"

내내 아무 말이 없던 남자의 얼굴도 제대로 기억이 나지 않았다. 셋 중에 가장 젊었고, 적당히 선량한 인상이었던 것 같았다.

"그 사람이 컨설팅 1팀 팀장이에요."

박 대리가 말했다. 부서를 방문했을 때 1팀을 지나쳤던 나는 일단 고개를 끄덕였다.

"그 사람도 그때 TF 팀원이었어요. 컨설팅팀에서 한 팀장 직속 부하였고."

눈을 들었더니, 박 대리의 표정이 웃는 것처럼 미묘하게 일그러져 있었다. 테이블 위의 주먹 쥔 손에 마디마다 하얗게 힘이 들어가 있었다.

"팀원이 나랑 한 팀장을 빼고 여덟 명이었는데, 그중에 TF를 덮느니 퇴사하겠다고 말한 사람이 한 명도 없었던 거죠. 다들 회사가 아무리 잘못 돌아가든, 위에서 누가 어떤 비리를 저지르고 그걸로 인해 누가 고통받든, 그걸 다 조사하면서 직접 똑똑히 봤으면서도 핀

치에 몰리니 자기 밥벌이가 먼저였던 거고. 그런 별 볼일 없는 사람들을 데리고 한 팀장은 회사 한번 고쳐 보겠다고⋯⋯."

박 대리가 핏발이 선 눈을 빠르게 깜박였다. 목소리에 억누른 숨이 섞이는 것도 같았다. 나는 갑자기 어떻게 해야 할 줄을 모르고 고개를 떨어뜨렸다. 귀를 닫고 불안정한 숨소리를 듣지 않으려고 애썼다.

"그리고 웃기는 건⋯⋯ 웃기는 건, 나도 나머지랑 똑같이 했을 거예요. 그 자리에서 바로 대답을 못 했는데, 며칠 사이 일이 일단락돼서⋯⋯. 우유부단해서 지금 팀장님 옆에 남게 된 거죠. 그걸 팀장님이 모를 것 같지도 않아요. 아는데, 지금까지 모르는 척해 주는 거겠지⋯⋯."

"⋯⋯."

"나는 진짜⋯⋯ 내가 진짜 너무 죄송하고, 지금까지 후회되는 건⋯⋯ 결국 다 같이 밤새워서 일하면서도, 한 팀장과 같은 걸 보고 있는 사람은 없었다는 거, 그걸 깨달았을 때 팀장님 마음이 어땠을지⋯⋯. 그러면서도, 실망했다는 말 한마디 없이 우릴 그냥 묵묵히 보내 주셨는데, 그때 얼굴이 나는⋯⋯ 지금까지⋯⋯."

나는 눈을 깜박이지 않으려 애쓰며 나무 테이블 위의 얼룩을 뚫어져라 쳐다봤다. 자격 없는 연민으로 가슴이 시렸다.

긴 침묵이었다. 지하에 있는 식당은 어두웠고, 조용했다. 테이블 건너편에서 박 대리의 불안정했던 숨소리는 서서히 규칙적으로 가라앉았다.

"……내가 너무 떠들어서, 이서단 씨 밥도 못 먹고 있었나 봐요."

"……아니요, 말씀해 주셔서 감사합니다."

고개를 들 수가 없었다. 이야기를 마무리 지어야 할 것 같았는지 박 대리가 자세를 고쳐 앉으며 목을 가다듬었다.

"지금 모습만 보고 팀장님을 판단하는 건 좀 섣부르다, 그렇게 얘기는 해 줘야 할 것 같아서…… 그냥 그런 의미에서 한 말이에요."

"……네, 제가 아까 했던 말은……."

"다른 사람은 모르겠는데, 이서단 씨 의견에는 한 팀장이 신경을 쓸 것도 같아서."

눈을 들었다. 박 대리가 몇 번 망설이다가 천천히 말을 골랐다.

"내가, 한 팀장이 본인 규칙 깨면서까지 이서단 씨 데려와서 보호해 주는 게 너무 어울리지 않는 짓이라, 내내 궁금했는데…… 일하면서 이서단 씨를 좀 보다 보니까, 점점 한 팀장이 본인 젊었을 때 모습이랑 겹쳐 본 게 아닌가 하는 생각이 들더라고요."

내 표정을 보더니 박 대리는 손사래를 쳤다.

"순전히 추측이니까 너무 진지하게 받아들이진 말고. 이유야 어쨌든 한 팀장이 이서단 씨 신경 많이 써 주는 것만 알아 둬요. 나한테 이서단 씨 잘 적응하는지 그동안 여러 번 물어보기도 했고……. 자료실에 있는 책들, 이서단 씨가 초반에 공부할 때 썼던 것들 있잖아요. 그거 다 한 팀장 개인 서재에서 나온 거 알아요?"

"……아."

그때 박 대리의 핸드폰이 문자로 진동했다. 집어 든 그가 화면을 확인하더니 곧바로 의자를 뒤로 밀어냈다.

"다 먹었어요?"

"……네, 잘 먹었습니다."

"일어나죠, 그럼."

거의 건드리지 않은 돈가스 접시를 두 개 남겨 두고 값을 치르고 나왔다. 어둡고 가파른 계단을 올라 유리문을 통해 본 초봄의 거리는 여전히 비현실적으로 화사했다. 길 건너의 칙칙한 고층 건물들이 오히려 오려 붙인 것처럼 보일 정도였다.

교차로에 서서 신호를 기다리다가 나는 나도 모르게 입을 열어 물었다. 아까의 메아리 같은 질문이었다.

"팀장님은 괜찮으실까요?"

박 대리의 시선이 힐끗 내게로 돌아왔다. 내가 원하는 대답을 아는 것처럼 눈썹을 찡그린 채 웃었다.

"올해는 솔직히 잘 모르겠네요. 나도 지금 속이 엉망진창인데, 한 팀장은 오죽하겠나 싶어서."

모처럼의 맑은 날씨였다. 지나치는 차의 유리창에 빛이 산란하는 것처럼 반사되었다. 어쨌든, 이라고 박 대리가 말했다.

"발표회가 어떻게 되든, 그동안 수고 많았어요. 팀장님이 연말에 얘기 꺼낼 때만 해도 말도 안 된다고 생각했는데…… 막상 해 보니까 열심히 하는 사람이 부려 먹기 좋긴 좋더라고요."

"……네?"

부려 먹었다는 게, 라고 농담을 해명하려는 박 대리의 말을 끊고 되물었다.

"연말에요?"

"……아. 이서단 씨 얘기 회사에서 한창 돌 때, 팀장님이랑 TF 얘기할 겸 술 마시다 얘기 나왔었거든요. 별 얘기 안 했으니까 오해하지는 말고. 내가 그때는 이서단 씨 소문이 워낙 안 좋기도 했고, 굳이 사고 친 사람을 데려올까 생각 중이라니 이해를 못 하겠어서."

"연말이면, 언제요?"

"……글쎄?"

신호가 바뀌었다. 인파에 섞여 길을 건너기 시작하면서 박 대리가 기억을 떠올리려는 듯이 눈썹을 찌푸렸다.

"한…… 28일? 정도였나. 그건 왜요?"

28일이면 내가 팀에서 한참 유령 취급을 받던 시기였다. TF 공고가 뜨기 전, 그리고 내가 지원서조차 제출하지 않았을 때의 일이었다.

꽃

나는 퇴근할 때까지도 그의 얼굴을 볼 수 없었다. 박 대리와 권 대리가 불려 올라가고 나서 몇 시간이 지난 후에 김 주임은 회의실에서 대기 중인 나머지 인원을 그냥 집에 보내도 좋다는 연락을 받았다. 김 주임과 윤 대리가 집에 간 후에도 나는 텅 빈 회의실에 한참을 혼자 남아 있었다.

리바이를 열어 봤다. 배경의 빽빽하고 촘촘한 거미줄이 지난 세 달간 완성시킨 프로젝트의 윤곽을 그려 내고 있었다. 전체 채팅창에 남은 기록도 스크롤을 올려서 읽어 보고, 주고받은 메시지가 쌓인 목록도 의미 없이 훑어봤다. 내 사진 옆의 초록색 불 말고는 나머지 팀원들은 전부 오프라인 상태였다.

할 일이 없어진 나는 의자를 끌어다 놓고 창밖 교차로를 건너다니는 작은 사람들을 구경했다. 차들이 지나다니는 사이, 어디서 나타난 건지 모를 사람들이 네 개의 귀퉁이에 모여 들었다가 신호가 바뀌자 한데 뭉쳐 길을 건넜다. 교차로 중앙에 커다랗게 엉켰다가, 다시 가장자리부터 점성을 잃고 흩어지는 모양을 몇 번이나 지켜봤다.

해가 지자 분홍색이었던 벚꽃잎이 하얗게 보였다. 시간이 늦어질수록 문 틈새로 들려오는 소음도 조용해졌다. 길 맞은편 회사 건물의 창이 하나씩 까맣게 꺼지기 시작했다.

밤 12시에 나는 커튼을 꼼꼼하게 치고 문단속을 마치고 나왔다. 회사 앞에서 택시를 잡았다.

문자를 보지 않아도 비밀번호가 기억났다. 불 꺼진 집으로 혼자 들어서서 습관처럼 옷을 벗고 그의 셔츠로 갈아입었다. 불을 켜지 않고 소파 아래의 러그에 무릎을 올려 앉았다. 소파의 앉는 부분에 미티를 기댄 채로 눈을 감았다. 그 상태로 전화가 울릴 때까지 나는 움직이지 않았다.

-어디 있어요, 지금.

그는 내가 말을 할 기회도 주지 않고 물었다.

-이서단 씨 집입니까?

"……팀장님은 어디세요?"

나는 뻣뻣해진 몸을 일으켰다. 수화기 너머로 바람 소리가 들렸다. 그의 목소리는 비틀린 것처럼 이상했다. 발음도 억양도 멀쩡한데 그의 것이 아닌 것처럼 낯설었다.

"아직 회사에 계세요? ……못 들어오시면, 제가 갈까요?"

-어디냐고 내가 먼저 물었습니다.

나는 한 손으로 바지를 걸쳐 입는 일에 집중하며 대답했다.

"팀장님 집이요."

-……."

수화기 너머가 끊어진 것처럼 조용했다. 버클을 대충 채우고, 셔츠를 갈아입는 걸 포기하고 코트를 집어 들었다. 가방 속을 더듬거려 지갑만 꺼냈다. 그때 그가 말했다.

-집에 가세요.

"……네?"

-이서단 씨 집에 가세요. 전화 끊고 나서 바로. 오늘은 이서단 씨를 안 보는 편이 나을 것 같습니다.

억양이 없는 목소리였다. 나는 그 깔끔한 말끝에서 무엇이라도 읽어내 보려고 허우적거렸다. 이해가 가지 않아 간신히 물었다.

"들어오실 거예요? 들어오실 거면…… 시간 안 뺏고, 얼굴만 잠깐 뵙고 싶은데……."

–…….

"아니면, 회사에 계실 거면, 제가 회사로 가서……."

괜찮으신지만 보고 싶어요. 그렇게 말하는 목소리 끝에 나도 모르게 하루 종일 눌러 놓은 설움이 엉켰다.

"팀장님 얼굴만 보고…… 그러고 나서 집에 갈게요."

–이서단 씨가 거기 있는 이상 내가 집에 못 들어갑니다.

왜요? 라고 나는 아이처럼 되물었다. 짧은 침묵이 흐르고, 한숨인지 바람인지 모를 것이 수화기 너머로 건너왔다. 술에 취한 것도 같고, 아닌 것도 같은 잠긴 목소리로 그가 말했다.

–고집부리지 말고 집에 가세요. 가고 싶다고 그렇게 노래를 부르더니.

"……."

–알아들었습니까?

대답하지 않았더니 그가 다시 한번 물었다.

–내 말, 무슨 소린지 알았습니까?

"……네."

–내일 봅시다.

연결된 것을 잘라내듯 매정하게 전화가 끊어졌다. 나는 핸드폰을 천천히 내리고 지갑을 다시 가방 안으로 밀어 넣었다. 그의 셔츠를 벗고 내 것으로 다시 갈아입었다. 코트를 입고, 가방을 어깨에 걸치고, 구두를 신었다. 현관의 센서등이 노랗게 들어왔다. 신발장에 달린 작은 거울에 내 얼굴이 노랗고 파리하게 비쳤다.

나는 구두에서 발을 빼냈다. 가방을 내려놓고 다시 옷을 벗었다. 그의 셔츠로 갈아입고, 코트와 가방을 옷방에 갖다 정리해 넣었다. 관장약을 꺼내 욕실로 들어갔다.

나와서는 옷방에서 그의 셔츠를 하나 꺼내 입고, 식탁 조명 하나만 켜고 의자를 빼내 앉았다. 그가 열고 들어올 현관문을 바라볼 수 있는 방향이었다.

오래 기다릴 필요는 없었다. 삑, 삑, 비밀번호를 누르는 소리에 내 발이 저절로 현관으로 달려갔다. 그가 문의 잠금쇠를 풀기도 전에 내가 먼저 손잡이를 젖혀 열었다.

문턱 너머로 새까만 그림자처럼 그가 서 있었다. 눈이 마주치자 그는 탄식과도 같은 한숨을 길게 쉬었다.

"남의 말은 어디로 흘려 먹고."

담배, 향수, 술. 독한 술 냄새가 났다.

"집에 가라고 하면."

"……."

"어련히 이유가 있겠거니 하고 말을 들어야지."

문이 닫혔다. 내 손목을 꽉 잡아 끌어오는 그의 손가락이 미세하게 떨리고 있었다. 나는 머릿속이 깜깜해진 것처럼 갑자기 아무 말도 생각나지 않았다.

나를 현관 옆 신발장에 밀어붙여 놓고 그가 길게 숨을 내뱉었다. 목의 핏줄이 선명하게 도드라졌다. 참아 낼 수 없는 것이 켜켜이 쌓이듯이 그의 몸이 점점 경직되고, 발작처럼 갑작스럽게 꺾였다.

쾅, 귀 바로 옆에서 굉음이 났다. 신발장의 나무 표면이 부서질 듯이 흔들거렸다. 덜덜 떨리는 주먹을 거두는 그의 눈꺼풀이 가늘게 떨리고 있었다.

"집에 가요, 제발."

"……팀장님—"

"나도 지금 나를 어떻게 할 수가 없으니까, 우리 둘 다 후회할 일이 생기기 전에…… 이서단 씨가 나를 두고 가세요."

피가 느리게 흘러내리는 하얀 손마디가 보였다. 코가 닿을 거리에서 핏발 서고 충혈된 눈이 내 시선을 붙들었다. 그가 내뱉은 뜨겁고 불안정한 숨이 입술에 스쳤다.

나는 무서움에 목 끝까지 왈칵 차오르는 울음을 내리눌렀다. 덜덜 떨리는 손가락으로 내 셔츠의 첫 번째 단추를 풀어 내렸다. 하얗게 굳은 손끝이 헛손질을 반복하는 것을 보다가 그가 눈을 감았다. 꽉 다물린 입술이 씨발, 하고 분명한 발음으로 뇌까렸다.

나는 옷을 벗으며 떨리는 턱을 들어 그의 입술에 내 입술을 부딪쳤다. 까끌하게 일어난 표면을 혀끝으로 어설프게 핥고, 얼얼한 술 향이 풍기는 아랫입술을 내 입술 사이로 머금었다가 떼어 냈다.

"집에…… 안 갈 거니까……."

"……."

"팀장님 마음대로 후회하세요. 저는 안 할 거니까……."

이제 떨리는 것이 내 몸인지 그의 몸인지도 알 수 없었다. 어깨가 붙잡히며 몸이 그의 가슴과 신발장 사이로 짓눌렸다. 내 입안을 파고든 혀가 격렬하게 얽혀 들었다. 동시에 그가 남아 있던 몇 개의 단추를 억센 손으로 한 번에 찢어 냈다. 입술을 미끄러뜨리듯 내려, 드러난 맨 어깨를 살점을 뜯어 낼 듯 깨물었다.

격렬한 아픔에 머릿속이 순간적으로 깜깜해졌다. 나는 헐떡이면서 그를 밀어내려고 반사적으로 올라간 팔을 스스로 붙잡아 끌어내렸다.

벌어진 상처에서 흘러내린 피를 손끝으로 문지르며 한 팀장이 낮게 갈라진 목소리로 말했다.

"아무것도 모르고 입만 살아서는."

"……흐, 읍……."

"따라 올라와요, 내가 후회하게 만들어 줄 테니까."

그가 내 손목을 붙잡아 끌어당겼다. 벗겨 낸 셔츠가 아무렇게나 벗어 낸 그의 구두와 엉켜 현관에 나뒹굴었다. 계단을 다 올라갔을 때쯤 등 뒤에서 센서등이 꺼졌다. 더 이상 탈출로가 남아 있지 않다는 듯이.

문을 닫고 그는 나를 침대 위로 밀어 눕혔다. 말 한마디 없이 넥타이를 푸는 것을 보고 나는 조용히 손목을 붙여 그에게로 내밀었다. 둘둘 둘러 감기는 매듭이 평소보다 억세고 여유 없었다.

그가 열쇠로 옷장 문을 여는 동안 나는 머리 위로 묶인 손가락을 깍지 껴 단단히 잡으며 눈을 감았다. 안전어라고 말할 만한 것이 없어서 다행이었다. 사실은 버틸 수 있을지 자신이 없었다. 미리 모든 저항을 봉쇄당하는 게 나았을 것이다.

내 허리를 잡아 엎드린 자세를 잡아 주는 그의 손이 덜덜 떨리고 있었다. 어두컴컴한 조명 탓에 제대로 보이지도 않는 그의 창백한 무표정을, 검게 물든 눈동자를 올려다보면서, 나는 지금 그가 이것을 얼마나 필요로 하는지 깨달았다. 집으로 돌아왔는데 내가 없었다면, 그는 어떤 방법으로 괜찮아져야 했을까.

그래서 내 아픔은 따져 보면 그렇게 중요한 것도 아니었다. 그가 내가 아닌 다른 것을 향한 분노를 풀어내듯 나를 때리는 동안, 몇 번이나 무너지는 자세를 스스로 다잡고 엉덩이를 치켜 올렸다. 그의 마른 눈가를 대신하듯 하염없이 울음을 토해 냈다. 서럽고 아픈 눈물이 목구멍에 고이고, 넘쳐흐르듯이 뜨겁게 뺨을 타고 흘러내렸다.

나를 매질한 후에 나를 확인하듯, 혹은 너머의 무언가를 확인하듯 그는 땀으로 젖은 내 온몸을 멍이 잡히도록 세게 그러쥐고 쓰다듬었다. 살갗을 깨물어 상처를 내고 그 위로 젖은 입술을 여러 번 눌렀다. 초조하게 떨리는 긴 손가락이 내 뺨을 쓰다듬고 단단하게 목을 그러쥐었다. 나는 그가 내 목을 조르는 동안 흐릿해진 시야로 가만히 그의 얼굴을 담아 냈다. 깜박깜박 시야가 점멸했다가 돌아왔다.

"……이서단 씨가 후회하지 않는다고 해도."

내 엉덩이를 빌리고 다물린 입구 위로 성기를 맞추며 그가 갈라진 목소리로 말했다.

"나는 후회합니다. 이서단 씨를 아무 대가 없이 지켜 주지 못했던 것도, 그러기엔 내가 충분히 좋은 사람이 아니었던 것도. 지금 와서는 너무 늦은 얘기겠지만……."

"흐윽!"

짓찢듯이 두꺼운 성기가 나를 반으로 갈라놓았다. 나는 소리 없이 헐떡이며 경련하는 몸에 애써 힘을 풀었다. 묶여 있는 팔을 들어 힘겹게 그의 목을 끌어안았다. 더 이상의 말을 멈추기 위해 입술을 붙이고 키스했다.

시간을 돌릴 수 있다면, 나도 그를 이런 식으로 만나지 않았을 것이라고 생각했다. 어떤 모습이든 더 일찍 그를 찾아냈어야 했다. 그럴 수만 있었다면, 그를 두고 돌아서는 사람들이 틀렸다고 증명해 보이듯이 끝까지 그의 편에 남았을 것이다.

그래서 그가 모든 것을 놓고 무너져 내렸던 오늘 같은 날들에 그가 돌아온 집에는 내가 있었어야 한다고, 그의 화풀이 대상이라도 되었어야 한다고 생각했다. 다른 건 해 줄 수 없다고 해도, 그러기엔 내가 부족하다고 해도. 무엇이라도 좋았다. 아무것도 아닌 것보다는, 아무것도 할 수 없는 것보다는, 수천 배 수만 배 나았다.

�⚸

눈을 뜨니 그가 곁에 없었다. 핸드폰 시계는 새벽 5시가 좀 넘어 있었다. 창으로 새어 드는 희끄무레한 어둠에 눈이 익숙해지자 천천히 몸을 일으켰다. 온몸이 두들겨 맞은 듯이 욱신거렸고, 엉덩이와 그 사이가 열이 나는 것처럼 아팠다. 구겨진 셔츠를 걷어 올리고 손을 내려 가만히 뒤를 쓸어 보니 피는 묻어나지 않았다. 멍은 제대로 들겠구나, 라고 생각했다. 앉아서 일할 때 고생 좀 할 것 같았다.

계단을 하나씩 하나씩 소리 없이 내려갔다. 거실에 서서 둘러보니, 발코니의 넓은 유리문 너머로 난간에 기대어 선 그의 뒷모습이 있었다. 담배가 들린 가지런한 손에서 희뿌연 연기가 피어올랐다.

문을 열고 맨발로 차가운 타일 위를 내디뎠다. 인기척이 들렸을 텐데 그는 돌아보지 않았다. 문을 닫고 그의 옆에 가서 나란히 난간에 기댔다. 반대편의 하늘은 아직 새까만데, 그의 얼굴이 향해 있는 쪽으로는 푸른 동이 트고 있었다.

"추운데 왜 나왔어요."

그가 나를 쳐다보지 않고 말했다. 고저 없는 목소리였다.

나는 대답 없이 고개를 저었다. 그러자 한 팀장은 신고 있던 슬리퍼를 벗어 내게 밀어 주었다. 한참 큰 신발에 발을 밀어 넣고 발가락을 움츠렸다. 발바닥이 닿는 부분이 체온으로 따뜻했다.

"몸은 괜찮습니까?"

그는 여전히 나를 보지 않고 물었다. 담배를 끼우지 않은 쪽의 손이 뻗어 와 내 엉덩이를 가볍게 쓸었다. 으, 나는 입술을 물고 소리를 삼켰다. 따뜻한 손바닥이 등 아래쪽을 문지르다가 내 허리를 감아 당겨 왔다. 옆구리가 바짝 닿았다. 따뜻했다.

"추워서 떠는 겁니까, 아니면 내가 무서운 겁니까."

"추워서요."

나는 대답했다. 아래에 걸친 게 없으니 허벅지에 닭살이 돋았다. 그는 잠자코 나를 더 가까이 겹쳐 안았다. 꽁초가 수북하게 쌓인 재떨이에 짧아진 담배를 비벼 끄고, 내 다리를 그의 몸에 기대어 서게 했다.

"……담배 가져올까요?"

그가 주머니에서 꺼내든 담뱃갑이 거의 비어 있었다. 툭툭 털어 남은 하나를 꺼낸 그가 됐습니다, 라고 짧게 답했다. 라이터를 든 손이 내 가슴을 가로질렀다. 파란 불꽃이 파리하게 피어올랐다.

가는 담배를 든 손이 멀찍이 물러졌다. 연기를 천천히 내뱉은 건조한 입술이 내 목덜미에 스치듯이 닿았다.

"슬슬 나한테 질렸습니까."

목소리가 잠겨 있었다. 까마득하게 멀리 벌써 불이 들어와 있는 높은 건물을 구경하던 나는 고개를 돌렸다. 그의 뜨거운 목덜미에 뺨이 닿았다.

"제가 왜……."

"내가 이서단 씨였으면 눈을 떴을 때 뒤도 안 돌아보고 나갔을 겁니다. 나를 찾으러 오는 게 아니라."

나는 입을 다물었다. 등을 감싸 안은 그의 가슴이 따뜻했다. 그가 말을 할 때마다 지잉지잉 기분 좋은 진동이 전해져 왔다.

"발표회는 내일 그대로 하나요?"

다른 화제를 꺼내 들었다. 그는 대답 없이 지나간 질문을 추궁하지 않고 잠시 침묵했다.

"하긴 해야지. 결과는 몰라도."

"……그러면……."

"이서단 씨가 걱정할 필요는 없습니다. 오늘까지는 회의실에서 대기하고, 내일은 발표회 열리는 대회의실로 바로 오세요. 나는……."

그가 재떨이에 툭 담뱃재를 털었다. 위에 쌓여 있던 꽁초가 테이블 위로 와르르 쏟아졌다.

"……나는, 그냥 밀고 나갈 생각입니다."

"……그래도 되는 거예요?"

"안 되지."

그가 아무렇지 않게 말했다. 머리 위로 그의 턱이 무겁게 기대어졌다.

"그래도 지금으로서는 그게 최선입니다. 오늘 오전부터는 박 대리랑 권 대리만 데리고 틀어박혀서, 철야하고 내일 곧바로 발표 들어갈 겁니다."

"……지금이라도 눈 붙이셔야 하는 것 아니에요?"

나는 조금 질린 기분이었다. 초인이라는 말이 맞았다. 그가 지난 일주일간 잔 시간을 합치면 스무 시간이 채 안 될 것이다. 그건 그 전 주도 마찬가지였다. 어느 정도의 체력이어야 버틸 수 있는 건지 나로서는 상상할 수도 없었다.

"잠이 안 와서."

그가 느리게 대답했다.

"기분이 개떡 같고 내 마음대로 되는 게 하나도 없어서. 내가 이렇게까지 엉망이었나 싶어서."

피곤한 목소리에 새빨간 가시가 빼곡했다. 나를 향한 것이 아니더라도 찔린 것처럼 가슴이 따끔거렸다.

"죄송해요."

그래서 작게 중얼거렸다. 뒷목을 쓰다듬던 그의 손이 뚝 멎었다.

"뭐가 죄송한데."

"……도움이 못 되어 드려서요."

"……이서단 씨가 생각하는 도움은 뭡니까. 날 얄미워하는 사람들을 다 쏴 죽이거나, 아예 회사를 사서 내 멋대로 주무르게 해 줄 겁니까?"

"……그렇게까진 아니어도요."

한 팀장이 내 어깨를 잡고 몸을 떼어 냈다. 마주 보게 된 얼굴은 감정을 지운 무표정이었다.

그리고 그는 무심하게 내 눈을 들여다보다가, 말했다.

"손 내밀어요."

"네?"

"재떨이가 다 찼잖아. 도움이 되고 싶으면, 손바닥 내밀어요. 비벼 끄게."

나는 그의 얼굴을 올려다봤다. 가지런한 손가락 사이로 끼워진 담배의 붉은 불씨를 쳐다봤다. 오한이 난 것처럼 서서히 몸이 떨려 왔다.

한 팀장은 점점 짧아지는 담배를 허공에 툭 털면서 고저 없이 독촉했다.

"아니면, 싫습니까? 그렇게는 또 못하겠어요?"

나는 어지러운 시선을 바닥으로 떨어뜨렸다. 망설이는 사이 억겁과도 같은 시간이 지나갔다. 발밑에 새까만 틈이 입을 벌렸다.

그리고 나는 천천히 왼손을 펴서, 볼품없이 떨리는 손바닥을 그의 앞에 내밀었다. 핏기 없이 하얀 표면을 가로지르는 가느다란 손금이 내 눈에도 선명하게 보였다.

한 팀장은 한쪽 손으로 도망갈 수 없게 내 손목을 꽉 쥐었다. 붉은 담배 끝이 내 손바닥의 중앙을 향해 수직으로 천천히 떨어져 내렸다. 나는 피 맛이 나도록 이를 악물고 눈을 들었다. 끝까지 그의 시선을 피하지 않았다.

"……씨발."

그가 거칠게 욕을 씹었다. 확, 담배를 든 손이 허공에서 방향을 틀어 테이블 위로 처박혔다. 테이블이 뒤집힐 듯이 흔들렸다. 치지직, 타들어 가는 끔찍한 소리가 났다. 구겨진 꽁초가 나뒹굴자 하얀 나무 위로 그을린 자국이 남았다.

단숨에 어깨가 붙잡혔다. 올려다보자 라이터의 불꽃처럼 새파랗게 타오르는 눈이 있었다. 긴장이 풀리자 축축하게 등줄기를 타고 내리는 식은땀을 느끼며 나는 조용히 숨을 가다듬었다. 그의 가슴팍에 시선을 고정하고 덤덤히 물었다.

"제가 못 할 줄 아셨어요?"

손가락의 악력이 어깨를 파고들었다. 그는 이를 꽉 물고 되물었다.

"이서단 씨야말로, 내가 못 할 거라고 생각했습니까?"

"하셔도 상관없어서 내민 겁니다."

떨림이 경련처럼 자꾸만 치밀었다.

"저는 손이 아니라 입술이라도 팀장님이 내밀라고 하시면 내밀었을 겁니다."

"……"

갑자기 손이 떨어져 나갔다. 그는 내게서 물러서면서 난간에 등을 기댔다. 관자놀이를 손끝으로 누르고, 양손으로 얼굴을 가린 채로 한동안 말이 없었다.

몸이 아직도 떨렸다. 나는 하얗게 질린 손끝으로 그가 테이블에 비벼 끈 꽁초를 들어 재떨이에 얹었다. 테이블이 흔들릴 때 흩어진 다른 꽁초도 주워 탑처럼 쌓았다. 몇 번이나 손가락이 미끄러졌다. 꽁초가 자꾸만 흘러내렸다. 땀으로 미끄러운 손끝에 검댕이 검게 묻었다.

그가 고개를 들지 않고 갈라진 목소리로 끊어 말했다.

"그만해요."

"……"

"그만합시다, 제발. ……이서단 씨는, 대체……."

나는 손가락을 더듬더듬 셔츠에 문질러 닦았다. 하얀 셔츠 위로 검게 그을린 자국 같은 게 남았다. 멀리서 파랗게 동이 트고 있었다.

"알고 있습니까? 이서단 씨를 만나고 나서부터."

그는 눈을 들지 않았다. 나를 봐 주지 않고, 낮게 잠긴 목소리로 말을 이었다.

"내가 가장 엉망이었던 시기, 내가 나 자신을 가장 견딜 수 없었던 시기의 생각을…… 하나하나 되밟아 가고 있습니다. 나는 나 나름대로 결론을 내고 넘어섰다고 생각했는데…… 아니었다는 걸 이번에 깨달았습니다. 정직하게 마주할 필요가 없을 정도로 요령이 생기고, 교활해지고……. 그래서 편했던 겁니다. 그래서 아무렇지 않았던 거고……."

"……."

"매번, 확신이라고 생각한 것은 들여다보니 오만이고, 나의 유연함이라고 여겼던 것은 단지 절실함의 부족이라는 것을 깨닫습니다. 매번, 지치지도 않고……."

낮은 목소리가 혼잣말처럼 중얼중얼 잦아들었다. 고개를 숙인 채로 그가 갑자기 웃었다.

"아니, 그게 당연하지. 정말로 확신이 있는 사람은, 애초에 확인할 필요가 없지 않겠습니까. 처음부터 나는……."

헝클어진 머리가 아무렇게나 내려와 있었다. 그 틈새로 그의 핏발 선 눈이 보였다. 나는 아무 말도 못 하고 눈앞의 남자를 지켜봤다.

"손, 왜 내밀었습니까."

손을 뻗어 내 눈가를 훔쳐 내 주며 그가 덤덤하게 물었다. 닿아 온 손끝이 나처럼 형편없이 떨리고 있었다. 나는 목이 메어서 입을 다물었다.

"내가 정말로 그럴 리 없다고 생각했습니까. 아니면 어떻게 돼도 상관이 없을 정도로 내가 좋은 겁니까."

"……."

"전자면, 잘못 생각한 겁니다. 나는 이서단 씨가 생각하는 것처럼, 악취미를 가졌지만 속내는 멀쩡하고 건전한 남자가 아닙니다. 오랜 시간 그런 척을 해 왔지만, 이제는 나도 내가……."

내 어깨 위에 올린 그의 손에 팽팽하게 힘이 들어갔다. 뼈마디가 하얗게 드러나도록 그가 주먹을 쥐었다가, 숨을 내쉬면서 천천히 손가락을 폈다.

"가끔은, 이서단 씨를 보고 있으면."

갈라지고 나직한 목소리가 말했다.

"팔다리를 분질러서, 지하실에 가둬 버리고 싶습니다. 평생 내 얼굴만 보고, 내 목소리만 듣도록…… 깜깜한 데 가둬 놓아서, 내가 하루에 삼십 분 들여다보기만 해도 내게 눈물, 콧물 흘리면서 매달릴 정도로, 나를 목말라 하는 것을 보고 싶습니다. 입에서 나오는 말마다 나를 좋아한다고, 사랑한다고 말해도, 나는 그때도 만족하지 못하고, 초조해질 때마다 이서단 씨를 학대하고, 강간하고……."

"……."

덤덤한 목소리로 흘러나오는 말이 현실감이 없었다. 가만히 허벅지 옆으로 떨군 손끝만이 예민하게 파르르 떨렸다. 그는 말꼬리를 아무렇게나 버려두고 입술을 비틀어 웃었다.

"그럴 때도 있고. 그리고 미친놈처럼, 그러다가도……."

"……."

"가끔은, 먼 곳으로 이서단 씨를 보내 버리고 싶을 때도 있습니다. 내가 평생을 헤매도 찾지 못할 정도로 먼 곳으로……. 거기서 이서단 씨는 매일 맛있는 것만 먹고, 좋은 사람만 만나고, 좋은 일들만 있고……. 그렇게 평생……."

그의 손끝이 눈가를 가볍게 스쳤다. 고인 눈물이 미지근하게 묻어났다. 그는 손을 가까이 가져와 들여다보면서 느리게 말을 끝맺었다.

"어떤 일이든, 울지 않고."

"……."

"그렇게 지냈으면…… 나도, 어쩌면 충분할 것도 같은데. 그리고 그게, 이서단 씨를 위해서는 맞는 일이라는 사실은, 알고 있습니다."

"……."

"나는 아마, 이서단 씨가 감당하지 못할 남자일 겁니다. 처음부터 알고 있긴 했지만. 그때는 이렇게까지…… 나도, 내가 이렇게까지, 이서단 씨를……."

시선이 맞물리듯 맞닿았다. 그는 입을 다물고 느리게 숨을 내쉬었다. 뻗어 나온 팔이 나를 끌어당겼다. 품 안으로 몸이 거칠게 끌려갔다. 내 어깨에 턱을 묻고 그는 더 이상 말이 없었다.

빠르게 뛰는 심장 소리가 들렸다. 나는 눈물을 깜박여 없앴다. 그의 등을 둘러 내가 할 수 있는 한 꽉 끌어안았다.

"……추워요."

작게 말했다. 목소리가 엉망으로 잠겨 나왔다.

"들어가요, 그럼."

그가 내 등을 안은 팔을 놓으려 했다. 나는 놓치지 않기 위해 몸을 그의 가슴에 붙이고 매달렸다.

"팀장님도, 같이……."

"어차피 출근 준비해야 할 때 다 됐습니다. 올라가서 더 자고 있어요."

"그래도, 조금만……."

턱을 들었다. 내려다보는 그와 눈이 마주쳤다. 그는 미간을 찌푸리고 말했다.

"같이 침대까지 가자는 겁니까."

고개를 끄덕거렸다. 그는 가만히 눈을 감았다가 떴다.

"내가 방금 한 말은 어디 귓등으로 흘려 먹었습니까."

"……추워서, 제대로 못 들었습니다."

그의 눈썹이 올라갔다. 평소 같으면 화를 냈을 텐데, 표정을 굳힌 채로 아무 말이 없었다. 나를 안은 채로 그가 유리문을 젖혀 열었다. 거실의 공기가 따뜻했다.

허리를 굽힌 그가 내 발에서 달랑거리는 슬리퍼 양쪽을 벗겨 내 발코니로 대충 내던지고 문을 닫았다. 나를 떼어 내려는 팔을 모른 척하고, 몸이 꽁꽁 언 것처럼 나는 그의 가슴에 뺨을 붙였다.

"……이렇게 2층까지 올라가자고? 나한테 아까 그렇게 당해 놓고, 나랑 같은 침대에 눕고 싶습니까."

기가 차다는 목소리였다. 나는 따뜻한 셔츠 위로 뺨을 대고 잠시 망설였다.

"……잠깐이라도……. 오늘 밤에는, 얼굴 못 뵐 테니까……."

동트는 새벽의 어둠 속에서 눈이 길게 마주쳤다. 나는 입을 다물고 아무 말도 하지 않았다. 먼저 눈을 돌린 것은 한 팀장이었다. 처음 있는 일 같았다.

"목에 팔 둘러요."

그가 짧게 말했다. 홀쩍, 몸이 들렸다. 엉덩이를 피해 무릎 밑으로 팔을 넣고, 그는 나를 안아 올린 채로 계단을 올라가기 시작했다. 나는 얌전히 그의 목에 뺨을 기대고 눈을 감았다. 그가 걸음을 뗄 때마다 몸이 가볍게 흔들렸다. 그가 몸을 돌려 어깨로 문을 밀어 열었다.

등이 푹신한 것에 서서히 닿았다. 다리가 침대 위로 내려앉았지만 나는 엉겅퀴처럼 그의 목에 두른 팔을 풀지 않았다.

"문만 닫고 오겠습니다."

그가 차분하게 말했다. 어이없다 못해 희미한 웃음기가 섞여 든 목소리였다.

"다시 올 거니까, 잠깐 놔요."

대꾸 없이 팔을 풀자, 그는 약속대로 문만 닫고 침대로 돌아왔다. 벌어져 있던 커튼 틈새를 여미고 내 옆으로, 침대 위로 털썩 걸터앉았다.

방이 안온한 어둠에 잠겨 들었다. 물결처럼 부드러운 곡선을 그리는 커튼 아래로 드문드문 푸른빛이 비쳐들었다. 그는 태아처럼 웅크린 나를 등 뒤에서 끌어안았다. 등이 그의 가슴에 닿고, 다리가 같은 모양을 그리며 겹쳐졌다. 퍼즐 조각처럼, 같은 모양의 컵처럼, 몸의 윤곽이 쏙 들어맞았다.

그 위로 그가 이불을 끌어와 덮었다. 이불 밑으로 내 허리를 단단하게 감고, 다른 쪽 손으로 머리를 가볍게 쓰다듬어 주었다.

"좀 더 자요. 깨워 줄 테니까."

고개를 끄덕거렸지만, 감긴 눈이 금세 떠졌다. 잠이 오지 않았다. 바라보고 있는 벽 쪽에 옷장의 닫힌 문이 있었다. 흐릿하게 푸른빛으로 젖은 문의 테두리를 눈으로 가만히 더듬었다.

등 뒤의 그가 따뜻했다. 얼었던 몸이 조금씩 녹았고, 이불 안의 온도는 딱 알맞았다. 맨다리에 닿은 이불이 건조하고 부드러웠다. 새벽의 시린 향이 낯익은 체향 속으로 녹아들었다. 따끈따끈한 체온에 끌어 안겨 있으니 평생 일어나고 싶지 않을 정도로 편안했다.

그때 등 뒤의 그가 나른하게 잠긴 목소리로 뱉었다.

"진짜 회사 가기 싫네."

마음이 읽힌 것 같아 나는 눈을 가만히 깜박였다. 허리를 감싸 안은 손이 배꼽을 간지럽히며 지분거렸다.

나는 문득 그의 얼굴이 보고 싶어서 불편한 자세로도 고개를 틀었다. 올려다본 한 팀장은 읽어 낼 수 없는 멀쩡한 얼굴이었다. 그 잠깐 사이에, 내게 틈을 드러내고 그 속의 붉은 속살을 보여 준 남자는 원래대로 깔끔한 무장을 마치고 있었다.

내 시선을 무심하게 받아 내던 그가 대뜸 물었다.

"그래서, 이서단 씨는 어디 생각했습니까?"

"네?"

"일주일 휴가."

머리를 굴린 후에야 나는 회의실에서 김 주임님과 권 대리님과 했던 대화를 생각해 냈다. 어떤 맥락에서 나왔던 이야기인지도 기억나지 않았다. 내 머리를 돌리게 해 다시 원래대로 끌어안은 그가 말했다.

"하와이보다는 근사한 곳이길 바랍니다."

"……저는…… 바닷가요."

"어디 바닷가."

"아무 데나…… 사람이 많이 없는 데로요."

사람이 많이 없는 데로, 라고 그가 곱씹듯 느리게 따라했다. 그리고 무덤덤하게 덧붙였다.

"일주일 휴가치고는 너무 소박한데."

"……네."

"그래도 하와이보단 낫습니다. 관광객 구경이 절실한 게 아닌 이상. 구아바는 과일만 먹어서는 맛없는 거 알고 있습니까?"

나는 허리를 삼은 단단한 팔을 내려다보다가 물었다.

"팀장님은…… 어디 가고 싶으신데요?"

그의 거실을 장식한 수많은 여행 사진을 생각했다. 그가 보고 겪었을 넓은 세상의 수많은 풍경들이 나에게는 스치듯 들어본 지명 정도였다. 소박하다는 질타를 들어도 할 말 없었다. 그때 한 팀장이 웃음기가 묻은 목소리로 대답했다.

"집이 제일 좋다는 말을 이럴 때 쓰는 것 같던데."

"네?"

"나에게 지금 일주일이나 시간이 있으면, 여기서 이서단 씨와 일 주일 내내 난잡하게 뒹굴 겁니다."

목덜미에 짧게 입맞춤이 떨어졌다. 나는 어깨를 움츠렸다.

"침대 밖으로 한 발짝도 못 나가게 해 놓고, 이서단 씨가 혼자 힘 으로 일어나지도 못할 때까지 해 대면 딱 좋을 것 같은데."

"……읏."

밀어내려 하다가 허리를 잡은 팔에 꼼짝없이 끌려갔다. 순식간에 나를 반듯하게 눕히고 몸 위에 올라탄 그가 내 얼굴을 뚫어져라 내 려다봤다. 새까맣고 진득한 눈이었다. 다가온 손끝이 가볍게 훔쳐 내듯 내 입술 위를 건드렸다. 나는 반사적으로 입술을 오므려 숨겨 버렸다.

"해 보자는 거지."

그가 표정 변화 없이 말했다. 본능적으로 겁이 났지만, 그렇다고 바로 입을 벌리는 것도 우스워서 나는 입술을 문 채로 고개를 흔들 었다. 한 팀장의 눈썹이 느리게 치켜올라갔다.

"입술 안 벌리면 다른 데 키스할 데 많습니다."

"……흡."

"모닝 섹스가 그렇게 하고 싶으면 말을 했어야지."

손바닥이 울퉁불퉁 부어오른 엉덩이를 가볍게 쓰다듬었다. 나는 물고 있던 입술을 바로 놨다. 그가 입 맞출 수 있도록 턱을 조금 들었다. 거친 마찰을 기억하는 입술 표면이 저릿저릿했다.

온몸을 긴장시킨 나를 물끄러미 보다가 그는 짧게 숨을 내쉬었다.

"출근 준비해야 하는데, 늦었네요."

"……."

"준비부터 하고, 키스는 시간 남으면 나중에 합시다."

그리고 그가 덮어 누르고 있던 내 몸 위에서 깔끔하게 물러났다. 나는 한마디 항의도 못 하고 그가 침대를 벗어나는 것을 지켜보고 있었다.

"여기서 준비하세요. 나는 아래층 욕실 쓸 테니까."

"……네."

"그리고 오늘 밤은 이서단 씨 집으로 돌아가도 좋습니다."

올려다봤다. 햇빛을 등지고 선 한 팀장은 무심한 얼굴로 말했다.

"집에 가서 제대로 생각해 보세요. 좋은 머리로 내가 한 말들은 다 이해했으리라고 믿습니다."

"……팀장님."

"이서단 씨가 내 곁을 떠나고 싶다 말하고, 내가 상식인처럼 그 의사를 존중해 주는 것은 내일까지입니다. 두 번 기회는 없으니까, 신중하게 생각하고 결정하세요."

그리고 그는 등을 돌렸다. 오전의 햇살이 비쳐 드는 침실에 나는 혼자 남았다.

✦

발표회 전날 밤에 나는 거의 잠을 잘 수 없었다. 물렁하고 좁게 느껴지는 매트리스 위를 뒤척뒤척 옮겨 다니면서 회사에서 일하고 있을 그를 생각했다. 그가 했던 말들을 떠올리고, 무감했던 단어들에 내 멋대로 온기와 색을 덧입혔다. 꿈과 상상이 하나로 녹아들었다. 때때로 그의 얼굴이 정말로 눈앞에 있는 것처럼 선명했다.

잠이 부족해서인지, 새벽에 눈을 떠 씻고 옷을 입고 지하철을 타고 출근하는 과정이 전부 둥실 허공에 떠 있었다. 회사 로비도, 엘리베이터도, 4층의 복도도 색을 빼낸 것처럼 파리하고 창백한 빛에 물들어 있었다. 회의실에서 만난 나와 김 주임, 윤 대리는 간단한 인사만을 주고받은 후에 3층의 대회의실로 이동해 자리와 물컵을 세팅했다. 발표용 프로젝터, 컴퓨터, 마이크를 여러 번 꼼꼼하게 점검했다.

한 팀장과 박 대리, 권 대리는 발표 시작 시간 15분 전에 회의실에 도착했다. 지정된 자리에 앉아 있던 우리는 문이 열리자 일제히 고개를 돌렸다.

"밤새운 것치고는 생각보다 멀쩡하네요."

김 주임이 박 대리에게 말했다. 의자를 당겨 우리 옆으로 앉은 박 대리가 긁힌 상처가 희미하게 남아 있는 턱을 쓸었다.

"화장실에서 방금 수염 깎고 왔으니까 그렇지. 그리고 나랑 권 대리는 새벽에 눈 좀 붙였어요."

"팀장님 커피라도 갖다 드릴까요?"

"시간 없을걸? 타 오면 발표 시작할 것 같은데."

낮은 단상 위의 한 팀장은 컴퓨터를 점검 중이던 권 대리와 몇 마디를 주고받고 있었다. 커다란 스크린에는 글자가 획획 넘어갔다. 고개를 기울여 권 대리의 말을 듣던 그가 짧게 고개를 끄덕였다.

누가 봐도 밤을 새운 것처럼 보이지는 않는 차림새였다. 발표 전에 따로 옷을 갈아입었는지, 반질거리는 구두코부터 그림처럼 잘 들어맞는 맞춤 정장까지 빈틈이 없었다. 왁스로 단정하게 넘긴 머리도, 그 아래의 서늘하고 무덤덤한 얼굴도 마찬가지였다.

나는 그를 지켜보면서 박 대리가 했던 말을 일부는 이해할 수 있을 것 같았다. 확실히 '에너지를 뿜어낸다'는 말은 지금의 그에게 어울리지 않았을 것이다. 지금은 그 에너지가 방향을 바꿔 안쪽으로 파고든 것처럼 그가 그려 내는 곧은 선에 무게감과 함축성이 있었다. 회의실 안의 공기가 한 팀장이 서 있는 지점에 도달해서 날카롭게 좌우로 갈라지는 것 같았다.

내 옆에서 턱을 괴고 단상을 보고 있던 김 주임이 중얼거렸다.

"팀장님 발표하는 걸 못 봤으면, 내가 여기 들어와서 고생할 일도 없었을 텐데."

물을 마시던 박 대리가 웃었다.

"그 얘기 작년에도 하지 않았어요?"

"그래 놓고 작년 발표 보고 올해 또 TF 신청했잖아요."

"뭘 어떻게 하겠어, 구제 불능인 거지."

잡담이 길어지자 이쪽을 바라보는 권 대리의 표정이 찌푸려졌다. 수요일의 사건 이후로 권 대리와 서로를 까치발 딛듯 예의 바르고 친절하게 대하고 있는 박 대리는 입을 다물면서 몸을 일으켰다.

"슬슬 시간 된 것 같은데, 팀장님 준비되셨으면 제가 올라가서 모셔오겠습니다."

한 팀장의 시선이 힐끗 이쪽을 향했다. 박 대리와 김 주임을 지나 나에게 잠시 머물렀다. 시선이 짧게 맞닿았다. 고작해야 1, 2초 정도의 시간이었다.

"차림새 다 한 번씩 점검하시고, 박 대리님은 올라갔다 오세요."

"네, 다녀오겠습니다."

그의 시선이 몸 안을 파고들어 가슴과 배 속을 휘저어 놓은 것처럼 심장이 쿵쿵 뛰었다. 배 속이 나비가 잔뜩 든 것처럼 끓어올랐다. 권 대리가 자리로 오고, 박 대리가 임원들을 이끌고 회의실 안으로 들어왔을 때도, 나에게는 멀리 단상 위에 서 있는 그의 모습밖에는 눈에 들어오지 않았다. 세상의 나머지는 흐릿한데 그 하나만 채도 높은 사진처럼 선명했다.

둥근 테이블을 복도를 따라 굴렸다. 점심시간도 지났고 복도가 북적거리는 시간대는 아니었지만, 사람이 나타나면 바로 테이블을 멈출 수 있도록 반대쪽 끝을 김 주임이 잡고 있었다.

"참여 보고서는요."

테이블에 가려져 얼굴이 보이지 않는 김 주임이 말했다.

"피드백이나 건의사항 적어서 올리는 거예요. 다음 해 TF 때 참고하거나 그런 비공식적인 목적으로."

"팀장님 혼자 읽으시는 건가요?"

"그럴걸요? 디테일하면 좋다고는 하셨는데, 따로 포맷 정해진 것도 없으니까. ……여기서 왼쪽으로 가요."

TF 첫날 아침에 내가 앉아 있던 탕비실을 지났다. 마침 복도에 있던 사람 몇 명이 옆으로 비켜서서 둥근 테이블을 데리고 사각의 모서리를 지나는 힘겨운 사투를 지켜보고 있었다. 인사하면서 테이블을 겨우 고쳐 잡았는데, 그중 한 명이 물었다. 앳된 얼굴의 여자였다.

"한 팀장님 TF 오늘 끝난 거예요?"

"네, 오늘 끝났어요."

김 주임이 대신 대답했다. 말끝에서 후련한 마음이 너무 묻어나와서 나는 웃을 뻔했다.

둥근 테이블을 비품실까지 끌고 가 문턱에서 한 번 더 사투를 벌인 후에 벽에 기대어 놓았다. 김 주임은 땀이 나는지 손등으로 이마를 훔쳤다. 그녀가 허리에 손을 얹고 물러나 테이블을 훑어보는 동안 뒤가 시끄러워졌다. 박 대리와 윤 대리가 파티션을 하나씩 어깨에 엎고 들어왔다.

"대리님은 좀 쉬시지."

박 대리가 든 파티션의 한쪽 끝을 받아 내려놓는 것을 도우며 김 주임이 말했다.

"좀 일찍 퇴근해도 되지 않아요?"

"안 그래도 그러려고. 이것만 다 옮기고 집에 가서 눈 좀 붙였다가 뒤풀이 장소로 바로 갈게요. 나머지 청소는 미안하지만 좀 부탁하고."

"네, 그건 걱정 마시고. 팀장님도 집에 가셨대요?"

"아, 팀장님은 다른 임원들 몇 명 등에 업고, 김 상무랑 담판 지으러."

박 대리가 파티션이 쓰러지지 않게 각도를 맞춰 세우며 말했다. 때마침 의자 두 개를 끌고 비품실로 들어오던 권 대리가 덧붙였다.

"발표를 다들 봤으니까 문제없을 거예요. 속이 다 시원하네, 내가."

"그러게요, 저도 속이 시원하네요."

박 대리가 예의 바르게 맞장구를 쳤다. 대답이 영 수상한지 권 대리는 벌레 씹은 표정을 했다.

윤 대리와 나를 끌고 비품실에서 나오는 김 주임의 얼굴이 웃고 있었다.

"평화로우니까 좋네요. 얼마나 갈진 모르겠지만."

"가능하다면 내년 TF도 이 인원 그대로 가면 좋겠네요."

윤 대리가 말했다. 발표회 때부터 희미하게 상기된 표정인 것을 보니 한 팀장에게 적잖게 감명을 받은 모양이었다. 김 주임은 탕비실 쪽으로 손가락을 까딱이며 별 표정 없이 고개를 끄덕였다.

"내년 얘기를 벌써 꺼내다니 기운도 좋네. 아, 이건 제가 할게요. 회의실에 의자 남지 않았어요?"

"네, 그리고 원래 있던 테이블도 다시 들여놔야 한다고……."

"그건 청소기 민 다음에. 테이블 들어갈 자리는 한번 밀어야 한대요."

탕비실 찬장을 열고, 3개월 내내 따로 우리 팀만 꺼내 먹었던 원두와 찻잎과 간식거리를 김 주임이 차곡차곡 바구니 안으로 옮겨 담았다. 윤 대리는 청소기의 위치를 물어보고 먼저 복도로 나갔다. 따라가려던 나는 이서단 씨, 하고 부르는 목소리에 뒤돌아봤다.

"커피 좀 가져갈래요? 탕비실에 둬도 되긴 하는데 아무도 안 먹을 것 같아서."

"아…… 김 주임님은요?"

김 주임은 탕비실 거울을 통해 고개를 저어 보였다.

"안 먹을 것 같아요. 팀장님은 집에 많으실 거고. 박 대리님을 드려야 하나?"

"저는 집에 내리는 기계가 없어서……."

"그럼 찻잎 가져갈래요? 이건 거름망만 있으면 되니까. 아, 이 틴 되게 비싼 건데. 팀장님 취향일걸요."

나는 그 말에 고개를 들었다. 차는 마실 줄도 모르고 집에 거름망도 없었지만, 김 주임이 손에 든 둥근 틴을 뚫어져라 쳐다봤다.

"그럼 그거 하나만……."

"먹을 것도 가져가요. 이서단 씨 단것 좋아하잖아."

김 주임은 어디선가 선물용 종이봉투를 찾아와 틴과 남은 수입 과자 같은 걸 꼼꼼하게 챙겨 주었다. 봉투 모서리에 맞춰 차곡차 곡 넣으려는지 고심하는 얼굴로 여러 번 빼냈다가 돌려 넣으며 말 했다.

"좋아하는 과자나 빵 같은 거 있으면 말해요, 나중에 구워다 줄 게요."

"……정말요?"

"어차피 가끔 회사 가져와서 돌리니까. 이서단 씨도 컨설팅부면 4 층이잖아요. 뭐 좋아해요? 과자 종류?"

"저는 다 좋아요. 지난번에 주신 것도 다 맛있었고……."

봉투의 입구를 꾹 다물린 김 주임이 내게 손잡이를 건네주었다. 종이가 찢어지지 않을까 싶을 정도로 제법 묵직했다. 찬장에 남아 있던 과자의 대부분이 안에 들어가 있는 것 같았다.

"주임님은 안 드세요? 아니면 윤 대리님이나, 박 대리님도……."

"이서단 씨 먹어요, 그냥. 다 큰 양반들이 알아서들 사 먹겠지. 커 피도 아직 나눠야 하고."

봉투 손잡이를 아예 내 손에 둘러 주고 김 주임이 먼저 탕비실을 나섰다. 나는 불을 끄려다가 환한 빛이 자연 조명이었음을 깨닫고 따라 나갔다. 복도도 비쳐든 햇빛으로 환했다. 아직 해가 쨍쨍한 낮에 이렇게 여유를 부리는 것도, 가구를 옮겨 놓고 텅 빈 회의실을 청소하는 것도, 이상했다. 어렸을 때의 방학식 날처럼 붕 뜬 기분이 들었다.

"집에 갔다가 오게요?"

회의실이 가까워질 때쯤 김 주임이 물었다. 나는 뻥 뚫린 것처럼 빈 공간을 쳐다보다가 뒤늦게 대답했다.

"저는 회사에 있으려고요. 집이 멀기도 하고, 저는 어제 밤새운 것도 아니니까……."

"그럼 이서단 씨는 어디 가 있게? 컨설팅부에?"

"아…… 그러네요."

회의실에 있는 내 책상과 PC가 치워지고 나니 참여 보고서를 쓰고 싶어도 쓸 곳이 없었다. 그때 윤 대리가 복도에서 청소기를 질질 끌고 나타났다. 제가 할게요, 하고 내가 손을 내밀자 순순히 청소기의 몸체를 넘겨주었다. 김 주임은 줄을 길게 쭉 잡아당겨 플러그를 벽에 꽂아 주며 말했다.

"청소기 미는 동안 테이블 가져와서 조립하면 금방 끝나겠다."

"두 분이서 드실 수 있으시겠어요?"

"천천히 하면 되죠."

한 것도 없는 것 같은데 청소도 막바지였다. 나는 회의실을 이쪽에서 저쪽까지 왔다 갔다 하며 영역을 표시하듯 청소기를 밀었고, 김 주임과 윤 대리는 커다란 테이블을 모양 맞춰 조립했다.

10분도 채 걸리지 않아 나머지가 마무리되었다. 손을 탁탁 털면서 김 주임이 일어섰다. TF 전의 상태로 원상 복귀된 회의실을 셋이서 서서 둘러봤다. 다 끝났네, 라고 김 주임이 미련 없이 말했다.

"부서로 갈게요, 저는. 뒤풀이 장소에서 봐요. 장소는 박 대리가 예약하고 문자로 넣어 준다고 했으니까."

"네, 저녁에 뵙겠습니다."

"조심히 들어가세요."

김 주임이 가방을 챙겨 나가자 윤 대리는 청소기를 집어 들면서 사람 좋은 얼굴로 말했다.

"그동안 수고했어요, 이서단 씨. 열심히 해서 옆에서 지켜보면서 많이 자극이 됐어요."

"수고 많으셨습니다."

일어나서 손을 맞잡았다. 가볍게 흔들고 윤 대리는 청소기를 어깨에 멨다.

"저도 가 볼게요, 그럼. 저녁에 봐요."

"네, 들어가세요."

배웅하고 나자 오후의 햇빛이 비쳐 드는 넓은 회의실에 혼자 남았다. 나는 가방과 종이봉투를 들고 서성이다가 회의실 테이블 위로 짐을 내려놓았다. 자료실에 들어가 보니 회사 자료는 정리가 됐어도 한 팀장의 책들은 박스째로 아직 쌓여 있었다.

조심한다고 조심했지만, 가방에 넣어 놓고 다니느라 양장본의 반듯한 귀퉁이가 약간씩 우그러져 있었다. 손톱으로 가만가만 펴 보니 그중 몇 개는 감쪽같아졌다. 나중에 그가 위층에서 볼일이 끝나면 책들을 그의 차로 옮겨도 될 것 같았다. 원래 있었던 건지 확실하지 않은 미세한 기스 자국을 유심히 살피다가 책을 다시 박스 안으로 돌려놓았다.

회의실로 나와서 바퀴 없는 딱딱한 의자를 뒤로 빼 앉았다. 그의 책상이 있었던 곳 옆의 커다란 창에서 햇빛이 새어 들었다. 구름 없는 하늘이 내다보였다.

나는 가방에서 노트와 펜을 꺼냈다. 깨끗한 장으로 펼쳐 놓고 펜 꼭지를 눌렀다.

맨 위의 빈칸에 [참여 보고서]라고 적었다. 그리고 펜촉을 떼고 가만히 멎었다. 종이가 하얗고 깨끗했다.

정리된 회의실을 한 번 더 둘러봤다. 펜을 멍하니 들고 있다가 내려놓고 주머니에서 핸드폰을 꺼냈다. 들어온 연락 없이 화면이 깨끗했다.

열어 본 문자함에는 그의 이름이 있었고, 그의 번호가 있었다. 그동안 그와 주고받은 문자가 전부 남아 있었다. 호텔의 이름과 시간을 알려 주는 최초의 문자부터, 현관 비밀번호가 적힌 문자까지. 몇 달간 그와 내가 함께 그려 온 관계의 궤적이었다.

⚜

뒤풀이가 진행된 식당의 테이블은 세로로 길었다. 한 팀장은 한쪽 끝에 앉아 있었고, 나는 고개를 기울여야만 그가 보이는 왼쪽 열의 끝이었다. 그가 있는 쪽에는 박 대리와 권 대리가 앉아 있었는데, 일 관련 화제로 삼각형 내에서만 대화가 오가고 있었다.

나는 앉을 때 자연스럽게 자리가 정해질 때부터 마음이 편치 못했다. 회사에서는 아예 그를 볼 시간이 없었기 때문에 뒤풀이를 손꼽아 기다린 것이 잘못이었다. 막상 뒤풀이 장소에서 그를 만나고 보니 눈도 마주칠 기회가 제대로 없었다. 눈을 들 때마다 한 팀장은 누군가와 이야기하거나 술잔을 부딪치고 있었다. 이쪽에서는 저쪽의 말소리가 전혀 들리지 않을 정도로 실내가 시끄러웠다.

"이서단 씨, 내 말 안 듣죠."

집게를 든 김 주임이 말했다. 나는 그제야 정신이 들었다.

"고기 더 먹을 사람 없냐고 물어봤는데."

"아…… 저는 많이 먹어서 괜찮습니다."

"잔에 남은 거 마셔요, 그럼."

분부대로 반이 남은 맥주잔을 들어 나머지를 마셨다. 뒷맛이 쓰고 맛이 없었다. 김 주임님은 소주병을 들어 보이고, 내가 고개를 흔들자 맥주 피처를 들어 다시 잔을 가득 채워 주었다. 맥주 거품이 하얗게 층을 이루었다.

술이 몸에 조금이라도 들어가면 늘 그렇듯이 머리가 아프고 속이 울렁거렸다. 심호흡을 하며 습관처럼 고개를 돌렸는데, 어느새 상석의 한 팀장의 자리가 비어 있었다. 빈 의자만 있었다.

"팀장님 어디 가셨어요?"

고기를 굽고 있던 김 주임이 고개를 들었다.

"그러게요. 화장실 가셨나?"

"집에 가신 건—"

"설마. 오늘 3차까지 갈 거니까 이서단 씨도 어디 도망갈 생각은 하지 말아요."

나는 의자를 뒤로 밀어 일어섰다. 올려다보는 김 주임에게 애매한 변명을 건네고 테이블 옆쪽을 돌아 나왔다. 아무리 둘러봐도 식당 내에 그는 없었다. 복도의 남자 화장실도 비어 있었다. 스쳐 지나며 본 거울 속의 얼굴이 조명 때문인지 희고 창백했다.

걸음을 재촉해 복도를 빠져나왔다. 팀 사람들이 앉은 테이블을 피해서 빙 돌아가 식당 문을 열었다. 주차장은 시끌벅적한 공간과는 완전히 다른 세상처럼 조용하고 서늘했다. 가로등의 희미한 불빛 아래 벽에 기대어 담배를 물고 있는 남자가 있었다.

심장이 목구멍까지 올라와 뛰었다. 막상 그가 눈앞에 있자 손바닥에 땀이 배어들었다. 천천히 그의 옆으로 다가가자, 그는 내 발소리를 들었을 텐데도 시선을 돌려주지 않았다.

"팀장님."

한 뼘의 거리를 남겨 두고 작게 불렀다. 목소리가 잠겨 나왔다. 한 팀장은 대답 없이 담배를 끼운 손을 잠시 입에서 떼었다. 둥근 담배의 끝이 붉게 타들어 가고 있었다.

"왜 나왔어요."

목소리가 무심했다. 나는 입을 열었다가 말문이 막혀서 다시 다물었다. 생각해 보니 어젯밤부터 갈증처럼 그가 보고 싶었던 것은 내 문제지, 그와는 아무런 상관이 없는 일이었다.

가만히 서 있다가 대답했다.

"재떨이가 없으실 것 같아서요."

이번에는 그가 고개를 돌렸다. 나를 내려다보는 표정이 찌푸려져 있었다.

"농담치고는 질이 나쁘지 않습니까."

"……죄송합니다."

다가온 손이 가볍게 내 뺨에 닿았다.

"괜찮습니까."

"네?"

"술 못하면 못한다고 말해요. 주는 대로 다 받아먹지 말고."

체온만 재고 미련 없이 떨어지려는 손이 아쉬웠다. 나도 모르게 그의 손에 뺨을 붙였다가, 번쩍 정신이 들었다. 식당 문은 누구든 언제든 열고 나올 수 있었고, 식당 안에는 팀원들이 네 명이나 앉아 있었다.

두어 걸음 물러서서 숨을 골랐다. 한 팀장은 시선을 피하지 않고 나를 무덤덤하게 마주 봐 주었다.

"팀장님은…… 괜찮으세요?"

가로등 빛만으로는 안색을 확실하게 알 수 없었다. 담배꽁초를 비벼 끈 그가 깔끔하게 대답했다.

"아니."

"……."

240

"쓰러져 자고 싶어서 죽을 지경입니다."

"……집에 가시면 안 되나요?"

그는 재미있는 말을 들은 것처럼 설핏 웃었다.

"다들 밤새워 놀겠다고 벼르고 있는데, 내 마음대로 그럴 순 없지."

"원래…… 좋은 상사는 카드 던져 주고 일찍 집에 가는 상사라고……."

"나를 그런 꼰대랑 똑같이 취급하는 겁니까."

내가 생각해도 그의 경우에는 사실이 아니었다. 그가 없으면 들떠 있는 분위기도 쉽게 가라앉을 것이다. 아무리 생각해도 방법이 없어서 나는 입술 안쪽을 잘근 씹었다. 한 팀장은 나를 무심하게 지켜보다가 말했다.

"그리고, 내가 빠져나간다 해도 이서단 씨는 어떻게 하려고."

"저는—"

"나는 집에 보내고 마음 놓고 놀려고? 김 주임 옆에 붙어서 예쁨 받으니까 좋습니까?"

"……."

술을 받은 기억은 있어도 예쁨 받은 기억은 없었다. 그렇게 따지면 팀원들이 작정하고 따라 주는 술을 몇 잔씩 말없이 받아 마신 것은 그도 마찬가지였다.

그가 담배를 다 피울 동안 나는 가만히 옆에 서 있었다. 쌀쌀한 공기가 습한 물기로 젖어 있었다. 어디선가 풀벌레가 찌르르 울었다.

주황색으로 바닥에 고인 가로등 불빛을 그의 기다란 그림자가 깔끔하게 반으로 갈랐다.

꽁초를 재떨이에 비벼 끈 한 팀장은 식당으로 들어갈 것처럼 몸을 틀다가 멈췄다.

"이서단 씨."

"네."

"월요일에는 어디로 출근할 생각입니까?"

나는 입을 다물었다. 꼼꼼하게 조사해 봐도 지금의 나에게는 그를 제외한 모든 상사가 다 부족해 보이고, 그가 없는 모든 회사가 다 낯설어 보이는 것은 어쩔 수 없었다.

그렇다고 그렇게 말할 수는 없어서 그를 올려다보는데, 한 팀장이 탐탁지 않아 하는 표정으로 말을 이었다.

"이서단 씨의 선택을 제한하려는 것은 아니지만, 이번 TF 일이 터진 이후로 래원에 남는 것은 더더욱 좋은 선택이 아니게 됐습니다. 나머지 팀원들은 각자 부서에서 대체하기 어려운 인원이니 섣불리 어떻게 하지는 못하겠지만, 이서단 씨의 경우는 본인 앞가림을 할 만한 입지가 부족하고. 누군가 마음만 먹는다면 분풀이의 대상이 될 위험성이 큽니다."

"······네."

나는 선고라도 받은 것처럼 그가 보내 준 서류에 적혀 있던 낯선 회사의 이름들을 머릿속으로 천천히 더듬었다. 발밑의 땅이 울렁거리는 느낌이었다.

"그건 따져 보자면 이서단 씨를 TF로 끌어들인 내 책임이 있기도 하지만…… 그 당시에도 이서단 씨가 래원에서 크게 예쁨 받는 사원은 아니었으니, 결과적으로는 비슷할 겁니다."

단정하게 내려앉은 말끝은 무감했다. 저 멀리 주차장의 과속방지턱을 넘어 차가 진입했다. 그의 단정한 얼굴 반쪽 위로 날카로운 그림자가 길어졌다가 흔들렸다.

"무슨 말씀이신지 알겠습니다."

바닥으로 시선을 내리면서 대답했다. 그래요, 라고 그가 말했다.

"주말 동안에 생각해 보고, 사직서는 다음 주에 나한테 제출하면 수리해 주겠습니다."

"……네."

"아니면……."

말끝이 느려지더니 끊겼다. 나는 고개를 들어 그의 얼굴에 서린 모호한 표정을 올려다봤다. 짜증 비슷한 것이 그의 입가를 스쳤다. 아니면, 이라고 한 팀장이 다시 느리게 말했다.

"래원에 이서단 씨가 굳이 남아 있겠다면…… 컨설팅부에 적을 두는 수밖에 없을 것 같습니다. 내 밑에 있으면, 적어도 TF 출신이라는 낙인에서 오는 불이익은 내 선에서 막아 줄 수 있게 되니까."

"……."

"이서난 씨가 꼭 래원에 남아야 할 이유가 있다면 그렇다는 겁니다. 내가 퇴사를 강요할 수도 없는 노릇이니 어쩔 수 없이 주는 옵션이고."

그가 재차 강조했지만, 나는 이미 듣고 있지 않았다. 내 얼굴을 물끄러미 보던 그가 미간을 찌푸렸다.

"말했듯이, 래원이 아니더라도—"

"팀장님."

"……왜."

"제의해 주신 회사 전부 저한테 과분하지만…… 생각해 보니 저는 대기업에 계속 다니고 싶습니다."

나를 보는 얼굴에 어이없다는 표정이 고스란히 스쳤다.

"연봉도 많이 받고 싶고……"

"……"

"사원 복지도 중요하고……"

"언제부터 이렇게 뻔뻔해졌어."

배어든 웃음기를 숨기지도 않고 그가 물었다. 나는 그 말에 바닥까지 다 쥐어짰던 용기를 다시 구석까지 긁어모아 그를 올려다보며 말했다.

"기회 주시면 정말로 열심히 하겠습니다. 부족한 부분은 더 노력해서, 빨리 배우고 빨리 도움이 될 수 있게……"

"내가 자격 갖추지 않고 열정만으로 무작정 밀어붙이는 건 하지 말라고 했을 텐데."

화가 난 목소리는 아니었다. 언젠가 들었던 말의 메아리에 나는 대답할 말이 없어졌다. 한 팀장은 벽에 몸을 기대며 한숨을 쉬었다.

"다시 한번 생각할 기회를 줘도 같은 결론을 내릴 겁니까?"

"……네."

"컨설팅 일이나 내 팀원으로 일하는 게 TF와는 다를 거라는 말도 기억하고 있고?"

"네."

한참 침묵을 지키던 그가 몸을 느리게 일으켰다. 내 옆을 스쳐 지나가면서 건조하게 말했다.

"책상을 옮기는 수고 하나는 덜었네요."

그가 식당 안으로 들어갔을 때에서야 나는 정신을 차렸다. 유리문 너머로 보이는 그는 벌써 자리로 돌아가 있었다. 그를 올려다본 권 대리가 고기 불판을 가리키며 뭔가 설명을 시작했다.

문을 열자마자 식당의 시끄러운 소음으로 귀가 가득 찼다. 김 주임은 내 잔을 채워 주며 이서단 씨 담배 피워요? 라고 물었다. 나는 변명 하나 생각나지 않을 정도로 대책 없었다.

장소를 옮기기 위해 식당을 나섰을 때는 벌써 9시가 넘어 있었다. 김 주임과 박 대리까지 셋이 타고 있는 좁은 택시 안에서는 술 냄새와 고기 냄새가 뒤섞여 났다. 라디오에서는 드럼이 시끄러운 가요가 흘러나왔고, 김 주임과 박 대리는 식당 안에서부터 시작됐던 대화를 불편하게 고개를 비튼 채로 이어나가는 중이었다.

고개를 옆으로 기울이면 택시의 앞유리로 한 팀장과 나머지 팀원들이 타고 있는 택시의 뒤꽁무니가 보였다. 브레이크를 밟을 때마다 빨간 꼬리등이 켜지고, 우리 택시의 헤드라이트에는 번호판이 비쳤다. 신호등에서 놓쳤을 때는 멀어지는 차를 보고 가슴이 이상

할 정도로 시큰거렸다. 제정신이 아닌 것 같았다.

도착한 바는 지하에 있었고, 보라색 조명이 매캐하고 어둑어둑했다. 계단을 내려가자 구석의 둥근 테이블에 앞 택시에 타 있던 인원이 모여 앉아 있었다.

나는 한 팀장 양쪽에 사람이 붙어 앉은 것을 힐끗 확인하고, 반대편 의자 위로 엉덩이를 붙였다. 김 주임이 뒤따라오면서 나를 더 안쪽으로 들여보냈다. 이 각도에서는 그의 얼굴도 제대로 보이지 않을 것이다. 지금이라도 핑계를 찾아 돌아 나올까 망설이는데, 메뉴를 내려다보던 한 팀장이 눈을 들었다.

"이서단 씨."

"네?"

흐릿하고 몽롱한 공기를 꿰뚫듯이 분명한 목소리였다. 나는 테이블을 짚은 채로 멎었다.

한 팀장은 몸을 옆으로 물려, 반원처럼 생긴 긴 의자 위로 마법처럼 작은 공간을 만들어 냈다. 가죽 위를 손바닥으로 툭 두드리고 나를 향해 멀쩡한 얼굴로 말했다.

"이서단 씨는 여기 와서 앉읍시다."

"⋯⋯네."

나는 비켜 주는 권 대리에게 작게 사과를 읊조리며 그의 옆으로 비집고 들어갔다. 그의 허벅지 옆으로 엉덩이가 붙었다. 들이쉰 숨에 희미한 그의 체향이 섞여 있었다. 그를 쳐다볼 수 없을 정도로 심장이 빠르게 뛰어올랐다.

나를 옆에 끼고 한 팀장은 메뉴를 펼쳐 테이블 저편으로 쭉 밀었다.

"이쪽은 결정 끝났고, 남은 사람들은 박 대리님이 의견 조합해서 알아서 시키세요. 이서단 씨는 따로 먹고 싶은 건 없습니까?"

"네, 저는 별로……."

"―그래서요, 팀장님."

옆의 권 대리가 몸을 앞으로 기울이며 그를 보고 말했다. 끊겼던 대화가 나를 양쪽에서 가로질렀다. 가시방석이었지만, 나는 자리를 옮기지 않았다. 맞닿은 허벅지에 몸을 더 가까이 붙이고 얌전히 물을 마셨다.

끝날 것 같지 않은 술자리였다. 여러 번 치미는 만류의 말을 참아야 할 정도로, 한 팀장은 따라 주는 잔마다 멀쩡하게 받아 마셨다. 나 말고는 아무도 그의 몸 상태를 걱정하지 않는 것 같았다. 팀원들은 그간의 원수라도 갚으려는 것처럼 뜻을 모아 신나게 그의 잔을 채웠고, 그는 할 때까지 해 보라는 듯이 희미하게 귀찮은 표정으로 마시기만 했다.

심지어 내 앞으로 온 잔을 그는 몇 번 가로챘다. 먹으면서 마시라며 땅콩이 들어 있던 작은 접시에 안주를 담아 내 앞으로 밀어 주었다. 벌써 한참 전에 취기로 얼굴이 붉어진 박 대리가 그걸 발견하고 팀장님은 어시간히 이서단 씨를 싸고도신다니까요, 라며 야유조로 말했다. 나는 입안이 바짝 마르는데, 한 팀장은 눈 하나 깜짝하지 않고 술병을 들어 박 대리의 잔을 채웠다. 넘쳐서 손을 적시고 박 대리가 항의할 때까지 부어 놓고는 이제 됐냐는 듯이 깔끔하게 손을 털었다.

시간이 늦어질수록 쿵쿵거리는 음악 소리가 커지고 바의 한쪽을 차지한 플로어에 사람이 많아졌다. 한참 나갔다 온 김 주임이 물을 마시러 돌아왔을 때쯤에, 한 팀장은 내 어깨에 머리를 기대고 잠들어 있었다. 내 손목을 잡아당기려던 김 주임도 멈칫 멈춰 섰다.

"저는 여기 있을게요."

몸을 뻣뻣하게 굳힌 채로 고개만 돌려 작게 말했다. 김 주임은 한 팀장의 숙인 머리를 뚫어져라 보다가 애매하게 고개를 끄덕였다.

"저러시는 건 또 처음 보네. 혼자 괜찮겠어요? 박 대리님은?"

"화장실 가신 것 같은데……. 좀 있다가, 안 일어나시면 제가 팀장님 택시 잡아 드릴게요. 다른 분들한테도 전해 주세요."

"알았어요, 수고해요."

물 반 잔을 더 마신 김 주임님이 인파를 헤치고 활기차게 사라졌다. 테이블이 텅 비자 어깨를 묵직하게 짓누르던 무게가 가벼워졌다. 발표회 때만 해도 깔끔하게 넘겨져 있던 머리가 이마를 덮을 정도로 헝클어져 있었다. 그 틈새로 날카로운 눈매가 가만히 나를 지켜보고 있었다.

"괜찮으세요?"

대꾸 없이 나를 보던 한 팀장이 다시 어깨 위로 머리를 떨어뜨렸다. 주변을 둘러봐도 아는 얼굴이 하나도 없었다. 전부 다 플로어에 나가 있는 모양이었다.

"팀장님."

그의 어깨를 애써 받쳐 올리며 말했다.

"일어나실 수 있겠어요? 저희 집에 가도 될 것 같은데."

"……이서단 씨."

"네?"

잘 들리지 않아서 귀를 가까이 댔다. 그의 고개가 갑자기 툭 떨어져서 그의 입술이 내 귀에 부딪혔다. 축축하고 뜨거운 감촉에 심장 박동이 가파르게 뛰어올랐다. 나는 그를 밀어내며 시끄러운 음악에 묻히지 않게 물었다.

"팀장님 가방은……. 겉옷은 어디에 두셨어요?"

뜨겁고 간지러운 숨이 귓속으로 흘러들었다. 나는 그의 어깨를 잡아 낑낑거리면서 일으키려다가 실패했다. 의자 저쪽에 걸쳐진 그의 겉옷을 찾아 들고, 이번에는 그의 한쪽 팔을 내 어깨에 올렸다. 물에 흠뻑 젖은 솜처럼 무거웠다.

막상 일어나자 한 팀장은 의외로 내게 무게를 싣지 않고 걸었다. 몇 번 비틀거리기는 했지만 대체로 멀쩡한 걸음걸이였다. 나는 그를 잡아끌고 계단을 하나씩 올라갔다. 한쪽 손으로 난간을 잡고, 다른 쪽 손으로 그를 부축했다.

바의 문을 열고 나오자 길가에 벌써 멈춰 서 있는 택시가 있었다. 쌀쌀한 공기에 어깨를 움츠리며 나는 뒷좌석의 문을 열어 일단 그를 앉혔다. 문을 닫고 반대편에 올라탔다.

"팀장님, 주소……."

"주소?"

여차하면 내 기억을 더듬어 설명하려 했는데, 그는 분명한 발음으로 주소를 읊었다. 차가 출발하고 나자 나는 탈진해서 늘어졌다. 속이 뒤집히고 머리가 아팠다. 눈을 감고 있어도 눈앞이 어지럽게 흔들렸다.

깜박 잠이 든 것 같았다. 진동이 느껴졌다. 택시 요금 미터기 위의 시계를 보니 15분 정도 지나 있었다. 비몽사몽 헤매는 동안 창밖에서는 노란 가로등이 하나씩 스쳐 지나갔다. 끊겼던 진동이 다시 길게 이어졌다.

손을 휘저어 보니 뒷주머니에서 빠져나온 내 핸드폰이 좌석 사이로 끼어 있었다. 나는 더듬더듬 핸드폰을 손끝으로 끄집어냈다.

눈앞으로 들어 올려 화면을 보자 그제야 정신이 번쩍 들었다. 환한 바탕에 파란 글씨로 둥둥 떠 있는 것은 여동생의 이름이었다.

"팀장님⋯⋯."

그는 잠이 들었는지 반응이 없었다. 나는 시트 한쪽 끝에 몸을 붙이고 일단 핸드폰을 귀로 가져왔다. 목소리를 낮춰 물었다.

"무슨 일이야?"

새벽이었다. 12시가 막 넘어가 있었다. 덜컹, 안 좋은 예감처럼 택시가 흔들렸다. 수화기를 타고 훅, 불안한 숨소리가 넘어왔다. 한 달 반 만에 듣는 목소리였다.

-오빠, 어디야? 왜 전화를 안 받아?

"⋯⋯벌써 한국 돌아왔어?"

-집에 왜 없어? 지금 기다리고 있는데…….

머리가 사납게 지끈거렸다. 나는 차가운 유리창에 뺨을 붙이고 집중하려고 애썼다.

"집 앞에 와 있다고? 이 시간에?"

-오빠는 언제 들어와? 어딘데, 지금?

"……올 거면 연락을 했어야지, 왜 갑자기……. 오늘은 못 들어가. 일단 집에 가고, 내일 다시 연락해서 만나."

-안 돼, 오늘 봐야 해. 왜 못 오는데? 오면 안 돼?

둘 중에서 취한 사람이 누군지 모를 정도로 막무가내였다. 차가 크게 흔들거렸다. 툭, 앞으로 기울어졌던 한 팀장의 머리가 다시 시트 등받이 위로 내려앉았다. 신호등에 멈춰 섰던 택시가 다시 속도를 내고 있었다. 내다보니 그의 집에서 멀지 않은 낯익은 교차로였다.

여동생이 높아지는 목소리로 앵무새처럼 반복했다. 지금 와? 왜 못 와. 오빠 집까지 왔는데. 드문드문 숨 가쁜 울음이 섞이는 것 같아서 나는 자세를 똑바로 고쳐 앉았다.

"말을 똑바로 해 봐. 무슨 일인데, 사고라도 났어?"

-……오면 말할게. 얼마나 걸려, 오빠? 새벽인데…….

"알았어. 그러면…… 그러면, 최대한 빨리 갈 테니까 일단 거기 있어. ……이니, 현관 번호가……."

그때 한 팀장의 손이 터뜨릴 것처럼 강하게 내 허벅지를 움켜쥐었다. 나는 소리를 지르지 않기 위해 이를 악물고 겨우 통화 종료 버튼을 눌렀다.

차가운 눈이 나를 쳐다보고 있었다. 평소의 단정한 모습은 온데 간데없이 흐트러진 채로, 그가 악문 잇새로 침착하게 물었다.

"어딜 가겠다고?"

"……저는 동생 때문에 집에 가 봐야 할 것 같습니다. 먼저 팀장님 내려 드리고─"

"지금 나를 두고 가겠다는 겁니까."

취한 사람이라고는 생각할 수 없을 정도로 분명한 발음이었다. 강한 악력으로 그가 내 손목을 잡아챘다.

"내가 가지 말라고 하면, 그래도 갈 겁니까?"

나는 입을 벌렸고, 할 말을 찾을 수 없었다.

눈이 마주쳤다. 그의 눈동자를 본 순간 온몸에서 힘이 빠져나 갔다.

"팀장님이 원하지 않으시면, 안 가겠습니다."

"가지 말아요, 그럼."

"네."

그제야 그는 나를 놓아주었다. 긴 다리를 꼬고 등받이에 기대어 앉았다.

나는 입을 잠자코 다물었다. 멍이 남을 것이 분명한 허벅지를 주 무르면서 숨을 골랐다. 핸드폰을 다시 꺼내 드는데, 그가 몸을 앞으 로 기울였다. 운전석 뒤를 잡고 그때까지의 소란에도 묵묵하게 일 관하던 운전사에게 말을 걸었다.

"차 돌리세요."

"……거의 다 왔는데, 말입니까?"

"이서단 씨, 주소 부르세요."

"네?"

"아니…… 됐습니다."

그리고 그는 내 주소를 한 자도 틀리지 않고 분명하게 읊었다. 그의 집 주차장을 코앞에 두고 택시가 유턴해서 반대 방향으로 돌아가기 시작했다. 한 팀장은 팔짱을 끼고 뒤로 기대어 앉아 눈을 감았다. 아연한 내 시선이 보이는 것처럼 덤덤하게 물었다.

"왜. 손님 하나 재울 공간 없습니까?"

"……집에 따로 이불도 없고."

"우리가 침대 따로 쓰던 사이도 아니고. 뭐가 문제입니까. 도착하면 깨워요."

나는 체념하고 핸드폰을 내려놓았다. 택시가 흔들리는 대로 몸을 맡기고 눈을 감았다.

택시가 멈춰 선 곳은 평소에 그가 나를 내려 주던 곳이었다. 문을 열기 전에 요금을 계산하고, 미동 없는 그의 어깨를 조심스럽게 흔들었다.

"팀장님, 도착했어요."

어둠 속에 희게 보이는 손을 올려 느리게 마른세수를 한 그가 차 문을 열었다. 나는 반대편으로 돌아가 일어서는 그의 어깨를 감싸 안아 부축했다.

새벽의 골목은 한적하고 싸늘했다. 나는 그를 붙든 채로 비밀번호를 눌러 출입구의 유리문을 열었다. 엘리베이터가 있는 집에 사는 것이 다행이었다. 이사 오기 전의 집이었다면 도저히 그를 데리고 올라갈 수 없었을 것이다. 버튼을 눌러 놓고 그를 옆의 벽에 힘겹게 기대어 놓았다. 창백한 조명 아래 눈 감은 서늘한 얼굴이 낯설었다.

"······팀장님."

대답 대신 반듯한 미간에 희미한 주름이 잡혔다. 어지럽고 진이 다 빠진 와중에도 심장이 속도를 높였다.

엘리베이터가 도착했다. 그를 안으로 옮겨 놓고 위로 올라가는 동안 나는 그를 부축하는 척 등에 팔을 둘렀다. 내친김에 충동적으로 가슴에 뺨을 기댔다. 낯익은 체향을 들이마시자 불안하던 마음이 천천히 가라앉았다. 목덜미에 뺨을 묻은 채로 올려다보고 입을 열었다.

"저 동생이랑 할 얘기가 있어서······."

"······."

"팀장님 주무시고 계시면······ 잠깐 나갔다가 올게요."

엘리베이터가 멈춰 섰다. 나는 마지못해 몸을 떼고, 그를 부축해 내릴 준비를 했다.

문이 열렸다. 복도 불이 환하게 들어와 있었다. 나를 보자, 현관문에 기대어 쪼그려 앉아 있던 동생이 덜컥 몸을 일으켰다. 혼자 있는 게 아니었다. 옆에 서 있는 하얀 카디건을 입은 여자가 인기척에 몸을 틀었다.

나는 어깨에 두른 그의 팔이 툭 떨어지는 것도 눈치 채지 못했다. 얼마 전에 사진을 보지 않았다면 몰라봤을 것이다. 얼굴이 달라져 있었다. 노란 복도 조명이 적나라했다. 주름지고 늙어 있는 얼굴은, 10년 만의 어머니였다.

"……오빠."

동생이 말했다. 일어서서 엘리베이터를 향해 다가왔다. 나는 물러날 데도 없는데 엘리베이터 안으로 뒷걸음질 쳤다. 닫히려는 문을 동생이 막아 냈다. 내 팔을 잡아당겨 복도로 끌어내려 했다.

"오빠, 잠깐만. 엄마가 오빠 얼굴 보겠다고 해서 온 거야. 오래 안 있을 거니까, 얘기 조금만 하자."

"할 얘기 없으니까, 돌아가시라고 해."

"엄마가 오빠 만나겠다고 여기까지—"

"나는 만날 생각 없어. 어머니 모시고 너도 집에 가."

"그래도 벌써 왔는데, 잠깐이라도……. 엄마, 이리 와서 오빠한테—"

"누군 오고 싶어서 왔어!"

어머니였다. 옆집을 다 깨울 것처럼 새되고 날카로운 목소리였다. 동생은 내 팔을 놓고 이번에는 어머니를 붙잡았다. 엘리베이터를 내가 막고 있는 걸 보고 어머니는 홱 몸을 돌렸다. 계단 난간을 잡고 성큼성큼 내려가면서 등 뒤로 쏘아붙였다.

"이서영 네가 오자고 해서 왔잖아! 집에도 안 들어오고 어디서 나가 자는 놈을 내가 왜 복도에서 몇 시간씩 기다려, 내가 뭐가 아쉬 워서!"

"엄마, 그러지 마, 좀! 오빠 이제 왔잖아."

"내가 오고 싶다고 했어? 네가 오자고 했지! 집에 있을 때 왔으면 아주 문전박대를 하겠네!"

"아, 엄마! 오빠, 거기 서 있지 말고, 엄마 못 가게—"

코미디였다. 계단을 내려가려다가 어머니는 힐이 벗겨졌다. 동생 은 막무가내로 어머니의 팔을 붙잡고 끌어당기다가 울음이 터졌다. 나를 보고 질질 울었다. 눈물, 콧물로 범벅이 된 여동생의 얼굴이 복 도의 조명 아래서 샛노랗고 낯설었다.

엘리베이터 문이 닫히려다가 다시 덜컹 열렸다. 뒤에서 뻗어 나온 손이 아니었다면 나는 그대로 멍청하게 서 있었을 것이다.

"이서단 씨."

한 팀장이었다. 잠시 눈을 감았다 뜬 그가 언제 취했냐는 듯이 멀 쩡하게 내 앞을 가로막았다. 어머니가 고개를 들어 그를 발견하고 멈칫했다.

"이건 또……. 너 지금 어디 가서 뭘 하다가 집까지 남자를 끌고 들어와!"

한쪽 힐이 벗겨진 어머니가 계단 난간을 붙잡고 악을 썼다.

"가족이 집 앞에서 기다리고 있다는데 어떻게 여기까지 남자를 데려와? 서영이 보기에 부끄럽지도 않아?"

"엄마, 진짜 그만해!"

동생은 어머니의 팔을 붙들고 울었다. 나는 그제야 정신이 돌아왔다. 발밑이 꺼져 버렸으면 좋겠다고 생각할 정도로 얼굴에 열이 몰렸다.

입을 열었는데 아무 말도 나오지 않았다. 눈을 들어 올리니 한 팀장이 물끄러미 나를 보고 있었다. 다른 무엇보다 그가 모든 걸 보고 있다는 게 끔찍했다. 수치스러웠다. 목에 돌덩이 같은 게 걸려 숨이 쉬어지지 않았다.

벌벌 떨리는 손으로 그의 팔을 떠밀었다. 그를 볼 수가 없어 발치를 보면서 말했다.

"잠시만, 안으로 들어가 계시면."

"거기 가만히 있어요."

어깨에 잠시 그의 손이 닿고 떨어져 나갔다. 그리고 그는 내게서 등을 돌려, 나를 남겨 두고 악몽과도 같은 풍경 속으로 스스로 걸어 들어갔다. 헝클어진 머리로 질질 울고 있는 여동생을 지나쳐, 층계참에서 내 어머니에게 손을 내밀었다. 이게 대낮에 벌어진 상식적인 상황인 것처럼 무심하게 말했다.

"이서단 씨 상사인 한주원입니다. 이서단 씨가 참여한 TF의 팀장을 맡고 있습니다."

주머니를 잠시 뒤적거린 그의 손에는 명함이 들려 있었다. 어머니는 할 말을 잃은 것처럼 그가 청한 악수를 받았고, 그가 내민 반듯한 하얀 카드를 받아 들었다. 한 팀장은 자연스럽게 악수하던 손으로 어머니의 팔을 잡아 계단 위로 부축했다. 몸을 굽혀 어머니의 구두를 집어 들며 설명했다.

"회식이 끝나고 집이 가까운 이서단 씨에게 신세 좀 지려던 참이었습니다. 프로젝트가 오늘 끝나서 뒤풀이가 길어졌습니다. 미리 연락 주셨으면 이서단 씨를 집에 먼저 보냈을 텐데, 기다리시게 해서 죄송합니다."

"……늘 신세가 많습니다."

어머니가 잠긴 목소리로 말했다. 나는 헛웃음이 터졌다. 한 팀장은 주머니에서 손수건을 꺼내 여동생에게 내밀고, 여동생이 얼굴을 닦아 내는 동안 기다려 주었다. 나를 돌아보고 평소와 같은 얼굴로 말했다.

"어머님과 동생 데리고 들어가서 얘기하세요. 나는 근처에 있을 테니까, 필요하면 부르고."

"아니요, 그렇게는……."

"아닙니다, 할 얘기 없어요. 집에 갈 거니까, 서영이 너도 이리 와."

어머니였다. 한 팀장의 손수건을 꾸깃꾸깃 접고 있던 여동생이 그 말에 고개를 번쩍 치켜들었다.

"왜? 싫어, 나는 오빠랑 할 얘기 있어."

"그럼 너는 얘기하고 와, 엄마는 지금 집에 갈 거니까."

"어떻게 나만 여기 있어? 엄마는 또 혼자 어떻게 들어가려고?"

"너, 지금 엄마가……!"

그때, 한 팀장이 벽의 표면에 기댄 손가락을 가볍게 두드렸다. 어머니와 여동생은 동시에 말을 멈췄다. 회의실의 한 장면처럼 비현실적이었다.

"어머님은 제가 택시까지 바래다 드릴 테니까, 서영 양은 오빠 데리고 들어가서 얘기하세요."

"……진짜 그래도 괜찮아요?"

나는 입을 열었다. 말도 안 되는 일이었다. 하지만 한 팀장은 순순한 어머니의 팔을 이끌고 몸을 틀어, 엘리베이터 앞에 선 나를 가볍게 옆으로 밀어냈다.

"집에 들어가 있어요. 연락할 테니까."

"팀장님……."

단정한 손가락으로 엘리베이터 버튼을 누르면서, 그가 내 귀에만 닿을 낮은 목소리로 말했다. 괜찮습니다, 걱정할 것 없어요. 그 말에 나는 몸에서 힘이 빠져나갔다. 혀에 힘이 풀려 아무 말도 할 수 없었다.

어머니는 내게 시선도 주지 않고 그의 팔에 이끌려 엘리베이터에 올랐다. 문이 닫혔다. 엘리베이터의 숫자가 아래로 내려가기 시작했다.

"……오빠."

내가 대답하지 않자 여동생은 훌쩍, 손수건으로 콧물을 닦아냈다.

"오빠, 엄마가 오빠 만나 보고 싶다고 해서 온 건데……."

"……집에 들어와, 일단."

다문 잇새로 천천히 숨을 내쉬었다. 눈을 감았다 떴다. 팀장님의 겉옷이 아직 내게 있었다. 복도도 추운데 밖은 더할 것이다. 현관 키패드를 올리고, 번호를 찍어 눌러 문을 열었다. 어제 청소하다 말고 내버려 둔 집 안이 오늘따라 더 서늘하고 살풍경했다.

여동생은 말없이 신발을 벗고 따라 들어왔다. 나는 집 안의 조명등을 있는 대로 다 켰다. 그의 옷을 구김이 지지 않게 현관 옆에 걸쳐 놓았다.

"······저분이, 오빠가 있는 팀 팀장님이야?"

부은 눈을 하고 여동생이 물었다. 아직도 손에 축축한 손수건을 그러쥐고 있었다.

"저분 진짜, 장난 아니다······."

"앉아. 할 얘기 있다며."

"오빠 저분이랑 사귀어?"

"이서영!"

여동생이 움찔 튀었다. 닫힌 현관문을 바라보던 시선이 내게로 돌아왔다.

"왜 그래? 아니면 아닌 거고······. 물어볼 수도 있는 거잖아."

"그걸 말이라고 해, 지금?"

목소리 끝이 날카롭게 갈라졌다. 쇳소리가 났다. 여동생은 알았어, 라고 재빨리 말했다. 바닥의 쿠션 위로 걸터앉아 눈을 내리깔고 이따금씩 나를 힐끔거렸다.

눈꺼풀이 무거웠다. 아무것도 더 하고 싶지 않을 정도로 지독한 피로감이 밀려왔다. 나도 이런데, 그는 어느 정도일지 상상도 되지 않았다.

"······오빠."

여동생이 작게 말했다.

"나 물 한 잔만 마셔도 돼?"

"부엌 있잖아. 네가 알아서 꺼내 마셔."

평소라면 항의했을 여동생은 잠자코 부엌으로 갔다. 발소리가 희미해졌다. 나는 눈을 감고 찬장이 열리는 소리, 달그락거리는 소리를 들었다. 잠시 조용하다가, 발소리가 다시 가까워졌다.

"오빠, 컵을 못 찾겠어······."

나는 대꾸 없이 일어섰다. 눈을 뜨자 여동생의 얼굴이 창백했다. 양 갈래로 묶은 머리가 삐져나와 헝클어져 있었다.

울 듯한 표정으로 벽에 붙어 서 있는 여동생을 남겨 두고 좁은 부엌으로 들어갔다. 머그잔을 꺼내 생수통에서 물을 반 정도 채웠다. 부엌에 작게 난 창문으로 주차장이 내다보였다. 헤드라이트를 하얗게 켠 차가 주차장 안으로 들어와 있었다. 택시인지는 알 수 없었고, 그의 모습은 보이지 않았다.

싱크대를 짚은 내 손이 하얗게 질려 있었다. 물을 틀어 얼굴에 찬물을 조금씩 끼얹었다. 수도의 편편한 손잡이에 내 얼굴이 자그맣게 맺혀 있었다.

"앉아."

좁은 앉은뱅이 테이블에 머그컵을 내려놓았다. 여동생은 말없이 건너편의 방석 위로 엉덩이를 붙였다. 얼굴에 운 기색이 역력했다.

잔을 집어 들어 물을 몇 모금 마신 여동생은 나를 쳐다보지 않고 시선을 내렸다. 벽시계의 초침이 째깍째깍 넘어갔다. 나는 먼저 입을 열었다.

"공항에는 언제 도착했어."

"오늘 아침에."

올려다보지 않고 여동생이 말을 이었다.

"아침에 도착하고, 공항에서 친구들이랑은 흩어지고…… 집에 가서 계속 잤어. 시차 적응이 안 돼서……."

"여행은. 잘 마무리했어?"

"……응."

침묵이 내려앉았다. 콜록, 하고 여동생이 마른기침을 했다. 홀쭉한 뺨이 부풀었다. 나는 주머니에 있던 핸드폰을 꺼내 허벅지 위로 놓고 들여다봤다. 전화도 문자도 없이 화면이 깨끗했다.

딸꾹질 소리에 눈을 들었다. 잔으로 얼굴을 반쯤 가린 채로 여동생이 어느새 울고 있었다.

"왜 또 그래."

"진짜로 나는, 오빠가 그렇게까지 싫어할 줄 모르고……."

식탁에 휴지가 없었다. 나는 몸을 일으켜 부엌에서 휴지 상자를 갖다가 여동생 앞으로 놓아 주었다. 손가락으로 눈물을 닦아 내던 여동생이 휴지를 뽑아 코를 풀었다.

"엄마가, 아까 밤에 나한테 갑자기, 오빠한테 전화했다고…… 그래서 내가 너무 화가 나서……."

"물 더 마셔."

"오빠한테 사과해야 한다고 내가 그러니까, 엄마가 그렇게 하겠다고 했어. 아빠도 그게 맞다고 해서 온 건데……. 왔는데 오빠가 없어서……. 전화했는데도 안 받고, 계속 기다려야 하니까……."

띄엄띄엄 말이 끊어졌다. 목소리가 갈라지고 비죽비죽 튀었다.

"나는 오빠한테 혹시 남는 돈 있으면 유학비 빌려줄 수 있냐고 나중에 물어보려고 했긴 했는데, 진짜 그냥 달라고 할 생각은 없었어. 진짜로…… 그건 엄마가 잘못 알아들은 거야."

"알았어."

"엄마도 잘못 생각했다고, 사과할 거라고 했는데, 오빠가 그렇게 나오니까 자존심 상해서—"

"자존심은 내가 상해야지 왜 엄마가 상해."

"아빠가, 이제 와서 어디 손 벌리냐고 막 소리 지르고……."

거기까지 말하고 여동생은 다시 딸꾹질했다. 나는 눈을 감았다. 눈꺼풀 안쪽에 지렁이가 꿈틀거리듯이 긴 그림자가 지나갔다. 새까맣게 현기증이 일었다.

"할 얘기는 그게 다야?"

헛것처럼 잔상이 어렸다. 어머니의 팔을 잡아끄는 그의 눈, 그의 표정.

"아니면 돈 빌려달라고 말하고 싶어서 온 거야?"

"그런 게 아니라, 오빠가 오해한 것 같아서……."

"오해한 것 같아서? 연락도 없이 새벽에 집 앞까지 와서, 상사 앞에서 나를 그 꼴로 만들어 놓고, 겨우 하고 싶은 말이 그거야?"

"……."

"너한테는, 그따위 일이 어머니까지 끌고 와서 당장 해결을 봐야 할 정도로 중요했어?"

여동생은 우는 것도 그치고 눈을 크게 떴다. 내 반응을 이해하지 못하겠다는 듯이, 희게 질린 입술을 달싹이면서 나를 올려다봤다.

그리고 나는 불현듯 알 것 같았다. 한 발짝 물러서서 지켜본 타인처럼, 갑자기 모든 게 선명했다.

돈이 필요하다고 전화하고, 새벽에 연락도 없이 집까지 찾아오고. 전부 그럴 만했다. 내가 그동안 큰소리 한번 지르지 않았기 때문이다. 끝내는 부탁을 거절하지 못했기 때문에, 뜸을 들이고 미지근한 여지를 남겨 두었기 때문에.

입으로는 가족을 끊어 냈다고 말했다. 그러면서 여동생이 드물게 전화할 때마다 달려 나갔고, 스터디나 알바를 빠지면서까지 만났다. 대학교 시절 알바비를 못 받아 밥을 굶고 있었을 때도 여동생에게는 밥을 사 주었다. 영화를 보여 주고 역 옆의 가게에서 귀걸이를 사 주었다. 다른 오빠라면 그렇게 했을 거라는 생각에, 나도 그러지 않으면 안 될 것 같았다.

손해 보는 관계, 늘 기다리고 늘 참고 불만조차 말할 수 없는 불균형의 관계. 그건 내가 자처한 역할이었다. 자처한 취급이었다. 여동생의 잘못은 아니었다. 남아 있는 가족은 세 명이었고, 떠나온 나는 혼자였기 때문이다. 여동생은 집에 가면 기다리는 부모님이 있었고,

나는 아무도 없는 좁은 자취방으로, 고시원으로 귀가했기 때문이다. 나에게 남은 끈은 여동생이 유일했는데, 여동생은 그렇지 않았다. 나에게는 더 이상 없는 가족도 친구도 여동생에게는 충분했다.

그래서 가끔 필요한 게 생길 때마다 나를 돌아봤을 뿐이다. 아무 말 못 하고 가만히 기다리는 나를 그때마다 불러냈을 뿐이었다.

"내가 너를 어떻게 생각하든 말든, 그게 나한테 뭐가 그렇게 중요한 일이겠어."

"……오빠."

"너를 위한 일이겠지. 내 기분의 문제가 아니라. 그게 아니면, 내 사정부터 생각했어야지. 내가 회사에서 요즘 뭘 하는지, 오늘은 왜 늦게 들어오는지, 알아볼 생각이라도 들었으면 그렇게 막무가내로 안 왔겠지."

"그건 오빠가 엄마랑 같이 온다고 하면 안 만난다고 할까 봐……."

"만나든, 안 만나든, 그걸 네가 왜 마음대로 결정해. 당사자도 아닌 네가 무슨 상관이라고."

입을 다문 여동생의 눈이 붉게 충혈되어 있었다. 나는 식탁 위에 펼친 내 손바닥을 내려다봤다.

어쩌면 처음부터 알고 있었다. 알면서도 미적거렸던 것은, 끈을 자르고 싶지 않았기 때문이다. 연결된 고리를 남겨 두고 싶었기 때문이다. 늘 약자가 되는 볼품없는 관계라도 좋았다. 나는 그거라도 갖고 싶었다. 지푸라기처럼 손 뻗어 하염없이 붙잡고 싶었다.

그것마저 끊어져 버리면 그때는 정말로 혼자가 될 것 같았다.

넓고 깜깜한 우주에 혼자 내버려진 것처럼, 아무런 소리도 들리지 않을 것 같았다.

"……여기까지만 하자, 서영아."

"오빠."

"벌써 십 년이나 지났고, 이제 와서 다시 부모님 만나 뵌다고 해도 예전으로 못 돌아가. 그러니까 네가 그런 걸 기대하고 나랑 연락을 계속해 온 거면, 이제 그만해. 어머니가 나 없는 자식 치듯이, 너도 오빠 처음부터 없었던 걸로 해."

"그게 어떻게 그렇게 돼?"

큰 눈동자가 부풀고, 눈물이 툭 터져 흘러내렸다.

"그리고 오빠도 그러고 싶어했잖아. 처음에 독립해서 나갔을 때는 엄마랑 연락됐으면 좋겠다고 생각했잖아, 그동안도 계속 말은 안 해도……."

"그랬는데, 이제는 아니야. 지금은 필요 없어."

말하면서도 그게 사실이라는 것을 깨달았다. 불과 몇 주 전만 해도 텅 빈 자존심이었을 말을 이제는 온전한 형태로 입안에 머금을 수 있었다.

수틀리면 나를 지하실에 가두겠다는 남자가 어느새 나의 모든 끈을 쥐고 있었기 때문이다. 그래서 처음으로 다른 모든 것을 놓을 수 있었다. 손아귀의 힘을 풀어도 몸이 허공으로 떠오르지 않았다. 맨발바닥이 땅에 묵직하게 닿아 있었다.

나는 몸을 일으켜 책장 위에 있는 백화점 봉투를 집어 왔다. 여동생의 눈이 나를 따라 들렸다.

"졸업 선물인데, 취향을 모르겠어서 무난한 걸로 샀어. 안에 영수증 들었으니까 마음에 안 들면 가서 바꿔."

"⋯⋯오빠—"

"졸업식 못 가서 미안해. 대신 앞으로 언제가 되었든 전시회는 갈게. 결혼식에 와 달라고 하면 가고, 오지 말라고 하면 안 갈게. 부모님 장례, 혼자 치르기 힘들면 같이 해 줄게. 가족으로서는 서로 그 정도만 하자, 앞으로."

여동생은 입을 열었다가 다시 다물었다. 퉁퉁 부은 눈두덩이를 하고 내가 팔에 걸어 주는 봉투를 내려다봤다. 나는 테이블 위에서 물이 남아 있는 컵을 수거해 부엌으로 가져갔다.

"늦었으니까 이제 가. 택시 번호 적어서 문자로 보내. 집에 도착했다고 연락 주고."

한참의 침묵이 지나고, 등 뒤로 일어서는 인기척이 들렸다. 불규칙적인 발소리, 현관에서 신발을 신는 부스럭거리는 소리가 났다.

현관문이 열리고 닫혔다. 나는 개수대에 넣은 컵 위로 수도를 틀었다.

✳

그는 세 번만에 전화를 받았다. 지나가는 차량의 소음이 안개처럼 전화선에 뿌옇게 고였다. 희미한 경적 소리가 들리고, 멀어졌다. 내쉬는 숨소리, 바람 소리. 나는 듣기 위해 숨을 죽였다.

"……새벽인데."

나는 말했다. 그는 대답하지 않았다.

"멀리 가신 건 아니죠?"

―…….

"제가…… 마중 나갈까요?"

―……글쎄.

말투가 느리고 불분명했다. 수화기 너머로 탁한 소음이 끼어들었다. 사람들이 떠들썩하게 웃는 소리, 술에 취한 목소리가 스쳐 갔다. 그가 수화기를 손으로 덮었는지 부스럭, 하고 조용해졌다. 나는 다시 물었다.

"팀장님, 지금 어디세요?"

―……먼저 쉬고 있어요.

"들어오실 거면―"

전화가 끊겼다. 나는 다시 통화를 눌러 봤지만 그새 그는 핸드폰을 꺼 둔 모양이었다. 기계적인 목소리의 안내음을 듣다가 멍하니 핸드폰을 바닥에 내려놓았다.

테이블 위의 휴지 뭉치를 모아 버렸다. 동생이 앉아 있던 자리에서 팀장님의 구겨진 손수건을 집어 들어 빨래 바구니에 넣었다. 침실로 들어가 흐트러진 이불 귀퉁이를 주름지지 않게 손바닥으로 매만져 내렸다.

오래 지나지 않았을 것이다. 그는 벨을 누르는 대신 문을 두 번 두드렸다. 현관 옆 쿠션에 앉아 불편하게 졸고 있던 나는 금세 문을 젖혀 열었다. 문틈으로 얼굴을 내밀고 올려다보다가, 뒤늦게 깨닫고 문을 밀어 열며 비켜섰다.

"들어오세요."

한 팀장은 움직이지 않았다. 바닥에 붙은 듯 떨어지지 않는 구두를 내려다보고 시선을 들었더니, 그의 눈이 내 얼굴에 뚫어져라 고정되어 있었다.

낯선 것을 보듯이 새까맣고 서늘한 시선이었다. 발치까지 한 번 훑어 내린 눈이 내 얼굴 위로 길게 머물렀다. 그 너머의 것을 끄집어낼 듯이 집요하게 내 눈을 뒤쫓아 왔다. 나는 이유 없이 목이 꽉 막혀 입을 다물었다.

그때 그가 불쑥 움직였다. 옆을 스치는 옷깃에 찬바람이 묻어 들어왔다. 독한 술 향이 훅 풍겼다.

그는 더 들어가지 않고 현관에 멈춰 서서 거실을 빙 둘러봤다. 방이라고는 미닫이문으로 구분된 침실 하나 달랑 있는, 가구라고는 책장 몇 개와 앉은뱅이책상 하나가 전부인 좁은 공간을 찬찬히 훑었다.

나는 현관 벽에 등을 붙였다. 한 팀장의 시선이 내게로 돌아올 때까지 기다렸다. 어느덧 멀쩡해진 얼굴로 그는 나를 물끄러미 쳐다보고, 간단하게 평했다.

"이서단 씨다운 집입니다."

"……그렇다고 생각하세요?"

그는 구두를 벗어 옆으로 밀어 두었다. 좁은 거실에 장신의 남자가 서 있자 집이 확 좁아진 것 같았다. 천장이 낮아진 것 같은 느낌에 나는 그의 머리 위를 힐끔 올려다봤다.

내가 매일 생활하고 잠을 자던 곳에 그가 있는 것은 이상한 일이었다. 내가 현관에 멈춰 서 있는 동안 한 팀장은 집주인처럼 편하게 가장 큰 방석 위에 털썩 기대어 앉은 후 무심한 시선을 던졌다.

"계속 거기 서 있을 겁니까?"

"차라도 드릴까요?"

나는 반사적으로 물었다. 다른 사람도 아닌 그에게서 배운 것이었다. 그는 고개를 짧게 흔들었다.

"차는 됐고, 물 한 잔만 부탁합니다."

"네."

부엌으로 향하는데 등 뒤에서 그가 물었다.

"먼저 씻어도 되겠습니까?"

"……네. 저쪽 문이 욕실인데……."

방향을 틀어 욕실 문을 열면서 낯설음의 정체를 깨달았다. 그와 함께 있었던 곳은 늘 그가 정한 호텔방이었고, 그의 집이었고, 그가 내 상사인 회사였다. 내가 집주인이고 그가 손님이 되자 뒤바뀐 역할이 어색했다. 욕실 거울을 보고 몰래 콧등을 구겼다. 서랍을 뒤적거려 새 칫솔을 찾아냈다. 칫솔모가 검은색이었다.

"칫솔은 이거 쓰시고, 수건은 이쪽에…… 큰 걸로 쓰세요. 옷은 갈아입으실 수 있게 제가 찾아보겠습니다. 좀 큰 수면바지나……."

꿇어앉아 수건 서랍을 들여다보며 말하다가 올려다보니, 욕실 문턱에 기대어 선 그가 나를 또 뚫어져라 보고 있었다. 눈이 마주치자 나는 하던 말을 잊었다.

"속옷은."

그가 물었다.

"이서단 씨 속옷을 입게 해 주는 겁니까?"

"……새 걸로 찾아 드리겠습니다."

의식하지 않으려 해도 귓바퀴에 열이 올랐다. 꿇었던 무릎을 서둘러 일으켜, 그의 옆을 스쳐 지나가려 했다. 그때 그가 한쪽 팔을 슥 뻗어 문을 가로막았다.

그의 소매 단추가 풀려 있었다. 드러난 맨 팔뚝에 시선을 고정하고 나는 바짝 굳은 채로 기다렸다. 내 머리통을 내려다보면서 그가 느리게 읊조렸다.

"공평하네요. 이서단 씨가 내 집에 오니 내 옷을 입고, 나는 이서단 씨 집에 와서 이서단 씨 옷을 입고."

"……네."

"내 집에 아직도 이서단 씨 짐이 있을 텐데."

그렇게 말하고 그는 내 앞을 가로막은 팔을 치웠다. 내가 지나가자 욕실 문을 닫았다. 곧이어 샤워기의 물소리가 희미하게 들렸다.

발음은 명료했지만 취한 것 같았다. 나는 부엌으로 가서 유리로 된 큰 컵에 물을 가득 받았다. 테이블 위에 내려놓고 방으로 들어갔다. 맨 아래 서랍 구석에는 어렴풋이 기억났던 대로 사이즈가 너무 커서 입지 못했던 수면바지가 있었다.

"이서단 씨 취향이 심히 의심스럽습니다."

욕실에서 나오자마자 그는 말했다. 그래 봤자 수면바지치고는 크게 특이할 것도 없었다. 연두색 바탕에 하얀 토끼가 여러 마리 그려져 있었는데, 그에게 약간 작았다. 발목에서 바지 밑단이 뚝 끝났다. 수건으로 젖은 머리를 닦는 그의 표정이 슬쩍 찌푸려져 있어서 나는 실없는 웃음이 터질 것 같았다.

"먼저 주무세요. 테이블에 물컵 놔뒀습니다."

그는 대답 없이 내 옆을 스쳐 지났다. 물컵을 집어 드는 그의 등을 쳐다보다가 나는 욕실로 들어갔다.

뜨겁고 습한 물기가 벌써 들어찬 곳에서 샤워를 마치고 이를 닦았다. 그가 사용한 칫솔이 내 칫솔꽂이에 나란히 꽂혀 있었다. 수건을 들고 문을 열고 나왔는데, 집이 어두웠다. 식탁 쪽의 조명만 하나 들어와 있었고, 그의 모습은 없었다.

현관을 먼저 돌아봤다. 아까 본 그의 신발이 그대로 놓여 있었다. 부엌에도 그는 없었다. 불 꺼진 침실의 문 틈새에서 어둠이 얇게 새어 나왔다. 나는 숨을 길게 내쉬었다.

식탁 조명을 끄자 집이 완전히 어두워졌다. 손끝으로 조명 스위치에서부터 벽을 길게 따라 그려 찾아낸 미닫이문을 조심조심 열었다. 검고 따뜻한 물 같은 어둠이었다. 감각에 의존해 좁은 침대까지 눈을 감고 걸음을 옮겼다. 허벅지에 매트리스가 부딪히자, 보이지 않아도 그가 옆에 있음을 알 수 있었다.

이불을 걷어 내고 몸을 들이자마자 단단한 팔이 내 허리를 감아 왔다. 부드러운 수면바지를 입은 그의 다리가 내 다리와 얽히고, 가슴이 꽉 밀착되어 맞닿았다. 나는 뜨거운 목덜미에 뺨을 기댔다.

"이서단 씨."

그때 잠든 줄 알았던 그가 내 귀에 대고 말했다.

"동생과는 얘기가 잘 끝났습니까?"

질문이었는데, 그 끝은 대답을 기대하지 않는 것처럼 평평하게 늘어져 있었다. 나는 숨을 내쉬었다. 그에게 되물었다.

"팀장님은 어디 있다가 오셨습니까?"

그는 대답하지 않았다. 크고 따뜻한 손바닥이 내 등을 문지르고, 나를 더 가까이 당겨 안았다. 혀끝까지 말이 치밀었을 때쯤 그가 태연하게 대답했다.

"옆집 강아지를 훔쳐 간 중학생들을 이서단 씨가 쫓아가서 잡았다면서."

"……아."

"어렸을 때도 그렇게 미련해 터진 성격이었습니까."

관자놀이에 까슬한 입술이 부드럽게 닿았다.

"나는 애들을 별로 안 좋아하지만…… 이서단 씨는 귀여웠을 것 같은데."

낮게 잠긴 목소리였다. 나는 입을 열었다가 다물었다. 가만히 그에게 몸을 더 가까이 기댔다.

"저도 팀장님이 어리셨을 때……."

"어리셨을 때?"

어감이 이상한지 그가 느릿하게 반복했다. 웃었다. 숨결이 내 뺨에 닿아 흩어졌다. 치약 향, 술 향, 체향. 따뜻했다. 다 좋았다. 손해 보는 관계, 늘 기다려야만 하는 불균형의 서글픈 굴레를 다시 한번 스스로 택할 정도로, 그가 좋았다.

그의 입술이 어루만지듯이 내 이마를 쓸었다. 콧등을 타고 내려와 입술에 가볍게 맞물렸다. 내 머리를 감싸 안아 가슴에 묻게 하고, 그가 나직하게 말했다.

"어렸을 때의 나를, 이서단 씨는 별로 좋아하지 않았을 겁니다."

고개를 들려 했지만, 그가 내 머리를 쓰다듬으면서 내리눌렀다. 어둠에 눈이 적응할수록 흐릿하게 모든 것의 윤곽이 보였다.

"기억나는 일이 있습니다."

그가 내 귀에 대고 느리게 말했다.

"어렸을 때 일은 대부분 잊어버렸는데…… 이건 기억이 납니다. 계속 같은 집에 살다가 새 동네로 이사를 갔던 날이었는데…… 어렸을 때는 몇 시간씩 혼자 산책하는 버릇이 있었습니다. 이삿짐은 어른들이 풀게 두고, 동네를 혼자 헤매고 다녔는데……."

"……."

"어떤 집에…… 마당이 있었습니다. 담장에 장미가 많고…… 정원사를 두고 제대로 꽃을 가꾸는 집이었을 겁니다. 색색으로…… 담장 바깥쪽에도. 거기를 지나가다가……."

눈을 깜박였다. 몸이 물에 잠긴 것처럼 묵직한 물살이 느껴졌다. 끌려 내려가듯 무거운 눈꺼풀이 천천히 내려앉았다.

"……꽃을 봤습니다. ……이렇게만 말하면 실감이 안 날 텐데, 평생 한 번도 그런 꽃은 본 적이 없었습니다. 꽃에 관심이 없는 남자아이가 봐도, 하루 종일 들여다보고 싶을 정도로…… 집에 가기 싫을 정도로. 그렇게 완벽한 게 딱 한 송이 있었습니다."

"……."

"이서단 씨라면, 어떻게 했을 것 같습니까?"

난데없는 질문에 나는 눈을 잠시 떴다가 감았다. 머릿속으로 상상이 어려운 그림을 뭉쳐 가닥가닥 조립하려 애썼다.

"매일 와서 들여다보지 않았을까요? 꽃이 질 때까지는……."

"……."

"시간이 날 때마다 산책을 나와서…… 아침, 점심, 저녁마다 나오면 되니까."

그가 웃었다. 온기가 고스란히 묻어나는 웃음이었다. 다 웃고 나서는, 이서단 씨답습니다, 라고 말해 주었다.

나는 눈을 뜨지 않고 기다렸다. 까마득하게 답을 알 것 같았다. 얇아진 휘장을 걷어 내듯이, 그 너머의 어둠을 예감했다.

"꺾어 가셨어요?"

몰었다. 내 심상 소리가 내 귀에 쿵쿵 울렸다. 그는 어둠 속에서 가볍게 한숨을 내쉬었다.

"꺾긴 했습니다."

눈꺼풀 안쪽으로 검은 그림자가 몰려들었다. 입을 열려고 숨을 들이마셨는데, 그가 덤덤하게 덧붙였다.

"꺾어서, 밟았습니다. ……꽃잎이 다 찢겨 나갈 때까지 운동화로 밟고, 뒤꿈치로 짓이겼습니다. 제자리에서 뛰고, 뭉개고……. 남은 것은 손톱으로 찢었습니다. 손톱 밑에 새빨갛게 물이 들어서, 며칠은 안 빠졌을 정도로……."

"……."

"그래서…… 그런 얘깁니다. 어렸을 때의 나를 만나 봤자, 이서단 씨는 별로 좋아하지 않았을 겁니다."

눈을 떴다. 새벽의 흐릿한 어둠 속에서 그가 나를 내려다보고 있었다. 모든 꺼풀을 벗겨 낸 날 것의 눈동자를 마주하고, 나는 순간적으로 숨을 쉬는 방법을 잊었다.

눈이 떠지기 전에도 빛깔이 느껴졌다. 커튼의 틈새로 새어들어 얼굴 위로 떨어지는 햇빛은 오후의 노란색이었다. 비몽사몽한 와중에 가장 먼저 든 생각은 회사에 늦어도 제대로 늦었다는 생각이었다.

스프링처럼 반사적으로 튕겨 오르던 몸이 단단한 것에 가로막혔다. 나는 눈을 떴고, 허리를 두른 팔을 확인했다. 몸이 그의 팔과 가슴이 만든 울타리 안에 꼼짝없이 갇혀 있었다.

그제야 깨달았다. 프로젝트는 끝나 있었다. 오늘은 몇 주 만에 출근하지 않아도 되는 토요일이었다.

몇 번 뒤척이다가 몸을 바로 눕히고 천장을 올려다봤다. 하루 사이 들었던 말들, 내뱉었던 말. 엉킨 소리들이 메아리처럼 귓가에 넘실거리고 있었다. 큰 감정 없이 처러 낸 일들이 미룬 만큼 불어난 무게로 나를 짓눌렀다. 숙취처럼 뒤늦게 가슴을 짓밟고 지나갔다.

나는 한참 동안 눈을 감았다가 떴다. 한 팀장의 자는 얼굴을 올려다봤다. 모양 좋은 입술이 굳게 다물려 있었고, 곧게 뻗은 콧날 끝에 햇빛이 반짝거렸다. 나는 조심스럽게 손을 뻗어 거뭇거뭇해진 그의 턱을 매만지고, 손끝을 떼어 냈다.

꾸물꾸물 조금씩 그의 팔 밑으로 빠져나갔다. 숨을 멈췄다가 꾸물거리고, 다시 멈췄다가 꾸물거리는 것을 반복했다. 내내 지켜본 그의 얼굴은 동요 없이 편안했다. 몸을 일으키며 매트리스가 삐걱거렸는데도 그는 미동이 없었다. 나는 너무 오래 자서 뼈가 녹은 것처럼 흐물거리는 다리로 침실을 빠져나갔다.

미닫이문을 닫고 바닥에 굴러다니는 핸드폰을 집어 들었다. 오후 3시 반. 배터리에 빨갛게 비상등이 들어와 있었다.

나는 거실 바닥에 한참 앉아 있다가 냉장고와 찬장을 차례로 열어봤다. 결국 겉옷을 잠옷 위로 대충 두르고 양말도 없는 슬리퍼 차림으로 집을 나섰다. 가까운 편의점에는 작은 용기에 포장된 호박죽도 있었고 전복죽도 있었다. 숙취해소제, 두통약, 담배 두 갑, 막대사탕 두 개. 죽을 종류별로 하나씩 집어 오자 비닐봉지가 묵직했다.

그의 신발은 아직도 좁은 현관에 그대로 놓여 있었다. 턱까지 차오른 숨을 천천히 고르면서 호박죽을 데워 먹었다. 플라스틱 스푼이 물면 깨질 것처럼 얄팍했다.

빈 그릇을 개수대에 버려두고 나서 나는 책장에서 작년 연말쯤에 읽다 만 책을 끄집어내 침실로 돌아갔다. 자고 있는 그의 얼굴을 한 번 들여다보고, 바닥에 앉아 침대에 등을 기댔다. 등 뒤에서 희미하게 들려오는 규칙적인 숨소리가 사각사각 종이 넘어가는 소리와 섞였다.

어깨를 넘어 불쑥 팔이 시야를 침범한 것은 4시 반이 조금 넘어서였다. 책을 가리듯이 손을 펼쳐 놓고 그가 잠긴 목소리로 물었다.

"몇 시?"

"……아직 다섯 시는 안 됐어요."

나는 돌아봤다. 베개에 아직 뺨을 묻고, 반쯤 감긴 눈으로 그가 나를 지켜보고 있었다. 미간에 파인 골을 보고 나는 망설이다가 물었다.

"머리 아프세요?"

"……생각했던 것보다는 괜찮습니다."

중저음의 목소리가 완전히 잠겨 있었다. 선명하게 드러났던 눈동자가 다시 눈꺼풀 아래로 스르륵 숨었다. 눈을 감은 채로 그가 물었다.

"이서단 씨는 괜찮습니까."

"네, 저는 어제 얼마 안 마셨습니다."

"……그 얘기가 아니라."

그는 단어를 고르듯이 미간을 느리게 찌푸리고, 끝내 입을 열지 않았다. 나는 책을 덮어 무릎 위로 내려놓고 몸을 일으켰다.

"물 갖다 드릴게요. 죽도 있는데 인스턴트라…… 싫으시면 밥 먹으러 나가도 괜찮을 것 같아요. 얼추 저녁시간이니까."

"……."

"아니면 시켜 먹을까요? 요즘은 해장국도 배달하던데……."

"이서단 씨."

그가 늘어지던 내 말을 끊어 먹었다. 헝클어진 머리를 두어 번 쓸어 넘기면서 상체를 일으켰다. 좁은 내 방을 처음 보는 것처럼 찬찬히 훑어보고, 연두색 바지를 힐끗 내려다봤다. 베개를 밀어 두고 두 다리를 침대 밖으로 내려 일어섰다. 그리고 그때까지도 말을 기다리고 있던 나에게, 뒤늦게 생각난 듯이 물었다.

"내가 이서단 씨와 밥을 왜 먹습니까?"

"……네?"

"재워 준 것은 고맙지만, 프로젝트도 어제부로 끝났습니다. 우리가 토요일 저녁에 굳이 같이 식사할 필요는 없지 않습니까?"

당연한 것을 말하듯이 희미하게 귀찮은 목소리였다.

그는 허리를 굽혀 바닥에서 개켜진 옷을 집어 들었다. 그리고 못 박힌 듯이 제자리에 서 있는 나를 빤히 쳐다봤다.

"옷 갈아입을 건데, 거기서 지켜볼 겁니까?"

"……아, 저는 그럼……."

표정에 당황이 그대로 드러났을 것이다. 나는 구겨진 셔츠를 탁 털어 내는 그를 두고 멍하니 도망쳐 나왔다. 방문을 닫고 그 앞에 서서 쳐다보고 있었다.

1분도 채 지나지 않아 한 팀장은 어제의 옷을 걸친 멀쩡한 차림으로 문을 열었다. 내 옆을 스쳐 지나가서, 그의 가방 위로 걸쳐 두었던 겉옷을 집어 들어 입었다. 모든 볼일이 끝난 사람의 군더더기 없는 움직임이었다.

"가시게요?"

나는 가만히 서 있다가 겨우 그렇게 물었다. 들릴락 말락 한 작은 목소리였다. 현관에서 구두를 신던 그가 뒤돌아섰다. 나를 보더니 덤덤하게 되물었다.

"이서단 씨는 본인이 한 말을 그새 잊었습니까?"

"⋯⋯네?"

"대기하고 있다가, 내가 마음 내킬 때 부르면 와서 다리나 벌리고, 내가 가라고 하면 귀찮게 굴지 않고 재깍 가는 게 아니었습니까?"

그가 깔끔하게 밑줄 그은 말들은 반듯한 선 같았고 벽 같았다. 무감한 목소리가 이름 없었던 관계를 명확하게 정의 내리고, 홈과 여백에 고여 있던 의미 모를 온기를 남김없이 흩어 냈다.

나는 목에 아프게 차오르는 덩어리를 삼켜 내리고 대답했다.

"그런 게 맞습니다."

"그런 게 맞으면, 내가 부를 때까지 얌전하게 기다리세요. 내 집에 남아 있는 짐은 정리해서 회사에서 돌려주겠습니다. 이제 프로젝트도 끝났는데, 이서단 씨가 내 집에 있을 필요는 없지 않습니까."

그는 내 대답을 기다리지도 않고 구두에 발을 밀어 넣었다.

"연락하겠습니다."

언제라는 말도 없었다. 무심한 어투는 가능성을 이야기하듯이 막연했다. 그는 내 현관문의 손잡이를 두어 번 당기더니 능숙하게 문을 열었다. 구두 소리가 멀어지고, 문이 무겁게 닫혔다.

나는 엘리베이터가 도착하는 희미한 음이 들려올 때까지 제자리에 서서 움직일 수 없었다. 테이블 위에는 죽이 차곡차곡 쌓여 있었고, 숙취해소제, 담배, 막대사탕이 아이들 장난처럼 나란히 놓여 있었다. 나는 현관에서 눈을 떼고 몸을 틀었다. 방으로 들어가, 아직 온기가 남아 있는 시트 위로 작게 접은 몸을 기댔다.

⚹

4층 엘리베이터에서 내려 습관적으로 TF 회의실 쪽으로 방향을 틀었던 나는 인파에 휩쓸려 한참 먼 길을 돌아가야 했다. 내 사원증으로도 부서 쪽으로 들어가는 유리문이 소리 없이 열리고, 파티션으로 가지런히 나뉜 널찍한 공간이 보였다. 같은 회사의 같은 층에 출근하는데, 왜 회사에 처음 출근했던 날과 비슷한 기분이 드는지 모를 일이었다.

미적지근한 시간대였다. 너무 촉박하지도 않았고, 그렇다고 의욕적인 새벽 출근도 아니었다. [컨설팅 2팀] 천장 표찰 아래에는 이미 두어 명이 출근해 있었다. 낯이 익은 얼굴들이었다.

"……아."

알아보는 건 그쪽도 마찬가지였다. 가방을 들고 입구에 서 있었더니, 스포츠머리의 남자가 나를 올려다보고 손가락을 탁 튕겼다.

"인천."

"……네."

"들어와서 앉으세요. 팀장님은 아직 출근 안 하셨어요."

3개월 전에 한 팀장이 들여와 준 내 책상은 그의 자리로부터 가장 먼 뒤꽁무니에 있었다. 다가가서 가방을 내려놓으려다가 나는 멈칫했다. 의자에도 그렇고 책상에도 클리어 파일이나 펜 같은 잡동사니가 쌓여 있었다. 3개월 동안 내 빈 책상은 창고로서 유용하게 기능한 모양이었다.

"아."

옆 책상에 앉은 여자가 힐끗 눈을 들더니 말했다.

"올 줄 알았으면 치워 놨을 텐데. 이거 어떻게 하죠?"

편의점에서도 보고, 인천 회사의 복도에서도 본 여자였다. 인천에서는 차림이 수수했던 것 같은데, 오늘은 인상이 달라 보였다. 나는 가방을 의자 옆에 내려놓으면서 그녀가 목에 건 사원증을 확인했다.

"전부 내 물건인 건 아니라, 막 치우기가 좀 그렇긴 한데……."

"괜찮습니다, 팀장님 오시면 여쭤보고 치울게요."

"아니, 그래도 앉을 데는 있어야지. 기다려 봐요, 일단 이거라도 치워 놓게."

팔을 걷어붙인 여자가 어디서 복사 용지가 들어 있던 상자를 끌어오더니 의자에 있던 파일을 다 쓸어 담았다. 그녀는 물러서서 보다가 혀를 차더니 책상 위에 있던 것들까지 들어서 상자 안으로 넣어버렸다.

"알아서들 찾아가겠지. 물티슈 같은 거 줄까요? 책상 한번 닦게."

"네, 주시면 제가……. 감사합니다."

"이거 그냥 가져요, 많으니까."

꽃무늬가 그려진 물티슈 팩을 건네받았다. 새것이었는지 위의 포장도 벗겨져 있지 않았다.

나는 달짝지근한 향이 나는 물티슈로 먼지가 구석마다 낀 책상을 한 번 닦아냈다. 누군가 돌돌 말아 던져 놓은 메모지를 찾아 상자에 넣었다. 그새 스포츠머리의 남자는 아무 말도 없이 와서 상자에서 파일 몇 개를 챙겨 가져갔다.

한 팀장이 도착할 기미가 보이지 않자 나는 4층 비품실에 숨겨 둔 내 짐을 들고 왔다. 노트와 책을 책상 한쪽에 꽂아 두고 연필꽂이와 메모지를 잘 닿는 곳에 놓았다. 정리를 마치자 책상은 TF 때와 거의 흡사해 보였다. 파티션 너머로 고개를 기울인 옆자리의 대리님이 토끼 모양 장식품을 보고는 그거 귀엽네요, 라고 말해 주었다.

"감사합니다."

"물건 많이 늘어놓는 거 안 좋아하나 봐. 되게 미니멀리스틱한데?"

그러는 그녀의 책상은 가습기부터 특수 마우스패드에 게이머용으로 만들어진 형광 키보드까지 없는 게 없었다. 몇 년은 같은 자리에서 일한 사람의 책상이었다.

"아, 팀장님 오셨다."

나는 고개를 들었다. 복도 저편에 다른 사원 한 명과 함께 이쪽으로 오는 장신의 그가 보였다. 지나가던 다른 부서에서 누군가 그를 붙잡았는지, 그는 잠시 멈춰 서서 파티션 너머로 몇 마디를 나누더니 짧게 웃었다. 지난주보다는 많이 혈색이 돌아온 얼굴이었고, 평소처럼 흐트러짐 없는 차림이었다.

나는 차마 계속 그를 볼 수가 없어서 시선을 떨어뜨렸다. 부서 앞까지 온 그는 팀원들의 인사에 대충 답해 주며 내 옆을 스쳐 지났다. 한 번의 눈길도 망설임도 없었다. 지난 3개월의 시간이 아예 없었던 것처럼 감쪽같았다.

❧

수요일에는 회사 근처의 식당에서 김 주임과 박 대리를 만나 밥을 먹었다. 강낭콩을 올린 샐러드 같은 걸 팔고 있었는데, 아마 박 대리보다는 김 주임의 취향 같았다. 토요일부터 일요일까지 스물네 시간을 내리 잤다고 자랑하는 김 주임은 얼굴이 몰라볼 정도로 활짝 개어 있었다.

결국 두 시간을 운전해 꽃구경을 다녀왔다는 박 대리는 사람이 얼마나 많았고 주차가 얼마나 어려웠는지 불평하면서도 핸드폰을 꺼내 사진을 여러 개 보여 주었다. 회사 앞에서도 흔히 볼 수 있을 것 같은 벚꽃을 배경으로, 처음 보는 여자와 아이가 매번 같은 구도로 등장하는 사진이었다.

"그래서 컨설팅부는 어때요?"

스무디를 마시면서 김 주임이 물었다.

"월요일에 갑자기 이서단 씨 생각이 났는데, 엄청 딱하더라고. TF는 끝났는데 또 한 팀장 밑에서 일해야 한다니."

박 대리는 그 말을 듣고 실제로 몸서리쳤다. 측은한 시선을 양쪽에서 받으며, 나는 빨대를 입에서 빼고 뒤늦게 대답했다.

"일 적응이 좀 안 되는 것 같아요. 지금까지 해 본 일이랑 전혀 달라서⋯⋯."

"일 가르쳐 주는 사람 없어요?"

"사수님 계시는데, 외근 때문에 바쁘셔서 첫날 이후로 몇 번 못 뵈었어요."

"팀장님은 여전하시고?"

"⋯⋯팀장님도 바쁘셔서, 거의 뵐 기회가 없었던 것 같아요. 전달할 사항도 직접 말씀 안 해 주시고, 다른 분 통해서⋯⋯."

말이 더 줄줄이 나오기 전에 나는 입을 다물었다. 으음, 하고 말을 흐린 김 주임이 박 대리의 접시에서 샐러드를 집어 오며 말했다.

"근데 그게 원래 그래요, 이서단 씨. 그것 때문에 적응이 더 어려울 수도 있겠다. TF는 좀 수평적이잖아요, 의견 교환도 자유롭고. 아무래도 일반 팀은 그러기가 어렵지."

"네……. 알고 있습니다."

"알고 있는데 서운하죠? 좀 서운한 표정인데."

웃고 있는 걸 보니 놀리는 모양이었다. 대답하면 더 이상해질 것 같아 나는 잠자코 있었다.

"팀장님 안 보면 좋은 거지, 뭐."

"맞아, 좋게 생각해요, 이서단 씨. 한 팀장 자주 봐 봤자 스트레스만 되지 뭐가 좋겠어."

"너무 좋던데, 나는. 집에 가서 시간도 남고, 심지어 퇴근하는데 아직 밖이 환하고."

"맞아요, 오랜만에 출퇴근길 밀리는 거 겪으니까 살맛 나더라고요."

들어 보니 TF가 끝난 게 아쉬운 건 나 하나인 모양이었다. 그 뒤로도 한참 막 출옥한 죄수들처럼 박 대리와 기쁨을 나누던 김 주임은 식사를 마치고 일어서면서 내 어깨를 툭 두드렸다.

"참여 보고서는 냈죠? 그거 오늘 오전까지였는데."

"……참여 보고서요?"

"안 냈어요?"

박 대리가 가방을 챙겨 들며 힐끗 쳐다봤다.

"팀장님이 아무 말 없었어요?"

나는 고개를 흔들었다. 마지막으로 참여 보고서를 떠올린 건 금요일이었다. 몇 가지를 끄적여 놨던 종이도 짐을 옮기면서 어디로 들어갔는지 기억이 나지 않았다.

김 주임은 의자를 밀어 넣으며 말했다.

"저녁까지 써서 내면 되죠, 뭐. 시간 오래 안 걸릴 텐데."

"그래요, 보아하니 별로 신경 안 쓰시는 것 같은데."

격려에도 불구하고 나는 마음이 불안해졌다. 그가 없는 부서로 돌아가서도, 퇴근하는 지하철 안에서도 계속 보고서의 하얀 백지를 떠올렸다.

집에 돌아가 노트북을 꺼내 놓고, 숙제를 못 끝난 학생처럼 뜬눈으로 새벽까지 지새웠다. 썼다가 지우고, 또 썼다가 지워 나갔다. 문장이 토막토막 잘리고 단어가 하나씩 소거되었다. 결국 동이 터 올 때쯤 한 팀장의 이메일로 제출한 보고서는 짧았고 형식적이었다. 질타를 받을 법도 했을 텐데, 그에게서는 받았다는 것을 확인하는 답장도 없었다.

⚹

연락이 온 것은 금요일 아침이었다. 출근길의 지하철에서 나는 문자를 확인했다. 깔끔하고 네모난 글자로 적혀 있었다.

[주말 1박 2일 비우세요. 내일 오전 아홉 시까지 내 집으로 오면 됩니다.]

화면을 늘여다보고 있는데 또 핸드폰이 울렸다.

[주소는 모르면 문자로 보내 주겠습니다.]

주소는 알고 있었다. 열 자리 현관 비밀번호도 알고 있었다. 고민

287

하다가 문자창을 열었다. 손끝이 더뎌서 결국 지하철을 갈아타고, 다시 플랫폼에 서고, 또 지하철에 올라서 회사가 있는 역에 도착할 때까지도 한 자도 적지 못했다. 결국 회사 입구를 들어서면서 짧게 쳐서 보냈다.

[늦지 않게 가겠습니다.]

그날 밤에 작은 가방에 속옷과 관장약을 챙기면서 나는 비로소 내가 우스워졌다. 일주일간의 내 하염없는 기다림이, 그리고 정작 연락을 받고 나자 손이 떨리고 호흡이 가쁜 내 두려움이 우스웠다.

이렇게 가끔 그가 원할 때마다 주말을 그에게 바치고, 매를 맞고 뒤가 헐 때까지 성기를 받아 내고, 그가 말한 것처럼 새벽에 불려가고. 그 모든 걸 얼마나 오래 해야 충분히 지칠 수 있을지 알 수 없었다. 어쩌면 내가 지칠 필요 없이 그가 먼저 질릴지도 모른다. 내가 노력한다 해도, 최선을 다해 그가 귀찮다고 느끼지 않게 조심한다 해도, 그가 오래 흥미를 유지하기는 어려울지도 모른다. 어느 쪽이 더 나은 결론인지 알 수 없었다.

토요일 아침에 눈을 떴을 때는 아직도 밖이 어두웠다. 나는 집안의 불을 전부 환하게 켜 두고, 욕실의 허연 불빛 아래서 기계적으로 관장을 마쳤다. 식은땀으로 손바닥이 차가웠고, 가슴에 누가 돌덩이를 얹어 놓은 것처럼 무거웠다. 올해 초, 그에게로 불려 가던 첫 번째 토요일과 별반 다를 게 없었다.

현관 비밀번호가 바뀌었는지 눌러 보고 싶었지만, 나는 벨을 누르고 기다렸다. 심호흡했다. 가슴에 뭔가 틀어 막힌 것처럼 울렁거렸다.

희미한 발소리가 가까워졌다. 현관에 신발이 쓸리는 소리가 났다. 철컥, 잠금쇠가 풀리고 문이 열렸다.

"들어와요."

그가 말했다. 한 손에는 수건을 들고 있었고 머리가 젖어 있었다. 내가 거의 본 적 없는 편한 옷차림이었다.

쳐다보고 있는데 한 팔장이 열린 문을 밀어 내게 건네주고 등을 돌려 부엌 쪽으로 사라졌다. 나는 현관에 조심스럽게 발을 들였다.

그리고 시선으로 그를 쫓다가 걸려 넘어질 뻔했다. 쿵 하고 둔탁한 소리가 났다. 정신을 차리고 보니 발끝에 걸린 것은 현관 옆의 커다란 아이스박스였다.

"사고 치지 말아요."

그가 멀리서 일갈했다. 부엌에서 환한 빛이 새어 나오고 있었다. 찬장 문을 여닫는 소리, 전자레인지 돌아가는 소리가 들렸다. 나는 얼얼한 발가락을 오므리면서 아이스박스를 내려다봤다. 뚜껑이 반쯤 걸쳐서 있다가 내가 발끝으로 들이받자 아예 떨어진 모양이었다. 한기가 훅 스며 올랐다. 허리 굽혀 들여다보자 안에는 포장된 고기로 보이는 것이 여러 팩 있었다. 피망으로 보이는 알록달록한 것이 들어있는 투명한 통도 있었다.

거실은 내가 기억하는 그대로였다. 들고 온 가방을 꼭 쥐고 거실 중앙에 애매하게 서 있자, 부엌에서 커다란 플라스틱 통을 들고 나온 한 팀장이 나를 보고 눈썹을 들어 올렸다.

"뭐 합니까, 거기서."

"······저─"

"커피라도 한 잔 줘요? 아침은 먹었습니까?"

소매를 걷어붙인 팔을 가만히 쳐다봤다. 무심한 말에 번져 있는 일말의 다정함은 내 착각일 것이다. 커피도 무엇도 필요 없다고 말하려 했는데 목이 꽉 조여서 말이 잘 나오지 않았다.

시선을 돌리면서 목을 가다듬고, 그를 보지 않은 채로 물었다.

"어디 가세요?"

"뭐?"

그는 아이스박스에다가 통을 넣고 있었다. 그릇의 배치를 고민하는지 피망이 든 통을 꺼내고 큰 통을 먼저 집어넣었다.

"음식, 싸서······ 어디 가시는 거예요?"

이제라도 집에 돌아가라고 한다면 나는 안심해야 할까, 실망해야 할까. 가방끈을 잡은 손에 하얗게 힘이 들어가도록 마음을 다잡고 있는데, 아이스박스 정리를 마치고 몸을 일으킨 그가 멀뚱히 답했다.

"어디 갑니다."

"······그럼 저는."

"가서 욕실에서 본인 칫솔이나 챙겨요. 옷도 아직 옷방에 있으니까, 한두 벌은 더 챙기고. 외투도 두꺼운 걸로. 아홉 시 반에는 출발합니다."

그리고 그가 부엌으로 다시 들어가 버렸다. 그가 과자 봉지 두어 개를 들고 다시 나올 때까지도 나는 그 자리에 서 있었다.

"뭐 합니까?"

아이스박스 뚜껑을 닫는 그에게서 핀잔을 들었다.

"잠 제대로 안 잤습니까? 안색이 새파랗네."

"……내일 저녁까지는, 돌려보내 주시는 겁니까?"

"내가 이서단 씨를 납치라도 하는 것처럼 들립니까?"

그가 농담인지 모를 무표정한 얼굴로 물었다.

"지하실에 가둔단 얘기가 그냥 해 보는 말 같았습니까?"

나는 입을 다물었다. 그는 내 표정을 보고 코끝으로 웃었다.

"짐 챙겨요."

딸각, 아이스박스 양쪽이 잠겼다. 다시 부엌으로 사라진 그를 눈으로 쫓다가 나는 욕실로 걸음을 옮겼다.

그의 집에 올 때 처음 가져왔던 큰 가방에 옷을 상의 하의 두 벌씩 챙겨 넣었다. 속옷, 칫솔, 그리고 집에서 가져온 작은 가방까지 넣었다. 외투는 팔에 걸치고 가방 지퍼를 잠갔다.

그래도 내용물이 적어서 덜렁거리는 가방 손잡이를 잡고 거실로 나가자, 내 것보다 조금 작은 가방을 하나 든 그가 현관에 서 있었다. 아이스박스를 내려다보고 있던 그가 나를 돌아보며 물었다.

"다 챙겼습니까?"

"……네."

"와서 이것 좀 같이 들어요."

차 열쇠를 주머니에 넣은 그가 아이스박스의 한쪽 손잡이를 잡았다. 가방을 어깨에 걸친 나는 반대편 손잡이를 들어 올렸다. 예상보다도 훨씬 무거웠다. 한 번 비틀거리자 그가 내 어깨를 잡아 붙들어 주었다.

얇은 옷 너머로 손가락의 온기가 선명하게 느껴졌다. 나는 덴 것처럼 몸을 확 뒤로 물렸다.

"……드세요. 날 새겠습니다."

그가 표정 변화 없이 말했다. 두 사람이 들자 아이스박스는 뒤뚱뒤뚱 움직였다. 양쪽 손으로 잡기에는 현관이 좁았다. 문을 먼저 열고 나간 그가 잡은 채로 나를 기다려 주었다. 벗어 뒀던 신발을 다시 신고 박스를 다시 드는 사이에, 그는 엘리베이터 버튼을 눌러 놓고 기다리고 있었다.

그의 서늘한 옆모습을 보고, 나는 아무것도 물을 수가 없었다. 엘리베이터가 도착했다. 한 팀장은 주차장으로 내려가는 버튼을 눌렀다.

그는 차를 앞으로 빼고 난 후에 뒷좌석을 열어 아이스박스를 실었다. 내가 조수석에 올라타는 동안 그는 가져온 가방을 열었다가 닫고 있었다. 뒷좌석 문이 닫히는 소리가 들리고, 운전석에 올라탄 그가 내 앞에 작은 보온병과 호일로 싸인 두툼한 것을 내밀었다.

글러브 박스의 손잡이를 쳐다보고 있던 나는 움츠러들 정도로 놀랐다.

"갈 길이 머니까 아침은 먹어 두는 편이 좋습니다."

핸드브레이크를 풀면서 그가 말했다. 건네받은 보온병이 뜨거웠다.

"가는 길에 휴게소에 들리긴 하겠지만. 다 먹고 부족하면 얘기해요."

감사합니다, 라고 뒤늦게 인사했다. 그는 대답하지 않고 차를 출발시켰다.

지하를 빠져나오자 오전의 햇살이 앞유리로 비쳐 들었다. 나는 호일의 모서리 진 부분을 손톱으로 풀어 냈다. 샌드위치였다. 크루아상 사이에 햄과 치즈 같은 게 들어가 있었다.

"직접 만드신 거예요?"

신기해서, 냉랭했던 분위기도 잊고 무심코 물었다. 그는 뜸을 들이고 대답했다.

"궁금하면 먹어 봐요, 일단. 맛이 있으면 내가 만든 걸로 하고, 아니면 아닌 걸로 합시다."

신호등에서 차가 멈췄다. 나는 호일을 조금 더 벗겨 내고 입을 벌려 한입 물었다. 혀에 짠맛이 닿자 무서울 정도로 허기가 몰려왔다. 한입 더 물어 뺨을 둥글게 부풀렸다. 입 다물고 집중해서 먹다가 그와 눈이 마주쳤다. 나는 불분명한 발음으로 말했다.

"맛있어요."

"다행이네."

한 팀장은 눈을 돌리면서 대답했다. 나는 목이 말라서 보온병 뚜껑을 돌려 열었다. 김이 모락모락 올라왔다. 코 가까이 대자 꿀 향이 진하게 났다.

일부러라는 듯이 그는 또 빨간불에 멈춰 주었다. 나는 보온병을 입가에 대고 기울였다. 내려놓고 빵을 먹고, 또 꿀물을 홀짝거렸다. 배 속에 뜨거운 것이 고이는 느낌이었다. 아침부터 손끝을 차갑게 하던 한기가 한 뼘 물러간 것 같았다.

차가 국도로 접어들었다. 다 먹고 나자 나는 보온병을 컵홀더에 놓고, 호일을 동그랗게 구겨 만지작거렸다. 창밖으로 잎이 무성한 나무들이 빠르게 지나갔다. 하늘이 구름 한 점 없이 맑았다. 회사에만 틀어박혀 있는 동안 겨울이 다 지나가고, 어느새 봄이 완연했다.

"이서단 씨."

창밖에 시선을 뒀던 나는 몸을 틀었다. 한 팀장은 버튼을 눌러 오디오에서 CD를 빼내어 내게 건네주었다.

"그거 넣고, 다른 걸로 골라서 꺼내 봐요. 앞 포켓에."

글러브 박스 안에는 CD가 여러 장 들어 있는 앨범이 있었다. 나는 그가 기다리고 있는 것 같아 손이 닿는 대로 아무거나 꺼냈다. 얇은 틈새가 CD를 야금야금 먹어 치웠다. 한 팀장은 그 옆의 재생 버튼을 누르고 볼륨 다이얼을 돌렸다. 음악은 변두리의 카페에서 흘러나올 것처럼 느리고 미적지근했지만, 침묵보다는 나았다.

12시가 조금 넘어 휴게소에서 그는 차를 세웠다. 드넓은 주차장에 차가 제법 많았다.

시동이 꺼지자 차 안이 조용해졌다. 음악도 뚝 끊겼다. 소음이 걷어내진 공간에 불편한 정적이 차올랐다. 나는 창문을 내다보던 시선을 애매하게 돌렸다. 말없이 앞유리를 내다보던 그가 물었다.

"배고프지 않습니까?"

"……조금……."

일주일 내내 잠잠했던 식욕이 어디 뭉쳐 있다가 팡 터져 나온 것 같았다. 가슴을 가로지른 안전벨트를 만지작거리다가 힐끔 시선을 들었다. 의외로 그는 나를 보고 있었다.

"팀장님……."

"……."

뺨에 달라붙은 시선이 떨어지질 않았다. 레이저처럼 홧홧한 것이 뺨을 타고 내려와 입술에 머물다가 거두어졌다. 손을 뻗은 그가 내 안전벨트를 대신 끌러 주었다.

차 안보다 밖이 시원했다. 아침에는 이 정도는 아니었는데, 바람이 제법 불고 있었다. 손으로 그늘을 만들고 올려다보던 한 팀장이 중얼거렸다. 비는 안 오겠는데. 나는 그가 자로 잰 듯이 완벽하게 주차한 선을 밟고 섰다. 삐걱거리는 몸을 조금 기울여 기지개를 켰다.

그러다 그가 벌써 저만치 가 버린 것을 알아차렸다. 뒤쫓으려다가 가방을 두고 온 것을 깨달았다. 발걸음이 더뎌지자 그가 돌아보지 않고 뚝 멈췄다.

"저 지갑을 두고 와서."

"……밥 사 달라고 안 할 테니 걱정할 것 없습니다. 나한테 휴게소 밥 얻어먹는 게 그렇게 부담 됩니까? 아예 계산을 해서 달아 두지, 왜."

말에 가시가 돋쳐 있었다. 그가 걸음을 성큼성큼 내딛는 탓에 한참 거리가 멀어졌다. 걸음을 재촉해 따라잡고 나자, 휴게소로 들어가는 문을 열어 잡아 주며 그가 짜증을 섞어 덧붙였다.

"밥만 사 주려 하면 계산대 앞에서 눈치 게임, 언제쯤 안 하고 넘어갈 겁니까? 몇 년 만에 본 지인이라도 밥 한 끼 가지고 신경 곤두세우진 않는데, 이서단 씨만 유독 왜 그렇습니까? 나한테서 뭘 대가 없이 받으면 야밤에 신경통이라도 옵니까?"

"……."

내가 보기에는 밥 한 끼 가지고 신경 곤두세우는 건 내 쪽이 아닌 것 같았지만, 고개를 숙이며 입을 다물었다. 휴게소 안에는 사람이 많았다. 몰려나오는 고등학생 무리에 휩쓸릴 뻔하자 한 팀장이 내 팔을 잡아 확 옆으로 끌어당겼다. 인파에서 떨어지고 나서야 손을 놓았다.

"그렇다고 팀장님과 제가…… 사적인 관계는 아니지 않습니까?"

아픈 손목을 주무르면서 조심스럽게 말했다. 앞서 걷던 그가 걸음을 멈췄다.

"그럼 뭐라고 생각합니까?"

"네?"

"이서단 씨는 뭐 하려고 황금 같은 주말에 나 따라 여기까지 나온 겁니까?"

옆을 지나가는 꼬마 아이에 치일 뻔하자 그는 나를 잡아 아예 저쪽 구석의 테이블에 앉혀 버렸다. 주변이 조용해지고 나서야 나는 입을 열었다.

"어디 간다는 말은 없으셨잖아요."

"뭐?"

위의 조명등이 꺼져 있어서 그의 얼굴에 그림자가 졌다. 나는 배 속이 울렁거려도 꾹 참고 했던 말을 반복했다.

"어디 간다는 말씀 안 해 주셨잖아요. 멀리 가는 것도 저는 오늘 아침에 도착해서 알았습니다."

"⋯⋯주말 비우라고 내가 말하지 않았습니까?"

"주말 비우라는 게 어떻게 그 뜻이 됩니까?"

한 팀장은 멀뚱히 나를 보더니 갑자기 설핏 웃었다.

"그럼 이서단 씨는 내가 주말 내내 이서단 씨를 침대에 처박아 둘 줄 알고 온 겁니까?"

"⋯⋯팀장님."

큰 목소리는 아니었지만 바로 옆 테이블에도 사람이 있었다. 그가 알았다는 뜻으로 손을 휘저었다. 허리를 굽혀 나를 구석으로 몰아넣었다. 시야가 가려져서 다른 사람들이 보이지 않았다.

날아오른 뺨을 그가 손끝으로 툭 건드렸다. 나는 테이블 위를 방황하던 시선을 간신히 들었다.

"팀장님."

"희생정신에 눈물이 다 나겠네."

그가 웃음기 그득한 목소리로 비꼬았다.

"몇 달 만에 출근 안 해도 되는 주말을 나한테 고스란히 상납할 생각이었습니까? 한마디 항의도 안 해 보고?"

"팀장님이 항의할 여지는 주셨습니까?"

"왜 이렇게 삐딱합니까, 오늘? 할 말이 있으면 그냥 하지?"

대화가 이상한 데로 자꾸 헛돌았다. 나는 한숨을 한 번 삼켜 내리고 물었다.

"저희 어디로 가는 겁니까?"

그는 의외로 순순하게 답했다.

"동해."

"왜……."

"그때 바다 가고 싶다고 했잖아요."

얼굴이 맞닿을 정도로 가까워졌다. 그가 눈가를 찌푸리고 덧붙였다.

"일주일까지는 아니지만."

"……."

"그건 나중에 하도록 합시다. 지금 그 정도 휴가 빼는 건 아무래도 무리고. 이서단 씨만이라면 가능할 수도 있지만, 내가 안 됩니다. 이서단 씨도 자리 잡힐 때까진 휴가 안 내는 게 낫고."

쳐다보고 있으니까 그가 도리어 추궁했다.

"왜 표정이 그럽니까."

"팀장님은 앞으로 저를…… 이런 식으로는 안 보시려는 게 아니었습니까?"

말을 골라서 조심스럽게 물었다. 그는 전혀 모르는 얘기라는 듯이 눈썹을 치켜 올렸다.

"내가?"

"이번 주 내내 회사에서…… 그리고 지난주 일요일에도……."

내 착각일 리가 없었다. 차라리 내가 뭔가 잘못한 거였으면 좋았을 텐데, 그가 그어 내린 선은 그런 게 아니었다. 내 노력으로 할 수 있는 것은 아무것도 없었다.

그가 눈썹을 좁혔다. 한참 아무 말 없다가 입술을 다물었다. 그리고 나를 보고 불쑥 물었다.

"그래서 서운했습니까?"

"……아닙니다."

"표정은 그게 아닌데."

시선이 집요했다. 나는 구석 쪽으로 더 물러나며 고개를 돌렸다. 한 팀장은 더 추궁하지 않고 주머니에서 꺼낸 지갑을 내 앞으로 밀어 주었다.

"밥부터 먹고 일단 나갑시다. 사람 많은 휴게소에서 얘기하려고 여기까지 나온 건 아니니까. 가져가서 거덜 내도 좋으니까 먹고 싶은 걸로 아무거나 사 와요."

머뭇거리고 있자 손이 붙잡히고 지갑이 억지로 쥐어졌다. 가죽이 체온으로 뜨끈했다. 자리를 피하기 위해서라도 나는 몸을 일으켜,

테이블 사이사이를 빠져나갔다.

판매대 앞을 배회하다가 우동 두 그릇을 사 들고 돌아갔다. 그러자 그는 일어서서 나를 앉혀 두고 사라지더니, 트레이 가득 음식을 들고 돌아와 테이블이 미어터지도록 늘어놓았다. 고개를 숙이고 먹는 내내 서늘하고 집요한 시선으로 얼굴이 따끔거렸다.

그래도 차로 돌아왔을 때는 분위기가 아침보다는 조금 누그러져 있었다. 나는 눈이 부셔서 햇빛 가리개를 내렸다. 불편하게 앉아서 음악을 듣다 말고 두어 번 꾸벅꾸벅 졸았다. 화들짝 깰 때마다 눈을 크게 치켜뜨고 뻣뻣한 자세로 밖을 구경했다. 그때 말없이 운전에 집중하던 그가 말했다.

"괜찮으니까 그냥 자요."

"아니요, 괜찮습니다."

"내가 안 괜찮습니다. 의자 뒤로 젖혀집니다. 발밑에 레버 찾아 봐요."

빤히 기다리는 시선에 허리를 숙였다. 레버를 찾아 당기자 의자 등받이가 단번에 휙 뒤로 기울어졌다. 한 팀장은 손을 뻗어 음악을 줄여 주었다.

편한 각도로 등을 기대고 있자 눈꺼풀이 무거워졌다. 눈을 천천히 깜박거리면서 그의 옆얼굴을 멀거니 지켜봤다. 아무리 그래도 그가 운전하는 동안 옆에서 편하게 잘 수는 없었다. 그때 그의 팔이 뻗어 왔다. 따뜻한 손이 잠시 내 눈꺼풀 위를 덮었다.

"이서단 씨를 옆에 태우고 운전하는 건 안 힘듭니다. 그러니까 신경 쓸 것 없어요."

느리게 스며드는 낮은 목소리가 제법 다정한 것도 같았다. 잠시나마 기분 좋은 착각이었다. 그래서 나는 감은 눈을 뜨지 않고 그대로 잠을 청했다.

※

눈이 떠졌다. 몸을 일으키자 어깨 위로 걸쳐져 있던 그의 재킷이 미끄러져 내렸다.

유리창을 두드리던 정오의 열기는 가셔 있었다. 푸르스름하게 구름 낀 하늘이 보였다. 차는 도로 옆에 주차되어 있었고, 시동은 꺼져 있었다. 그가 있던 운전석은 비어 있었다.

나는 안전벨트를 끌렀다. 문의 잠금쇠를 더딘 손가락으로 더듬거리다가 창문 너머로 한 팀장을 발견했다. 저만치에서 걸어 돌아오는 작은 점. 점점 가까워지는 그의 등 뒤로는 가느다랗게 파란 선이 보였다. 열린 창문으로 숨을 들이마시자 찬 공기에 희미한 소금기가 섞여 있었다.

한 팀장은 운전석으로 돌아가지 않고 이쪽으로 돌아 점점 가까워졌다. 열린 창문으로 들여다보고, 깨어 있는 나를 발견했다. 눈이 마주치자 잠시 침묵한 그가 물었다.

"잘 잤어요?"

"……네."

얼결에 대답했다. 짧아진 담배를 비스듬히 문 그는 내 창틀에 팔을 걸쳤다. 연기를 짧게 내뿜고 꽁초를 손끝으로 툭 떨구어 짓밟았다. 바람이 헝클어 놓은 앞머리는 이마 위로 내려와 있었다. 거실 벽장에 빼곡하던 여행 사진 속의 남자와 별반 다르지 않은 모습이었다.

"배는 안 고프고?"

그가 물었다. 창문으로 팔을 불쑥 뻗어 내 허벅지로 흘러내린 재킷을 집어 들었다. 손가락이 스치듯이 무릎에 닿았다. 나는 반사적으로 다리를 오므렸다. 시선을 아래로 내리며 물었다.

"도착할 때까지 얼마나 남았습니까?"

그는 눈을 찌르는 머리를 귀찮다는 듯이 대충 걷어 내며 대답했다.

"다 온 겁니다."

"……여기가요?"

도로가 한적했다. 양옆은 황야였다. 건물도 없었고 아무것도 없었다.

"외진 데가 좋다면서."

한 팀장이 웃었다.

"여기가…… 어딘데요?"

"동해라니까."

저 멀리 바다만 있고 사람이라고는 흔적도 없었다. 아무도 다듬지 않은 풀숲이 무릎까지 자라서 바람에 흔들렸다. 지도에도 나오지 않을 것 같은 곳이었다.

"원래 아시던 곳이에요?"

"그건 아니고. 철저한 조사의 결과물입니다."

그가 창틀에서 팔을 뗐다. 차를 빙 돌아 운전석으로 돌아왔다. 열린 창으로 팔을 집어넣어 잠금쇠를 풀었다.

"보여 주고 싶은 바다는 따로 있는데, 거긴 주말 일정으로 갈 수있는 데는 아닙니다. 비행기를 타고도 시간 걸리는 곳이라. 일박 이일로는 이 정도가 무난합니다."

그가 팔을 뻗어 내 벨트를 채워 주었다. 시동을 켜고 덧붙였다.

"숙소는 저 앞입니다. 십 분 정도는 걸리니까, 더 자려면 자요."

"아닙니다."

그는 구불거리는 시골 도로를 따라 차를 꺾었다. 창밖으로 보이는 바다가 점점 가까워졌다. 나는 유리창에 나도 모르게 손끝을 얹었다가, 지문이 남을까 봐 손마디로 꾹꾹 지워 냈다. 파란 물이 점점 커져서 시야 한가운데에 고였다.

좁은 도로에 집중하던 그도 운전대를 돌리다가 짧게 말했다.

"색깔 괜찮네."

그의 말대로였다. 오랜만에 보는 바다는 짙은 초록색이 섞인 오묘한 색깔이었다. 햇빛이 표면에 은빛으로 잘게 부서져 있었다.

네가 창문에 정신이 팔린 사이 그는 차를 꺾어서 잘 보이지도 않는 샛길을 타고 들어갔다. 바퀴 아래 자갈이 울퉁불퉁했다. 차가 덜컹덜컹 기울어지다가, 낮게 내려온 나뭇가지에 차 지붕이 쓸렸다.

풀숲에 가려져 바다가 잠시 사라졌다.

그러다가 오른쪽으로 길이 꺾이고, 시야가 확 트였다. 시야각 안쪽으로 갑자기 집이 들어왔다. 달랑 하나 있는 건물은 조금 큰 창고 정도의 크기였다. 지붕이 페인트가 다 벗겨진 것처럼 낡아 있었다.

그 바로 앞은 무성하게 자란 잔디를 지나 모래사장이었다. 엎어지면 코 닿을 거리에 바다가 있었다.

"마음에 듭니까?"

시동을 끄고 한 팀장이 평온하게 물었다. 대답 없는 나를 힐끗 보고, 뒷좌석에서 가방을 꺼내 내게 건넸다.

"내려요. 짐부터 안에 들여놓읍시다."

문의 잠금쇠가 풀렸다. 나는 몸을 칭칭 감은 안전벨트를 풀었다. 팔다리가 흐물거리고 목이 뻐근했다. 장시간 운전까지 한 그는 정작 멀쩡해 보였다.

차에 탔을 때처럼 아이스박스를 손잡이 하나씩 나눠 들었다. 실을 때보다 더 무거워진 것 같았다. 나는 뭐가 들었는지 점점 궁금해졌다. 무게로만 따지면 일주일은 먹을 수 있을 것 같았다.

한 팀장은 현관 앞에 박스를 내려놓고 손가락에 걸어 둔 차 열쇠를 고쳐 잡았다. 못 보던 열쇠가 고리에 달려 있었다. 낡은 손잡이 중앙의 열쇠구멍에 그가 녹슨 열쇠를 밀어 넣고 돌렸다. 묵직하게 철컥거리는 소리가 났다.

"지어진 지 백 년은 넘었을 겁니다."

문을 밀어 열며 그가 말했다.

"요즘은 이런 건물 흔치 않습니다. 신발은 벗지 말고 들어와요."

현관을 들어서자마자 집의 구조가 훤하게 눈에 들어왔다. 중앙쯤의 원목 침대와 탁자, 간소한 부엌, 욕실이 전부였다. 들고 온 아이스박스를 부엌에 내려놓은 그가 침대 앞쪽의 유리문을 열었다. 바비큐 기계와 잔디 깎는 기계가 늘어진 뜰을 지나 저만치 바다가 고스란히 내다보였다.

바람에 소금기가 묻어 있었다. 나는 가방을 벽에 기대어 내려놓고 침대에 엉덩이를 털썩 붙였다.

"피곤합니까?"

그가 내려다보면서 물었다.

"아니요."

"그럼 왜 넋이 빠졌습니까."

"……정신이 좀 없어서……."

말을 돌리려다가 그냥 대답했다. 한 팀장은 눈썹을 좁혔다.

"왜 정신이 없습니까? 주변에 사람은커녕 개미 한 마리 없는데."

"팀장님이 계시잖습니까."

눈이 가늘어졌다. 그의 등 뒤로, 뜰에 갈매기가 뒤뚱뒤뚱 걸어 다녔다. 부리가 매끈한 주황색이었다.

침묵이 길어졌다. 그는 앉지도 않고 문 근처에 금방이라도 나갈 사람처럼 기대어 서 있었다. 나도 편하게 앉을 수가 없었다. 둘만 있고 주변은 온통 사람 없는 빈 공간이었다. 회사에서 둘만 있는 것과는 침묵의 무게가 달랐다. 늘어진 신경이 한계 끝까지 당겨진 기분이었다.

역광이었다. 그의 얼굴 위로 그늘처럼 그림자가 져 있었다. 나는 눈을 내려 침대 시트에 고정했다. 하얀 이불에는 자세히 보지 않으면 보이지 않는 희미한 하얀 무늬가 새겨져 있었다. 의미 없이 눈으로 그걸 따라 그리는데 그가 잠긴 목소리로 말했다.

"산책이라도 하겠습니까?"

"……네."

일어서자 무릎이 뻐근했다. 내가 뜰로 나오자 그는 문을 반쯤만 닫았다. 내 신발을 탐탁지 않게 내려다보더니 물었다.

"모래 들어가도 되는 신발입니까?"

몇 켤레 없는 구두였다. 옷도 갖춰 입은 정장은 아니었지만 여행에 어울리는 차림은 아니었다. 같은 생각을 했는지 그가 나를 훑어 내리더니 도로 문을 밀어 열었다.

"옷 갈아입으세요. 가져온 걸로."

"……여기서요?"

"망봐 줄 테니까."

그가 태연하게 말했다. 유리문에는 커튼도 없었다. 나는 나쁜 짓을 하는 사람처럼 곤두선 신경으로 가방을 열었다. 셔츠를 먼저 벗고 재빨리 반팔 티셔츠를 걸쳐 입었다. 바지 지퍼를 내려다보면서 욕실로 들어갈까 고민하는데 시선이 느껴졌다.

"이제 와서 새삼스럽지 않습니까."

건조한 목소리에 나는 수긍했다. 등만 돌리고 바지를 벗고 반바지를 꺼내 걸쳐 입었다. 다시 돌아봤을 때 그는 문에 기대어 서서 뜰을 내다보고 있었다.

"신발은."

옷을 개켜 두고 문턱을 넘자 그가 지적했다.

"신발은 다른 게 없어서요."

"벗어 두고 와요, 그럼. 이걸 줄 테니까."

그가 신고 있던 슬리퍼를 발끝에 달랑거렸다. 나는 구두와 양말을 벗었다. 그가 벗어서 내밀어 준 슬리퍼는 컸다. 발을 넣고 발가락을 꼼지락거렸다. 정작 그는 맨발이었다.

"팀장님은요?"

"없어도 괜찮습니다. 준비됐으면 나와요."

그는 맨발로 잔디 위를 망설임 없이 걸었다. 큰 신발로 힘겹게 따라가던 나는 점차 거리가 벌어지자 뜰 끝에서 기어코 슬리퍼를 내버렸다. 따뜻한 모래 사이로 맨발이 푹, 푹 묻혔다.

한 팀장은 내가 따라잡자 걸음을 늦춰 주었다. 우리는 젖은 모래의 경계선에서 방향을 틀어, 그가 약간 앞서 있는 상태로 물이 들어온 자국을 따라 걸었다.

소박한 바다였다. 모래와 물만 있었다. 파도도 거칠었다. 물이 가끔은 발끝을 핥을 정도로 깊이 밀려들어 왔다. 모자의 챙 너머로 그의 등이 보였다. 발바닥에 닿는 모래가 서늘하고 축축했다.

나는 조개껍데기를 주웠다. 소라처럼 돌돌 말려 있는 것도 주웠다. 커다란 주황색 가리비 껍데기도 있었다. 움푹 파여 있는 부분에 바닷물이 고여 있었다. 주워서 손에 가득 들고 있다가, 또 하나씩 하나씩 떨어뜨렸다. 물이 밀려들어와서 발을 적셨다. 죽은 해파리가 딸려 들어와 모래 위로 하얗게 누워 있었다.

앞서 걷는 그는 나를 돌아보지 않았다. 내가 걷는 속도를 맞춰 주고, 내가 걸음이 느려질 때마다 멈춰 서서 기다려 주었다. 집은 돌아볼 때마다 점점 작아지더니 까만 점이 되었다.

모래 위에는 오래전에 물에서 떠밀려 올라온 것 같은 커다란 통나무가 거대한 동물의 뼈처럼 앙상하게 널려 있었다. 그중 하나가 길목을 가로막자, 옆으로 돌아가는 대신 그는 갑자기 멈춰 섰다. 나는 한 손에는 동그란 돌멩이, 한 손에는 귀처럼 하얗고 완벽한 조개껍질을 들고 그의 뒤에 멎었다.

"좀 앉아요, 쉬었다 가게."

그가 말했다. 나는 잠자코 통나무 위로 엉덩이를 붙였다. 매끄러운 나무의 표면이 햇볕을 받아 따뜻했다.

한 팀장은 통나무에서 뻗어 올라온 나뭇가지에 상체를 기대고 내 등 뒤로 섰다. 라이터 소리가 건조하게 찰칵 울렸다. 시야 끄트머리에 희뿌옇게 담배 연기가 피어오르고, 바람에 섞여 사라졌다.

나는 모래가 묻은 발가락을 물끄러미 보고 있었다. 많이 걸어서 그런지 발바닥에 따끔따끔 열이 올라 있었다. 파도가 들어오는 소리가 규칙적으로 울렸다. 모래에 닿아 하얗게 거품이 일고, 스며들어 잠잠해졌다. 수평선이 깨끗한 푸른 선이었다. 앞으로 가도 가도 아무것도 나오지 않을 것 같았다.

"왜 말 안 했습니까?"

그가 대뜸 물었다. 나는 대답하기 전에 물고 있었던 호흡을 놓았다.

"뭘 말씀하시는 겁니까?"

한 팀장은 곧바로 대답하지 않았다. 담배를 입에서 떼고 새어 나온 연기가 느리게 흩어질 때까지 입을 다물고 있었다. 시선은 내가 아닌 바다나 하늘 어딘가쯤을 향해 있었다.

"이서단 씨에게 사과할 일이 있습니다."

깔끔하게 말끝이 떨어졌다. 물기를 축이듯 얇은 입술에서 짜고 쓴 소금 맛이 났다. "네."라고 작게 대답했더니, 또 짧은 침묵이 이어졌다. 그 끝에서 그가 무덤덤하게 말했다.

"일반적인 상식으로 보면 당연히 그렇겠지만, 그 늦은 밤에 상사가 코딱지만한 이서단 씨 방에 신세 지러 왔다는 변명은 설득력이 없었던 모양입니다."

그제야 나는 그가 지난주 금요일 뒤풀이 이후의 일을 말하고 있다는 사실을 깨달았다. 내 어머니의 얘기였고, 그가 내 집 앞에서 맞닥뜨린 추태에 대한 얘기였다. 입을 열려고 고개를 들었더니 그는 벌써 무감하게 말을 이어가고 있었다.

"집을 나오는 길에 이서단 씨 어머님은 내 입으로 확실한 대답을 듣고 싶으셨던 것 같고, 얼버무려 넘기자면 충분히 그럴 수 있었을 텐데 내가 그러지 않았습니다. 그때는 나도 잠이 부족했고, 취해 있었고, 적잖게 감정적이었고……."

대답 없는 나를 물끄러미 보던 그가 설핏 웃었다.

"아니, 그것도 거짓말이지. 아마 어차피 그렇게 됐으니 좋은 기회라고 생각했던 것 같습니다. 이서단 씨 어머님이든 여동생이든 나한테는 치워 내는 게 이득이고, 이서단 씨를 앞으로도 휘두르게 둘 생각은 추호도 없었고……."

나는 그가 꺼낸 이야기의 끝을 미리 알 수 있었다. 이곳이 아니고, 지금이 아니더라도, 이런 날이 올 것이라고 언젠가 예상했을지도 모른다. 오래전부터 모래를 향해 밀려들기 시작한 파도처럼, 어차피 도달해 부서질 곳은 정해져 있었다.

"어디까지 들으셨습니까?"

내가 생각해도 이상할 정도로 목소리가 침착하게 나왔다. 뒤통수에 닿아 있는 그의 가슴이 들썩이고, 잠잠해졌다.

"들을 만큼은 들었습니다."

"……."

"이서단 씨가 나에게 말할 가치가 없다고 여겼던 것들, 아니면 내가 들을 자격이 충분하지 않다고 여겼던 것들. 어느 쪽이든……."

무감정하다고 생각했던 목소리는 지금 보니 거대한 힘에 억눌려 있었다. 단어 사이마다 분노가 응고되어 있었다. 나는 그제야 그가 화가 나 있다는 사실, 지난주 일요일부터 오늘까지 쭉 나에게 화가 나 있었다는 사실을 깨달았다. 내가 그와 함께 있던 호텔방에서, 혹은 마주 앉아 밥을 먹었던 식당에서, 내 입으로 오래전에 윤간당했던 것을 고해바치길 바랐던 모양이었다.

숨을 잠시 멈췄다가 내뱉었다. 눈앞의 바다도 뿌옇게 초점이 나갔다. 입을 열었는데 나도 모르게 웃음이 새었다.

"그래서…… 그것 때문에 저한테 그러셨던 겁니까. 일주일 내내……."

일어섰다는 자각도 없는데 어느새 그를 마주 보고 있었다. 무표정한 얼굴을 보면서 말을 쏟아내고 있었다.

"그게, 팀장님한테는 그렇게 중요한 문제입니까? 그래서, 알고 나니까 저랑은 더 이상 엮이고 싶지 않다고 생각하셨습니까?"

"지금 무슨 말을 하는 겁니까."

어깨를 잡아 오는 손을 거세게 뿌리쳤다.

"제가 팀장님한테 애초에 뭘 기대해서……. 아무 때나 저를 밀어내시고, 아무것도 확실하게 말씀해 주시지 않고, 매번…… 제가 팀장님 손바닥을 벗어나지 못하고 휘둘리니까……."

"지금 누가 누굴 휘두르는데."

날것 그대로의 감정이 드러난 굳은 표정이었다. 어깨가 붙잡혔다. 몸을 뒤틀어도 뿌리칠 수 없는 악력이었다.

"내가, 이번 주에 어떤 생각까지 한 줄 압니까? 내가 살아 온 행태를 벌하려고 누가 나를 낱낱이 조사해서 이서단 씨를 보낸 게 아닌가 싶었을 정도입니다. 미리 알았더라면 이서단 씨에게 그러지 않았을 거라고 말하면, 그게 지금 와서 어떤 의미가 있습니까. 몰라서 그랬다고 말해도, 이제 와서……."

억센 손아귀가 내 몸을 끊어 낼 듯이 어깨를 파고들었다. 반사적으로 내려다본 그의 손마디가 하얗게 질려 있었다.

나는 아연하게 시선을 들었다. 그의 얼굴에서 볼 거라고는 생각지도 못했던 표정이 그곳에 어려 있었다. 가슴에 뜨끈한 게 지나간 것 같아 나는 서둘러 눈을 피했다.

"팀장님이 신경 쓰실 일이 아닙니다."

목소리가 엉켜 나왔다.

"제가 제 발로 호텔 방에 걸어 들어갔는데, 제가 예전에 강간을 당했든 윤간을 당했든 그게 팀장님과 무슨……."

"상관이 없다고? 상관이 없으면 내가 지금 왜 이러고 있겠습니까?"

그가 내 말끝을 잡아 찢듯이 물었다. 잡혀 있는 어깨가 아팠다. 나는 피 맛이 나도록 이를 악물었다.

"지금 와서 팀장님이 죄책감이라도 느끼시는 겁니까, 아니면 불쌍하다고 생각하시는 겁니까? 제가 봐도 강간당해서 집에서 쫓겨나 놓고 이제 와 프로젝트 하나 하겠다고 몸까지 파는 게—"

"말 그딴 식으로 하지 마."

그가 내 말을 토막으로 끊어 버렸다. 다시 입을 열려는 나를 이 악문 목소리로 가로막았다.

"이서단 씨가 말해 봐요, 그럼. 일주일 내내 눈만 감으면 하얗게 질려서 덜덜 떠는 이서단 씨 얼굴이 보이는 건, 죄책감입니까, 동정입니까?"

"……."

"무섭다고, 도저히 못 하겠다고 우는 걸 붙잡고서 손목을 묶고 매를 들이대고…… 이서단 씨 마음속에서 내가 그 씨발놈의 강간범들과 동일시된 순간이 한 번이라도 있었다고 생각하면 눈에 보이는 것마다 부숴 버리고 싶은데, 이서단 씨가 보기에 이건 죄책감입니까, 아니면 동정 같습니까?"

얼굴이 확 가까이 당겨졌다. 나는 아무 말도 못 하고 흐릿한 시야를 깜박거렸다. 뺨이 어느새 흘러내린 액체로 뜨거웠다. 형형한 눈이 나를 찢어 놓을 듯이 가까웠다.

"내가, 하루에도 열댓 번씩, 양심을 다 갖다 버리는 한이 있어도 그 얘기를 그냥 못 들은 것으로 하고 싶다고 생각하면, 지금보다 더 형편없는 개새끼가 되는 겁니까? 어떻게 생각합니까?"

"……팀장님."

"이서단 씨가 말해 주지 않았으니, 내 쪽에서 모른 척하면 되는 일이라고, 어차피 이제 와서 달라질 것도 없다고, 이딴 같잖은 헛소리로 내가 나 자신을 설득하는 게……"

어깨에서 손이 갑자기 떨어졌다. 막혔던 피가 통하는 것처럼 격렬하게 욱신거렸다. 그는 나를 두고 뒤로 두어 걸음 비틀거리듯이 물러섰다. 얼굴이 창백했다. 나는 나도 모르게 손을 뻗었다.

"팀장님……."

"늘어요."

"저는—"

"내 말부터 듣고 말해요."

그는 나를 마주 본 채로 고저 없이 말을 뱉었다.

"나는 예전부터 이서단 씨가 진심으로 겁에 질려서 나를 볼 때마다 그게 예뻤고, 나 때문에 아파서 울 때마다 꼴려서 좆이 터질 것 같았습니다. 그러면 이서단 씨에게 나는 강간범과 별반 다르지 않은 사람이 되는 겁니까?"

나는 하릴없이 입을 다물었다.

그는 핏발 선 눈으로 나에게 대답을 요구하고 있었다. 내 입에서 나오는 말에 무게라도 있는 것처럼 악문 입술로 기다리고 있었다.

"그걸 제가……."

목소리가 떨려 나왔다. 시야가 흐려져서 그가 보이지 않았다.

"그걸 제가, 어떻게 압니까."

"이서단 씨가 모르면 누가 압니까."

"저는……."

"대답해 봐요. 나는 오늘 여기서 결판내기로 작정했으니까. 나를 좋아한다고 했던 건 무슨 뜻입니까. 나를 수용하겠다는 것은, 어떤 종류의 결심입니까. 내가 어떻게 해 줬으면 좋겠습니까. 나는 이제 정말 모르겠으니까, 이서단 씨가 결정하세요. 꺼지라면 꺼지고, 빌라면 빌 테니까, 말해 봐요."

사람이 아무도 없었다. 바닷물이 들어와 발뒤꿈치를 넘실거리는 모래사장 위에서 그와 단둘이 남아 있었다. 멀리서 파도 소리가 났다. 나는 고장 난 것처럼 흐르는 눈물을 닦아 없앴다. 그의 얼굴이 선명하게 보일 때까지 눈물을 깜박였다. 볼품없이 떨리는 목소리로 입을 열었다.

"그 두 가지밖에 선택지가 없는 건가요?"

"……원하는 대로 다 해 줄 테니까 말해 봐요."

그는 온몸의 힘이 다 빠져나간 것처럼 조용히 말했다. 나는 손등으로 눈가를 다시 한번 닦아 내고, 나 스스로도 알 수 없는 곳에서 나오는 충동으로, 작게 뱉었다.

"그럼 팀장님도 저를 좋아해 주세요."

"……."

차가운 파도가 뒤꿈치를 적셨다. 바람이 불어서 눈물로 젖은 얼굴이 따가웠다. 그의 얼굴이 이상해서, 나는 서둘러 덧붙였다.

"많이는 아니어도……. 그냥 섹스 말고 가끔 같이 밥도 먹고, 아무것도 안 해도 가끔 얼굴 뵙고 싶고, 제 쪽에서도 먼저 연락드리고 싶고……. 그게 가능할 정도만 팀장님도 저를 좋아해 주세요."

"벌써 좋아하고 있습니다."

그가 이상한 얼굴로 답했다. 내가 입을 열려 하자 손을 들어 가로막았다.

"지금까지 뭘 들은 겁니까."

"네?"

"좋아한단 말을 방금 열댓 번도 더 한 것 같은데."

"……언제."

그가 웃었다. 황당함이 고스란히 묻어나는 실소였다.

"사람이 어지간해야지, 이 정도면 눈치가 없어도……. 이서단 씨 말고 대체 누구한테 내가 이렇게까지 할 것 같아요?"

말이 귓가에서 윙윙 돌았다. 납득이 가지 않아서 멍하니 올려다봤다. 눈을 잠시 감았다 뜬 그가 덧붙였다.

"이서단 씨가 좋아한다고 말하는 것과 같은 종류의 감정은 아닐 겁니다. 나는 이서단 씨처럼 마냥 착하게 기다리는 건 죽었다 깨어나도 못 할 거고, 가진 걸 다 빼앗고 나한테 하나부터 열까지 의존하게 만들어서라도 옆에 둘 생각인데, 그것도 이서단 씨 기준에는 좋아함으로 쳐 줍니까?"

"……사람 대 사람으로서의 호감이나, 그런 게 아니라."

"할 수만 있다면 이서단 씨를 살점 하나도 남기지 않고 죄다 씹어 먹고 싶은 마음입니다."

그가 표정 변화 없이 무덤덤하게 말했다.

"이서단 씨가 내 눈앞에 있지 않은 순간마다 돌아 버릴 것 같고, 다른 사람과 이야기하는 것만 봐도 그 상대를 어디 끌고 가서 죽여 버리고 싶다는 겁니다. 정신병자 같지 않습니까? 내가 생각해도 그런데."

나는 입술을 다물었다. 배 속이 뜨거운 것으로 가득 차서 울렁거렸다.

"그런 건 그냥…… 욕심 아닙니까?"

"……"

그가 나를 물끄러미 보다가, 두 손 위로 얼굴을 묻으면서까지 웃었다. 나는 퉁퉁 부은 눈가를 젖은 손등으로 훔쳐 냈다. 몸이 삼킨 울음으로 들썩거렸다. 그는 여전히 웃음기가 남아 있는 목소리로 물었다.

"그래서 내가 욕심이라고 하면, 이서단 씨는 내가 마음껏 욕심부리게 허락해 줄 겁니까?"

"……."

"좋아해 달라고? 바라는 게 고작 그 정돕니까?"

"……."

"손 내밀어 봐요."

뒤늦게 손바닥을 들어 올리자, 주머니에 손을 넣은 그가 내 손바닥 위로 작고 묵직한 것을 내려놓았다. 둥근 고리가 낯이 익었다. 그의 침실에 있던 옷장의 열쇠였다.

입을 열려다가 목이 잠겼다.

"이걸……."

"버리세요."

그가 내 어깨를 잡아 돌려세우며 말했다. 눈앞에 파란 물이 펼쳐져 있었다.

"아무 데나 던져서 버려요. 이제 쓸 일 없으니까."

"……왜요?"

자칫 떨어뜨릴 것 같아 나는 손을 꽉 쥐었다. 돌아본 그의 얼굴에는 혈색이 돌아와 있었다. 내 어깨를 앞으로 가볍게 밀며 그가 대답했다.

"왜는 무슨 왜. 설마 싫습니까?"

"이제 저랑 플레이나 섹스는 안 하시겠다는 겁니까?"

확인하기 위해 물었다. 그가 불현듯 미간을 찌푸렸다.

"나랑 놀더니 이서단 씨 언어구사력이 늘었네요. 플레이나 그 비슷한 건 안 합니다. 섹스는 안 하겠다는 게 아니고……."

그가 단어를 생각해 내듯이 잠시 말을 멈췄다.

"일반적으로 말하는 연애를 하자고 하면 말이 되겠습니까?"

"일반적으로……."

"회사 끝나고 같이 맛있는 걸 먹으러 가거나, 영화를 보러 가거나. 주말에는 내 집에 자러 오고, 플레이 뺀 바닐라 섹스를 하고. 일 년에 몇 번은 휴가 내서 여행도 가고. 그러다 이서단 씨가 마음이 내키면 내 집에 들어와 같이 살고. 그렇게 일단 몇 년 정도 해 보면 될 것 같은데, 이서단 씨 생각은 어떻습니까?"

나는 그가 한 말을 한참 되새겼다. 단어를 뒤집어 하나하나 확인하듯이 귓가에서 곱씹었다. 그 사이 그가 덧붙였다.

"이론적인 얘기입니다. 의견 있으면 말하세요, 반영할 테니까."

"……모르겠어요. 해 본 적이 없어서……."

그가 설핏 웃었다.

"안 해 본 인간 둘이 만났으니 시행착오는 어지간히 겪겠네요."

시선이 오래 맞닿았다. 그가 고개를 기울여 입술을 짧게 맞물렸다. 장난처럼 가벼운 입맞춤이었다.

그 끝에서 그의 팔이 억세게 내 허리를 감아 왔다. 중심을 잃고 넘어진 몸이 그의 품 안으로 빨려 들어갔다. 입술을 가르고 밀려들어온 뜨거운 혀가 집어삼킬 것처럼 격렬하게 입안을 헤집었다.

🜁

침대에 완전히 눕혀지기도 전에 옷이 벗겨져 있었다. 반바지와 속옷을 한 번에 끌어 내린 그가 침대 밖으로 내던지며 내 발목을 감아쥐었다. 넓게 벌어진 허벅지 사이로 몸을 들이고 내 티셔츠를 벗겨 냈다. 옆구리를 타고 올라가는 손가락이 간지러워서 나는 어깨를 움츠렸다.

"발에, 모래—"

턱 끝까지 숨이 차서 간신히 뱉었다. 그는 셔츠를 벗다 말고 웃었다.

"나만 급한 겁니까, 지금."

"그래도, 이불에 묻으면 안 되니까······."

"이제 더한 것도 묻힐 건데 무슨 상관입니까."

하지만 그는 청바지만을 걸친 채로 침대 밑으로 내려가 가방에서 수건을 찾아왔다. 나를 침대 끝으로 당겨 내려서 발 하나씩을 잡고 모래를 바닥에 털어 냈다. 발바닥에 수건이 스치는 감촉이 이상했다. 나는 입을 다물어 소리를 참으면서 몸을 뒤틀었다.

발가락 사이사이를 수건으로 훔쳐 내던 그가 발등 위로 진득하게 입을 맞췄다. 도드라진 복사뼈를 빨아들여 깨물었다.

"으······."

"무릎은 또 왜 이렇게 생겼어."

모았던 숨이 차서 흩어졌다. 한 팀장은 내 발목을 모아 잡은 채로 동그랗게 솟은 무릎에 가벼운 입맞춤을 떨구었다. 누가 다른 사람으로 바꿔치기한 게 아닌가 싶어, 나는 정신이 없는 와중에도 눈을 깜박였다. 반쯤 선 내 성기를 잡으며 그가 웃었다.

"왜, 적응이 안 됩니까."

"매번, 이런 식으로, 웃…… 방심시키고."

몸에 미열이 오르자 이전 같으면 삼켰을 말이 혀끝에 달렸다. 한 팀장은 내리깐 눈가에 어이없는 웃음을 매달았다.

"의심이 그렇게 많아서야 되겠습니까. 이서단 씨가 좋아하는 것만 할 겁니다. 보통 바닐라 섹스만."

고환으로 이어지는 부분의 연한 살을 그가 손톱으로 긁었다. 팽팽해지는 고환을 손바닥 안쪽으로 문질렀다. 고조되는 성감이 선명해서 손에 잡힐 지경이었다. 나는 눈을 감고 가만히 앓았다. 입을 다물고 있는데도 달뜬 소리가 새어나갔다.

"다리 더 벌리세요, 빨아 줄 테니까."

"……으응, 싫……."

조여드는 허벅지를 그가 잡아 벌리고, 가장 안쪽을 깨물어 잘근잘근 씹었다. 따끔거릴 정도로 집요하게 입에 연한 살점을 넣고 빨아들였다. 나는 표정을 통제할 수가 없을 것 같아 팔로 달아오른 얼굴을 가렸다. 그의 손이 내 손목을 잡아 왔다.

"얼굴 가리지 마요. 혼납니다."

가벼운 목소리였다. 그래도 그와 나 둘 다 약간의 시간차를 두고 반응했다. 눈썹을 약간 치켜올린 그가 건조하게 말했다.

"그냥 말버릇입니다."

"……옷…… 네."

"그렇게 가리고 싶으면 가리세요, 안 혼낼 테니까."

귀두 끝에 그가 입을 맞췄다. 나는 잘 익은 사과처럼 달아오른 얼굴로 죄송해요, 안 가릴게요, 라고 웅얼거렸다. 상처럼 혀를 내어 기둥을 쓰다듬어 준 그가 눈으로 웃었다. 건네어진 쾌감이 무섭도록 달았다.

허벅지 안쪽에 그가 손바닥을 펼쳐 느리게 문지르듯이 쓰다듬었다. 피부의 민감성이 이 정도였나 싶을 정도였다. 순간적으로 숨이 턱 턱 막히고 머릿속이 하얗게 비었다. 나는 가까스로 정신을 되찾아 뭉개진 발음으로 내뱉었다.

"팀장님."

"왜."

"저, 허락 맡지 않고, 가도, 옷……."

들린 눈에 웃음기가 짙게 스며 있었다.

"그게 허락 맡는 게 아니고 뭔데."

목소리가 낮아지고 거칠어져 있었다. 젖은 성기를 손바닥으로 어루만지며 그가 엉덩이 안쪽으로 나머지 손을 뻗었다. 다물린 입구 위를 손끝으로 쓰다듬으면서 다리 양쪽을 넓게 펼치고, 지금까지는 장난이었다는 듯이 목구멍 안쪽까지 성기를 강하게 빨아들였다.

몸 안에서 뜨거운 것이 끌려 나가는 것 같은 절정이었다. 나는 빡빡한 주름을 밀고 들어온 손가락도 인식하지 못할 정도로 달콤한 감각에 빠져 허우적거렸다. 표정도 소리도 통제할 수 없었다.

한 팀장은 입에 물고 있던 내 사정액을 엉덩이 사이로 뱉었다. 미지근한 윤활제는 별로 도움이 되지 않았다. 나는 액체를 퍼 담듯이 해서 손가락을 얕게 밀어 넣는 그를 여운에 젖어 멍하니 내려다봤다. 미약한 통증에 몸이 움찔거렸다. 주위를 둘러봤지만 휑하니 빈 별장에 콘돔이나 젤이 있을 리가 없었다.

마디가 굵은 손가락을 끝까지 밀어 넣으며 그가 낮은 목소리로 말했다.

"……힘들어도 참아요, 안 풀면 아픕니다."

"으, 흐읏…… 아! 으으……."

좁은 안을 억지로 벌리며 손가락이 들락였다. 파드득 떨린 다리에 그의 바지 앞섶이 닿았다. 속옷의 옷감을 뚫고도 느껴질 정도로 뜨겁고 딱딱하게 발기된 것이 내 종아리를 툭 스쳤다.

긴장과 두려움과 기대가 한 데 섞여서 머릿속을 깜깜하게 했다. 그는 미간에 깊게 골을 새긴 채로 내 안을 손가락으로 연거푸 다그쳤다. 안쪽의 내벽이 손마디에 엉겨 붙고 딸려나갔다.

"……왜 이렇게 좁아. 무섭습니까?"

아까 그가 붉게 깨물어 놓은 허벅지가 덜덜 떨리고 있었다. 그 위를 쓰다듬으며 한 팀장이 느리게 물었다. 나는 소리를 삼키며 되물었다.

"무섭다고, 대답하면, ……웃, 그만해 주시는 건가요?"

"……어떻게 하면 덜 무서울까. 여길 빨아 주면 되겠습니까?"

"흐읏!"

안에 든 손가락이 예민한 내벽 위를 슬슬 긁어 댔다. 말만으로도 쭈뼛 소름이 돋았다. 열심히 고개를 저었더니 그가 또 웃었다.

"표정에 다 써 놓고 그러면 설득력이 없지."

"하으, 웃……."

"안을 다 뚫어 놨었는데 그새 다시 좁아져서 어쩔 셈입니까. 처음 부터 다시 길들여야겠네."

못마땅한 말의 끝은 키스였다. 입술에 한 번, 배꼽에 한 번, 그리고 촉, 엉덩이골 위쪽으로 입술이 닿았다. 한 팀장은 허공에서 움찔거 리던 내 양 다리를 잡아 몸을 반으로 접듯이 내리눌렀다. 시트를 잡 고 있던 내 손을 떼어 내 양 발목을 쥐어 주었다.

"제대로 벌리고 있어요. 안쪽까지 다 보이게."

"그, 으읏……."

그가 건넨 열쇠에 섹스 중의 노골적인 말버릇은 포함되지 않는 모양이었다. 귓바퀴가 새빨갛게 달아오른 채로 나는 그가 시키는 대로 발목을 잡았다. 칭찬하듯 엉덩이를 느릿하게 쓰다듬은 그가 아직 손가락을 물고 있는 입구를 혀를 넓게 내어 핥았다.

참았던 숨이 샐 정도로 감족이 뜨거웠다. 벌어진 연한 살을 십요 하게 빨아들여 핥으면서 그가 천천히 손가락을 빼내고 전진시켰다. 깊이 넣은 채로 잘게 진동시키기도 하고, 완전히 빼내었다가 다시 한 번에 푹 밀어 넣기도 했다. 나는 소리를 참다가 왼쪽 발목을 두 번 놓쳤다. 그는 혼내는 대신 땀에 젖은 내 손에 친절하게 발목을 다시 쥐여 주며 깊이 파고든 손끝으로 전립선 위를 지긋이 짓눌렀다. 채찍이 없어지고 당근만 남은 침대 위는 다른 의미로 견디기가 어려웠다.

"팀장님, 으응, 흐으……"

"왜."

그의 팔을 계속 잡아당겼다. 영 들어 줄 기미가 없던 그가 뒤늦게 얼굴을 내 다리 사이에서 들어올렸다. 눈동자에 서린 집요한 열기를 정면으로 마주하자 나는 발가락이 오므라들었다. 하던 말도 잊을 뻔했다.

"왜 그러는데."

그가 조금 누그러진 어조로 다시 물었다. 손끝이 다가와 뺨에 달라붙은 머리카락을 떼어 주었다. 나는 가까스로 말했다.

"바지……"

"……무슨 말인지는 알겠는데, 내가 이걸 벗으면 그 다음은 장담 못 합니다."

농담조가 아니었다. 뺨을 쓰다듬는 손가락이 다정했다. 붉게 부어오른 뒤를 손끝이 끊임없이 지분거렸다. 나는 힘이 들어가지 않는 팔로 그의 청바지의 허리 부분을 잡았다.

"그래도, 이거 입는 건 싫……"

"알았어요."

깊이 들어가 있던 손가락이 스륵 단번에 빠져나갔다. 나는 목에서 새는 소리를 참지 못하고 뺨 안쪽을 깨물었다. 한 팀장은 벌어져 있던 내 다리를 대충 다물려 주고 내 팔을 잡아 상체를 일으켜 세웠다.

"직접 벗기세요."

"으, 읏……."

뒤가 아직도 벌어진 것처럼 욱신거렸다. 갈증이 끊이지 않는 것처럼 안타까웠다. 나는 힘이 제대로 들어가지 않는 손가락으로 그의 바지를 잡아 끌어 내렸다. 앞섶은 벌써 풀려 있었지만, 억센 천이 몇 번이나 손아귀를 빠져나갔다.

기를 써서 허벅지쯤 내렸을 때 속옷이 같이 끌려 내려왔다. 튕겨 나가듯이 선 성기가 뜨겁게 내 뺨을 스쳤다. 피하지 못해서 철썩거리는 소리가 났다. 입가에 뜨겁게 젖은 것이 묻었다. 나는 놀라서 손을 올려 끈적이는 액체를 찍어 냈다.

"훗……."

"……사람 미치게 하네."

그의 허리를 끌어안다시피 하고 있으니, 흥흥하게 일어선 성기가 바로 눈앞에 있었다. 나는 가볍게 심호흡을 하고 부푼 선단에 입술을 댔다. 뜨겁게 욱신거리는 게 느껴졌다. 다가온 손이 내 이마를 밀어냈다.

"다칩니다."

찌푸려진 눈가에 웃음기가 스며 있었다.

"나중에 먹어요. 몇 번 하고 나면."

"저는 지금 하고 싶은데ー"

어깨가 붙잡혔다. 몸이 뒤로 넘어가 다시 눕혀졌다. 입안의 살을 남김없이 발라 버릴 듯한 키스가 이어졌다. 한 팀장은 내가 벗겨 놓다 만 바지와 속옷을 빠르게 벗어 침대 밖으로 밀어냈다. 맨 다리가 얽혔다. 허벅지에 소스라치게 뜨거운 성기가 문질러졌다.

"알아서 조절할 자신이, 없으니까."

"아, 흐읏!"

"아프면, 걷어차든지 하세요. 알았습니까?"

다리가 양옆으로 커다랗게 벌어졌다. 목소리 끝이 사포로 문지른 듯이 거칠었다. 나는 말없이 그의 목을 끌어안았다. 붉게 헤집어진 주름에 단단한 선단이 닿고, 곧바로 꿰뚫렸다. 몸이 반으로 갈라지는 것 같은 아픔이 이제는 낯설지 않았다. 윤활제가 없어 겁이 날 정도로 마찰이 뻑뻑했다. 그가 내 목에 대고 후우, 하고 뜨거운 숨을 뱉어 냈다.

"처음에는, 그렇게 무섭다고 울더니."

"아아, 윽, 흐윽!"

"그새 이렇게, 넣기만 해도 안이 벌벌 떨려서."

말을 못 하게 하려고 나는 입술을 포갰다. 입꼬리가 올라가는 것이 느껴졌지만, 그는 응해 주었다. 혀를 섞은 채로 길쭉한 기둥이 천천히 뿌리까지 들어왔다. 처음의 기세만큼 거친 삽입은 아니었다. 견디기 힘든 압박감에 굳어 있는 등을 그가 느리게 쓰다듬었다.

"숨은 쉬어야지."

"으, 흐으, 아……."

둔한 통증이 점차 잦아들었다. 내 머리 옆 침대를 짚은 그의 팔에 팽팽하게 힘줄이 당겨져 있었다. 조금만 참아요, 라고 그가 내 귀에 대고 짓씹었다. 거칠어진 목소리였다.

"일주일 동안 내가 머릿속으로, 이서단 씨를 몇 번, 벗기고 안았는지 알면."

"아아! 흐윽, 윽―"

"내 인내심에, 오히려 감탄할 겁니다. ……미치겠네, 정말."

입구까지 느리게 빠져나간 기둥이 단번에 뱃가죽을 찢어 낼 듯이 깊숙이 들어왔다. 몸 안에 불길이 지펴지는 것 같았다. 나는 하릴없이 그를 끌어안고 뜨거운 목덜미에 뺨을 비볐다.

뜨겁게 젖은 숨이 귓바퀴 안쪽에 훅 밀려들어 왔다. 그는 내 한쪽 손을 끌어 내려 손가락을 단단하게 얽었다. 다른 손으로 내 엉덩이를 받쳐 올리고, 수직으로 내리꽂듯이 삽입했다. 단번에 꿰뚫리는 감각이 너무 강렬해서 숨이 목에 턱 걸렸다. 그는 내 몸을 반으로 접어 놓고 느릿하게 살기둥을 빼냈다. 발끝이 벌벌 떨리고 진저리가 쳐졌다.

"정신을 못 차리네, 아주."

"윽, 으으읏! 흐악, 아…… 흐아……."

허우적거리는 손목을 그가 잡아 침대 위로 고정시켰다. 몸이 완전히 겹쳐진 채로 빠르게 허리를 흔들었다. 깊숙이 들어온 성기의 뭉툭한 끝이 극점 위를 콱, 콱 들쑤셨다. 울음인지 신음인지 모를 것이 벌린 입술 사이로 끊임없이 흘렀다. 입술이 닿는 곳마다 깨물던 그가 내 뺨 위로 진득하게 입을 맞췄다.

"안이 빡빡해서…… 일단 한 번 싸겠습니다. 안쪽에 힘줘요, 흘리지 않게."

"그냥, 하, 으윽, 흑…… 아아!"

울컥, 귀두를 전립선에 짓누른 채로 그가 여러 번에 걸쳐 사정했다. 도망치려 해도 몸이 꼼짝할 수 없이 깔려 있었다. 눈앞이 깜깜해지고 뜨거운 게 배 속에 끊임없이 쏟아져 들어왔다. 쏟아 내고도 줄어들지 않는 딱딱한 살기둥이 마개처럼 입구를 막고 안으로 정액을 밀어 넣었다. 억눌린 울음이 터졌다.

흐릿해진 시야로 그의 얼굴이 보였다. 뺨에 다정하게 입 맞춰 주는 입꼬리가 호선을 그리고 있었다.

"이제 시작인데 벌써 울면 어떻게 합니까."

"팀장님, 저, 이거 죽을 것 같…… 흐윽!"

울음이 고스란히 그의 입술에 먹혔다. 입맞춤은 부드러웠는데 아래는 벌써 난폭했다. 한결 수월해진 안으로 그가 푹, 푹 살기둥을 처박았다. 드나들 때마다 빠듯하게 벌어진 주름에서 뜨거운 정액이 질질 새어나갔다. 질척거리는 음란한 소리가 방을 채울 정도로 크게 울렸다. 나는 귀를 틀어막았고, 곧바로 제지당했다.

내 팔을 끌어 내리는 그는 웃고 있었다. 젖은 눈가에 입을 맞추면서 자세를 비틀어, 지도라도 그려 둔 것처럼 정확하게 단단한 귀두로 극점을 짓눌러 문댔다. 눈앞이 깜박깜박 점멸했다. 대낮인데 깜깜해졌다. 귀에 길게 이명이 울렸다. 입에서 나오는 헐떡이는 소리가 내가 아닌 것 같았다.

"아파서 우는 것도 예쁜데."

"흐윽, 흑⋯⋯."

"느껴서 우는 것도⋯⋯ 마음에 드네. 더 울어 봐요, 더 세게 쑤셔 줄 테니까."

그가 거친 목소리를 귓가에 흘려 넣었다. 뒤가 저항 없이 풀린 것 같았다. 흐물거리는 구멍이 아무리 세게 박아 넣어도 커다란 살기둥을 잘도 집어삼켰다. 누구의 것인지도 알 수 없는 하얀 액으로 흥건하게 젖은 엉덩이를 쓰다듬으며, 그가 짧게 질타했다.

"넣어 줬으면 제대로 조여야지."

"흑, 흐읏, 마음대로, 안ㅡ"

"안쪽에 힘 줘요. 아예 내 좆으로 너덜너덜하게 망가뜨려 놔야, 딴 놈이 여기 못 들어오지. 안 그렇습니까? ⋯⋯미치겠네."

귓불이 깨물렸다. 위험 수위를 한참 넘은 발언이었는데, 그도 나도 신경 쓸 겨를이 없었다. 몇 번째인지 알 수 없는 절정으로 숨이 멈추고 몸이 경련했다. 벌벌 떨리는 다리가 그의 허리에서 자꾸만 미끄러져 떨어졌다. 자세를 고쳐 주며 빠르게 쑤셔 넣던 그가 돌연 성기를 쑤욱, 물렸다. 다물리지 못한 구멍에서 끈적한 액이 뚝 뚝 떨어졌다.

"흐아⋯⋯ 으, 흐윽, 왜⋯⋯."

허리가 붙잡혀 자세가 반전되었다. 순식간에 그의 허벅지 위로 올라앉아 있었다. 베개를 끌어와 뒤로 누운 그가 나를 놓아주며 말했다.

"직접 넣어 보세요. 일반 연애를 할 거면 쌍방향의 노력이 필요하지 않겠습니까."

"웃, 왜……."

"나는 오전부터 오래 운전해서 피곤하고."

누가 봐도 사실이 아니었다. 방금까지도 봐주는 것 없이 허리를 움직이던 사람을 말을 잃고 내려다보자, 그가 웃었다. 팔을 들어 다정한 손길로 뺨을 훔쳐 내 주었다. 손끝이 따뜻했다.

"이제 그만 울고. 넣고 움직여 봅시다."

마비되었다고 생각한 수치심이 얼굴을 뜨겁게 물들였다. 갑자기 등 뒤로 환하게 밖을 비추는 유리문이 신경 쓰였다. 돌아보고 싶은 충동을 억누르고 나는 떨리는 손으로 번들거리는 검붉은 기둥을 건드렸다. 양 손바닥으로 감싸 안자, 그가 반쯤 눈을 감고 미간을 찌푸렸다.

우뚝 서 있는 것이 방금 전까지도 몸 안에 들어가 있었다는 게 믿어지지 않았다. 몇 번 기둥을 아래로 어설프게 쓸어내리자 그가 허리를 치켜올려 말없이 재촉했다. 나는 후들후들 떨리는 무릎으로 서서 무작정 성기 끝을 엉덩이 사이로 맞췄다. 단단한 귀두가 벌름거리는 주름에 닿고 미끄러졌다. 뜨거워서 숨이 턱 막혔다.

"그렇게 바로 넣으면 다칩니다."

보다 못한 그가 내 허리를 잡아 주었다. 나는 그의 팔을 잡고 저지하려 했다. 말도 제대로 나오지 않았다. 무언의 애원을 알아들은 그가 숨을 느리게 뱉었다.

"안 누를 테니까, 알아서 넣으세요."

"천천히, 해도…….'

"기다려 주겠습니다. 준비되면 하세요."

그새 다물린 입구는 좀처럼 긴장이 풀어지지 않았다. 내가 벌벌 떨리는 손으로 엉덩이를 벌리고, 다른 쪽 손으로 자꾸만 엇나가는 그의 성기를 구멍에 맞추는 동안, 그는 땀에 젖어 달라붙은 내 머리를 뺨에서 쓸어내 주었다. 나는 잠시 엉덩이를 다시 그의 허벅지 위로 내리고, 더듬더듬 손등으로 눈가를 훔쳐 냈다. 숨을 천천히 쉬어서 가다듬었다.

눈을 들었는데, 감탄할 만한 인내심을 보여 주고 있는 이 남자가 눈물로 범벅이 된 내 얼굴을 보고 느리게 웃고 있었다. 평소의 속을 읽을 수 없는 눈이 아니었다. 비릿하고 음습한 욕심이 고스란히 보였다. 내 뺨을 감싸 안은 그가 상체를 일으켜, 젖은 입술에 가볍게 입 맞춰 주었다. 땀으로 축축하게 젖은 등을 느리게 도닥이고 쓰다듬어 주었다. 다정한 얼굴이었다. 다정한 손길이었다.

그제야 그가 바닷가에서 했던 말들이 뒤늦은 무게로 나를 끌어 내렸다. 눈앞에 있는 얼굴을 보고, 나는 그가 당장이라도 입을 열어 무심하게 말할 것 같았다. 거짓말이었다고, 그 뜻이 아니었다고. 그냥 해 본 말이었다고. 언제나 그랬듯이 나를 높이 올려 뒀다가 아래로 추락시킬 것 같았다. 내가 기대하고 절망하는 것을 웃음 띤 얼굴로 지켜볼 것 같았다.

"으, 훗……."

덜덜 떨리는 손바닥으로 막무가내로 그의 입을 틀어막았다. 밀어내려는 그를 아래로 깔아 누르고 무작정 그의 입술을 봉쇄했다. 얼굴의 반이 가려진 채로 나를 의아하게 올려다보던 그가 웃었다. 가슴이 웃음으로 들썩였다.

"왜."

"말하지, 마세요."

뜨겁게 젖어 있는 입술이 손바닥 아래로 꽉 눌렸다. 시야가 뜨겁고 흐릿해서 그가 제대로 보이지도 않았다. 뚝뚝, 턱에서 떨어져 내린 물방울이 그의 뺨 위로 내려앉았다.

울음을 눌러 삼키며 팔을 내려 그를 끌어안았다. 어설프게 팔을 둘러 웅크린 몸을 그에게 밀착시켰다. 서툰 아이처럼, 더 이상 붙들 것이 없는 사람처럼, 좋아한다는 말을 흐려진 발음으로 끊임없이 반복했다. 주문이라도 되는 듯이 그의 귓속으로 흘려 넣었다.

"이서단 씨."

손이 잠시 미끄러졌을 때 그가 말했다. 나는 입을 맞춰 그의 말을 막았다. 뜨거운 입술을 내 입으로 누르고 붙잡았다.

"흡, 으."

숨을 크게 들이쉬고, 아래로 손을 내려 다시 그의 성기를 감아쥐었다. 그 위로 스스로 엉덩이를 내렸다. 예민한 주름이 쓰라리고 민

간했다. 그 밑으로 딱딱하게 부푼 귀두를 맞추고, 후들후들 떨리는 허리를 아래로 내렸다.

"……끊어 먹겠네."

내가 하는 대로 내버려 두던 그가 억눌린 목소리로 중얼거렸다. 나는 호흡을 가다듬고 그의 성기 밑동을 잡아 안으로 더 밀어 넣었다. 몸이 반으로 갈라지는 것 같았다. 요령이고 뭐고 없이 뿌리까지 그를 집어삼켰다. 까슬한 음모가 팽팽하게 벌어진 주름을 긁어 댔다. 자꾸만 일어서려는 내 허벅지를 스스로 잡아 누르고 앉아서 울음 섞인 숨을 골랐다.

그가 미간을 찌푸린 채로 눈을 감았다. 내 손을 잡아 가슴 위를 지탱할 수 있게 내려 주었다. 자세가 익숙하지 않아서인지 안이 끊임없이 경련했다. 맞물린 주름이 얇고 팽팽하게 당겨져 있었다. 꼼짝도 못 하고 집어넣은 채로 숨만 간신히 쉬었다. 볼록 올라온 것 같은 아랫배를 떨리는 손으로 쓰다듬었다.

"힘들면 빼고."

"……싫, 싫어요."

겨우 힘겹게 넣은 살기둥이 쑥 빠져나갔다. 그를 잡아당기던 나는 빠져나가는 귀두가 극점을 정확하게 긋자 몸에 힘이 쭉 빠졌다. 풀썩 주저앉자 무게가 실려 귀두가 다시 깊은 곳을 비집어 열었다. 울음이 덜컥 새어 나갔다.

견딜 수 없어서 다시 허리를 들어 올렸다. 그가 움직였듯이 어설프게 각도를 맞춰서 빼내고 다시 천천히 앉았다. 뒤를 만져서 제대로 하고 있는 건지 자꾸만 확인해야 했다. 퉁퉁 부은 입구는 얼얼해서 감각이 없었고, 안쪽은 들끓는 열탕이었다.

허리를 고정시키고, 번들거리는 뜨거운 기둥을 더듬더듬 잡고 다시 밀어 넣었다. 제대로 된 각도와 자세를 찾아내도 몇 번 만에 잃어버리기 일쑤였다. 힘을 준 다리는 쥐가 날 것처럼 부들부들 떨렸다. 스스로 딱딱한 살 기둥을 안쪽까지 넣어 전립선을 긁어내릴 때마다 머릿속이 희게 번쩍였다. 소스라칠 때마다 흐윽, 흐윽, 울음이 벌린 입술로 터져나갔다.

"……내 요부."

위에 올라타 허리를 어설프게 움직이는 나를 보며 그가 웃음기 섞인 목소리로 속삭였다. 커다란 손이 내 성기를 잡아 느리게 문질렀다. 꼬챙이에 꽂힌 것처럼 뒤가 고정되어 있어 빠져나갈 방도가 없었다.

"내 좆이 그렇게 좋습니까. 안 넣어 줬으면 큰일 날 뻔했네."

"으응, 훗, 말, 하지 말고."

"예쁜 좆을 이렇게 세워 놓고."

그가 엄지와 검지로 둥근 고리를 만들어 내 성기의 밑동을 꽉 잡았다. 내가 울면서 고개를 흔들자 단호하게 잘라 냈다.

"같이 가야지. 더 열심히 해 봐요, 안에 싸 줄 테니까."

내 허리를 들썩거리는 게 내가 아닌 것 같았다. 아무것도 보이지도 들리지도 않았다. 그때 그가 내 허리를 꽉 잡았다. 성기를 빼내고 나를 뒤로 밀어 눕혔다. 벌벌 진저리치는 내 양 발목을 잡아 크게 벌렸다.

흐릿한 시야로 올려다봤다. 그가 내 다리를 접어 침대에 고정시켰다. 꼼짝도 할 수 없게 나를 몸으로 내리누르고, 성기를 단번에 안쪽까지 처박았다.

"흐으윽!"

"참아요."

더 이상 말도 없었다. 그는 이를 꽉 문 채로 빠르게 허리를 치댔다. 내가 스스로 움직이던 것보다 두 배는 거친 움직임이었다. 콱콱 수직으로 딱딱한 성기가 박혀 들어왔다가 곧바로 뽑혀 나갔다. 흐물거리는 뒤를 한계까지 벌리며 거칠게 들락거렸다.

나는 소리 내어 울고, 소리 내어 빌었다. 그는 어차피 내 말을 듣고 있지 않았다. 핏줄이 불거진 성기가 뱃가죽을 뚫을 듯이 출입하고, 붉게 부푼 전립선을 때마다 짓이겼다. 죽을 것 같았다. 벌써 죽은 것 같기도 했다. 팔다리가 제어를 벗어나 덜덜 떨렸다. 몸이 경련했다.

그리고 그가 뜨거운 선단을 전립선에 누른 채로 사정했을 때, 그의 어깨 너머로 보이던 천장이 빙글 돌았다. 까무러칠 것 같은 격렬한 쾌감이 몸을 벼랑에서 밀어 떨어뜨렸다. 새까만 물 같은 어둠 속으로 몸이 까무룩 잠겼다.

옆에 그가 없었다. 눈을 뜨자마자 상체를 일으킨 나는 소리를 먹으면서 몸을 둥글게 말고 앉았다. 팔다리도 작신작신 밟힌 듯이 뻐근하고, 몸 안이 울렸다.

팔로 눈을 가리고 누운 채로 기억을 가물가물 떠올렸다. 몸을 둥글게 말고 이불 밑으로 고개를 밀어 넣었다. 그의 체취가 이불에도 내 몸에도 듬뿍 남아 있었다.

유리로 비쳐 드는 빛을 보니 아직 해가 지기 전이었다. 유리문 너머로 팀장님이 보였다. 청바지와 편한 셔츠를 걸쳐 입은 뒷모습이 뜰 중앙으로 끌어낸 바비큐 기계 옆에 서 있었다. 나는 연기가 피어오르는 것을 구경하다가 천천히 몸을 일으켰다. 속옷은 가방에서 새로 꺼내고 반바지와 셔츠를 다시 입었다. 셔츠 목의 실밥이 뜯어져 있었다.

유리문을 밀어 열자마자 고기 냄새가 났다. 신발이 없어 망설이고 있는 동안 그가 나를 돌아봤다. 눈이 마주치는 순간 나는 어디론가 숨고 싶어서 발가락까지 움츠러들었다. 붉어진 얼굴을 보고도 그는 멀쩡했다.

"일어났습니까."

"……저 얼마나 오래……."

"얼마 안 잤어요. 안 그래도 이제 깨우려 했습니다."

그가 집게를 잠시 내려놓았다. 내 쪽으로 걸어오면서 덧붙였다.

"그리고, 그런 걸 보통 잤다고 합니까? 기절했다고 하지."

"……뭘 도와드리면, 될까요? 신발이 없긴 한데……."

"이걸로 신어요."

그가 신고 있던 슬리퍼를 벗어 내주었다.

"도와줄 건 없습니다. 거의 다 됐으니까 나와서 앉아 있어요."

소매를 그가 다시 한번 걷어 올렸다. 잘생긴 맨발로 흙 위를 밟고 가서 집게를 집어 들었다. 큰 슬리퍼를 받아 신고 따라 나갔더니, 바비큐 기계 위에 온갖 것들이 구워지고 있었다. 그리고 아이스박스 안에 들어 있던 통들이 옆의 낡은 테이블에 펼쳐져 있었다. 꼬치, 야채, 새우 같은 것들이 나란히 그릴 위에서 익어 가고 있는 걸 보고 나는 눈을 깜박였다. 족히 열 명은 먹을 양이었다.

"왜."

그가 통통한 새우를 뒤집다 말고 나를 돌아봤다. 옆의 의자를 내게로 밀어 주었다. 플라스틱 의자 위에 그의 옷으로 보이는 것이 덮여 있었다. 앉으면서 나는 대답했다.

"재료가 많아서요."

"이런 건 원래 남더라도 풀코스로 하는 겁니다."

연기의 매캐한 냄새가 났다. 기온이 떨어지자 제법 서늘했다. 그의 옷소매를 잡아 허벅지 위로 포개었다.

"많이 먹어야 체력을 쌓지. 섹스할 때마다 까무러칠 생각입니까."

말투가 건조했다. 무릎을 반사적으로 꽉 오므린 나는 아직 제대로 힘이 들어가지 않는 다리로 일어섰다.

"접시랑, 수저 좀 가져올게요."

"……아이스박스 안에 있습니다. 간 김에 긴 바지로 갈아입어요.

모기 물립니다."

슬리퍼를 문턱에 벗어 두고 일단 문을 닫았다. 아이스박스를 뒤져 일회용 접시와 수저를 꺼내고, 옷을 긴 팔과 긴 바지로 갈아입었다. 지금 보니 벌써 모기에 물린 것처럼 몸이 빨간 멍 자국으로 빼곡했다. 어깨 너머로 돌아보자 등의 아랫부분과 엉덩이에도 잇자국이 붉게 남아 있었다. 이게 월요일까지 없어질까. 목에도 아슬아슬한 부분에 남아 있었는데, 셔츠를 입어도 보일 것 같았다.

안에서 챙긴 것들을 들고 밖으로 나가자 그가 다 구워진 꼬치를 그릴 옆으로 옮기고 있었다.

"이리 주고, 저것 좀 치워 줘요. 한 그릇에 몰아 담고 나머지는 내려놓고."

"네."

그가 시킨 대로 탁자를 비워 놓고, 그 위로 접시를 나르는 그를 보며 앉아 있었다. 해가 점점 지면서 짙푸른 하늘이 어두워졌다. 갯벌을 다 잡아먹은 바닷물이 검었다.

그와 둘이 있는 허름한 별장의 뜰은 현실감이 없었다. 평소 그를 만날 때 배경이 됐던 도시의 풍경과 지나치게 동떨어져 있었다. 눈앞에서 소매를 걷어붙이고 청바지 차림으로 고기를 굽고 있는 남자는 상사로 보이지 않았다. 어쩌다 눈이 마주칠 때마다 가슴이 저리고 시큰거렸다. 고장 난 것처럼 말을 듣지 않았다.

"먹어요, 식기 전에."

그가 내 앞으로 접시를 놓아 주었다. 나는 플라스틱 포크를 들어

고기를 옮겨 담았다. 꼬치의 긴 막대를 잡아 담고, 가만히 기다렸다. 그가 나를 돌아보고 미간을 찌푸렸다.

"먼저 먹어요. 이상한 예의 차리지 말고."

"팀장님도 와서 드세요."

"이것만 다 굽고 가겠습니다."

그렇게 말하고 그가 등을 돌렸다. 단단하고 날렵한 등이었다. 옷을 입고 있어도 촘촘한 근육의 선이 머릿속에 그려졌다.

나는 두 손을 허벅지 밑으로 깔아서 봉쇄했다. 잠시 그러고 있다가 플라스틱 컵에 음료수를 따라 냈다. 그새 그가 마지막 접시까지 테이블 위로 올렸다. 나는 기다란 꼬치를 들어 올렸다.

"먹을 만합니까?"

그가 고기를 썰다 말고 물었다. 나는 아무 생각 없이 피망을 씹다가 멈칫했다.

"네, 맛있습니다."

"많이 먹어요, 그럼."

내 앞으로 그가 접시를 밀어 주었다. 그러고는 한 입 크기로 썬 고기를 내 접시로 옮겨 담아 주었다.

해가 질수록 바람이 서늘했다. 불편한 침묵은 아니었지만, 따로 할 말이 생각나는 것도 아니었다. 나는 잠자코 눈을 내리깔고 접시에 놓인 음식을 먹었다. 가끔 눈을 들어 바다를 내다봤다. 식사가 끝나갈 때쯤 그가 입을 열었다.

"참여 보고서, 봤습니다."

"······네."

뭐라고 썼는지 기억도 나지 않았다. 내가 머릿속을 더듬는 동안 그가 덧붙였다.

"쓸 게 그것밖에 없었습니까?"

"뭐라고 써야 하는지 모르겠어서······."

"모르겠는 정도가 아니라, 아예 내용이 없던데."

접시 밑에 깔아 둔 냅킨이 바람에 펄럭이다가 떨어졌다. 한 팀장은 내게서 눈을 떼지 않고 한쪽 발로 냅킨을 밟았다.

"다시 내라고 하고 싶었는데, 쓸 데가 없는 피드백이긴 합니다. 내년에 프로젝트가 있을지도 확실하지 않고."

"······앞으로는 안 하시려고요?"

그는 조금 피곤한 얼굴이었다.

"현재로서는 안 하는 쪽으로 마음이 기울고 있긴 한데, 내년이 되면 달라질 수도 있겠습니다. 효율성에 대해서도 다시 한번 생각을 해 봐야 할 것 같고. 내가 이 회사에 얼마나 오래 남아 있게 될지도 모르는데, 내 사람이라는 딱지 붙은 사람들을 더 늘려서는 안 되겠다고 올해 새삼 느꼈습니다."

그런 딱지가 실제로 존재한다면 내 이마에도 크게 하나 붙어 있을 것이다. 옷을 벗겨 보면 그의 이름이 온몸에 도배되어 있을 지경이었다.

"당장 이서단 씨만 해도······ 내가 퇴사하게 되면 자리가 불명확해지게 됩니다. 그건 내가 앞으로 결정을 내리는 데 있어 고려해야 하는 부분이 되었고."

입을 벌린 나를 그가 고개를 저어 가로막았다.

"선택지를 준 건 내 책임이고, 이서단 씨가 본인 원하는 것을 선택하는 건 당연한 일입니다. 연봉도 높고 사원 복지도 좋은 회사에 다니고 싶다는데 뭘 어떻게 하겠습니까."

"······."

자세히 보니 눈가에 희미하게 웃음기가 맺혀 있었다. 담뱃갑을 툭툭 두드려 담배를 한 대 꺼내며 그가 덧붙였다.

"나도 이서단 씨를 다른 회사에 보내 놨으면 영 안심이 되지 않았을 것 같고."

라이터에서 파란 불꽃이 높게 피어올랐다.

"차라리 이서단 씨가 좀 힘들더라도 내 밑에서 굴리는 편이 나은 것 같습니다."

"······저도······."

충동적으로 입을 열었다. 담배를 입술 끝으로 문 그가 힐끗 시선을 주었다.

"저도, 팀장님 밑에서 일하게 되어서 좋습니다."

"나도 요즘 래원에서 마음에 드는 것은 이서단 씨 하나입니다."

그가 무심하게 말했다. 나는 화끈거리는 얼굴을 어떻게 할 수가 없어 바닥만 내려다봤다.

한 팀장은 담뱃재를 툭 털어 바람의 방향을 확인하더니 팔을 뻗어 내 의자를 옆으로 당겨 왔다. 뺨을 느리게 쓰다듬은 손이 내려가 허리를 감싸 안았다. 더 이상의 대화는 없었지만, 불편하지 않은 침묵이었다.

따뜻했다. 푸른 어둠을 남겨놓고 해질녘이 끝나가고 있었다. 눈을 들어도 바다와 하늘의 경계선이 보이지 않았다.

⚘

깜깜했다. 눈을 뜨고 다시 꾹 감았다. 그때 다시 어깨가 흔들렸다.

"이서단 씨, 일어나 봐요."

목소리를 피해서 이불 속으로 숨어들었다. 저리 가세요, 라고 불분명하게 말했더니 황당한 웃음소리가 들렸다.

"잠꼬대합니까. 일어나요, 해돋이 봅시다."

"……해는 맨날 돋는데요."

말해 놓고 단어가 머릿속에서 엉켰다.

"해를 보려면, 매일, 하루마다…… 볼 필요 없습니다."

"뭔 소리를 하는 겁니까."

그가 또 웃었다. 나직한 웃음소리였다. 나는 가까스로 정신이 좀 들었다. 집이 아니었다. 침대 매트리스도 공기도 낯설었고, 손 뻗은 곳에 그가 있었다.

"……팀장님."

"깨우니까 짜증도 내고. 많이 컸습니다?"

"……해도 안 뜬 새벽에 깨우는데, 짜증 안 내는 사람이…… 어딨겠습니까."

그가 엉킨 이불을 풀어 주고 상체를 일으켜 앉게 했다. 그의 다리 사이로 몸이 쏙 들어가서 그의 가슴에 등이 기대어졌다. 따뜻했다.

"어디 있긴. 이 주 전만 해도 이서단 씨가 그랬는데, 벌써 잊었습니까?"

"......"

눈이 자꾸 감겼다. 그의 어깨에 머리를 기대고 흔들렸다. 내 배 위를 두른 그의 팔이 옆구리를 쓰다듬었다.

"몸은 괜찮습니까?"

"......모르겠어요."

그가 또 웃었다.

"말하는 것 보면 멀쩡한 것 같은데."

대답하기도 피곤해서 나는 그의 목에 뺨을 기댔다. 어젯밤에 밥을 먹고 바닥을 보일 기미가 없는 아이스박스에서 커피와 과일과 디저트까지 꺼내 먹고 난 후에 깜깜한 바닷가에 산책을 나갔다. 그리고 돌아와서, 낮에 치렀던 난리는 아무것도 아니었다는 듯이 다시 침대에서 뒤엉켰다. 내 체력으로는 도저히 따라갈 수가 없었다.

많이 먹여 뒀으니 이번에는 기절하지 말라면서 그는 내가 울다 못해 목소리가 쉬고 엉금엉금 기어갈 정도의 힘도 남지 않을 때까지 안았다. 몸이 고장 난 것 같아 무서워 우는 나를 그는 억지로 일으켜 쪼그리게 하고, 손가락을 집어넣어 쓰라린 안을 느릿하게 문지르고 긁어 냈다. 눈물을 뚝뚝 흘리면서 그걸 버티고 있자니 얼굴에 상냥한 입맞춤이 내려앉았다. 흐릿한 시야로 보이던 것은 만족스러운 얼굴이었다. 까무룩 잠이 들면서 나는 생각했다. 매를 잡지 않는다 해서 사람 자체가 달라지는 것은 아니었다. 그가 말하는 보통 섹스는 세간에서 말하는 보통 섹스와는 거리가 있는 것도 같았다.

"체력 좀 키워야겠습니다."

그가 귀에 대고 말했다. 간지러워서 몸이 움츠러들었다.

"자면 안 됩니다. 해 뜨는 건 보고 자요."

"……아직 어두운데……."

"안 떴으니까 어둡지. 잘 보고 있으면 뜰 겁니다."

그가 이불을 가져와 끌어안은 몸을 둘둘 감았다. 나를 품에 감싸안고 유리 쪽으로 고개를 돌리게 했다. 깜박거리면서 자세히 보니 수평선이 희미하게 푸른빛을 띠고 있기는 했다.

붙어 있는 몸이 아늑하고 편안했다. 잠들지 않으려고 눈을 깜박이면서 나는 입을 열었다. 밤중에 떠올랐던 생각이 비몽사몽 흐릿한 문장이 되어 나왔다.

"저 하나 여쭤볼 게 있는데……."

"뭔데요."

"……앞으로는, 선이나……."

뒤늦게 혀를 깨물었다. 안 보실 거죠? 라고 확인하고 싶었을까, 보지 마세요, 라고 매달리고 싶었을까. 입 밖에 내니 생각했던 것보다도 더 볼품없었다. 그는 아무 말 없었다. 단단하게 허리를 두른 팔에 몸을 기대고 나는 꾸역꾸역 말을 이어나갔다.

"팀장님이 결혼하시고 나면……."

아무렇지 않게 맺으려 한 말끝이 갈라졌다. 말해 놓고 보니 질문의 가벼운 꺼풀 뒤에 입을 커다랗게 벌린 괴물이 숨어 있었다. 굳어버린 어깨를 그도 깨달았을 것이다. 한참 말이 없던 그가 자세를 고쳐 안고 내 턱을 잡아 눈을 맞추게 했다. 어둠 속에서 새파란 빛이 고인 눈동자만 보였다.

"지난번 선 문제는, 심술부려서 미안합니다."

피곤한 목소리였다.

"아예 알리지 않는 것이 계획이었는데, 그건 물 건너갔고……. 그 다음엔 물어보면 대답해 주려고 기다렸는데, 영 관심이 없는 것 같아서 해명할 기회가 없었습니다."

"……."

"결혼 문제는 해결하기보다 놔두는 편이 에너지 소모가 적어서 내버려 둔 일 중의 하나입니다. 강제로 잡힌 약속이었는데, 성질대로 굴었다간 더 귀찮아질 것 같아 예의상 시간 채우고 나왔습니다. 이서단 씨를 신경 쓰게 해서 미안하고, 앞으로는 비슷한 일이 없을 겁니다."

사과의 정석 같은 깔끔한 마무리에 나는 더 이상 따질 구석도 없었다. 몸을 늘어뜨리려는데 그가 말했다.

"어제 나랑 그렇게 뒹굴어 놓고, 아침에 눈 뜨자마자 결혼 얘기가 나옵니까."

"……팀장님."

나는 잠이 더럭 깨서 그의 팔을 더듬더듬 붙잡았다.

"내가 어제 한 말을 알아듣기는 한 겁니까?"

간신히 그러쥔 팔을 그가 뿌리쳤다. 나는 어쩔 줄 몰라서 한 걸음 물러나 앉았다.

"이서단 씨에게 내가 어느 정도로 신뢰가 없으면 연애하자는 내 말이 말 같지도 않았는지, 알 만하네요."

"그게 아니라—"

"그게 아니면 대체 뭐가 문젭니까. 일이 여기까지 왔는데, 이서단 씨는 아직도 나에 대한 확신이 없습니까?"

질문이 귀로 들어와 목에 턱 걸리는 것 같았다. 이어진 침묵은 어디론가 아득하게 떨어져 내리는 듯한 감각을 수반했다. 나는 힘겹게 대답을 뱉어냈다.

"제가 팀장님을 좋아한다는 확신은 예전부터 있었지만…… 팀장님이 저를 좋아하시는 건 아직 확실히 모르겠습니다."

"그게 나한테 실례가 되는 말인 줄은 알고 하는 겁니까?"

보이지 않는 얼굴이 서늘하게 굳어 있을 것 같았다. 나는 무릎 옆의 이불을 소리 없이 그러쥐었다. 손톱의 날이 손바닥을 파고들었다. 길게 늘어지는 침묵이 끔찍했다.

"지금까지 그런 말도 없으셨고……."

작은 목소리가 내 귀에도 볼품없었다.

"연초까지만 해도…… 팀장님은 저를 별로 마음에 들어 하지 않

346

으셨던 것 같아서."

그가 대답 없이 몸을 일으켰다. 무게가 쏠리면서 넓지 않은 매트리스가 흔들렸다. 나는 순간 그가 일어나서 나를 남겨 두고 걸어 나갈 것이라고 생각했다.

다리를 넘겨 침대 가장자리에 걸터앉는 그의 맨 등에 어둠이 얼룩져 있었다. 점점 밝아지는 하늘을 배경으로 머리와 어깨의 단단한 윤곽이 드러났다. 나를 등진 채로 그가 한참 후에야 입을 열었다.

"이서단 씨가 나한테 무슨 대답을 바라는지 모르겠는데."

"……."

"첫눈에 반했다는 말이라도 기대하는 거라면, 그 정도는 아니었습니다. 만나 보니 생각 외로 생긴 것도 내 취향이고, 성격도 내 취향이고, 껄끄럽게 신경에 계속 거슬리는 부분은 있었지만, 그때는 이서단 씨를 지금처럼 옆에 두고 싶은 마음은 없었습니다. 오히려……."

얼굴이 보이지 않아도 무덤덤한 표정을 상상할 수 있었다.

"……이서단 씨가 완전히 깨지고 무너지는 모습이 보고 싶었던 것 같습니다. 아니…… 그 반대였을 수도 있고. 이제 와서는 확실하지 않습니다. 내가 뭘 바라고 이서단 씨에게 거래를 제안했는지."

"……."

"어차피 그건 잠깐이었고, 그 다음에는 별로 중요하지 않은 문제였습니다. 이서단 씨를 만나다 보니 내 예상과는 전혀 다른 방향으로 관계가 전개되어서, 내가 이서단 씨를 이용해 뭘 증명해 보이고 싫었는지는 금방 잊었습니다."

말의 내용과는 전혀 다른 건조한 목소리로 그가 덧붙였다.

"이게 이서단 씨가 원하는 답이 될지는 모르겠지만."

"……저는 그런."

"내가 어제 한 말들을 가볍게 듣지 않았으면 좋겠습니다. 나로서도 짧지 않은 시간 동안 고수해 온 관계의 방식을 버리고 새로운 걸 시도하겠다는 결정이 쉬웠던 건 아니니까. 가벼운 마음으로 이서단 씨에게 그 열쇠를 준 게 아니고, 그 마음을 별것 아닌 것처럼 무시당하는 게 기분이 좋지는 않습니다."

"제가 잘못했습니다."

그가 말을 마치기까지 기다렸다가 무작정 내뱉었다. 대답 없는 등에 대고 다시 말했다.

"제가 잘못 말했습니다. 그렇게 말하려던 게 아니라……."

거기까지 말하고 말끝이 흐려졌다. 길고 불편한 침묵이 흘렀다. 나는 숨도 크게 쉬지 못하고 이불을 내려다봤다. 눈을 느리게 깜박였다. 여긴 침대 위이기도 했고, 평소대로라면 잘못을 빌고 벌을 받으면 끝날 일이었다. 그 전개가 막혀 버리자 이제 어떤 말로 그의 마음을 돌려야 하는지 알 수 없었다.

같은 생각을 했는지 그가 한숨을 짧게 내쉬었다.

"이럴 땐 뱉은 말을 고스란히 삼킬 때까지 볼기짝을 때려 줘야 하는데."

"……죄송합니다."

이번에는 손끝으로 가만히 붙잡은 팔을 그가 뿌리치지 않았다. 무릎걸음으로 조금씩 몸을 붙여서 그를 앞에 두고 망설였다. 어둠 속에서 그의 얼굴을 찾아내고, 턱 위로 서툴게 입을 맞췄다. 까슬했다.

"팀장님이 못 미더운 게 아니라…… 확실하게 말씀을 안 해 주셨으니까, 여쭤보긴 해야 할 것 같아서."

내 어깨를 붙잡아 떼어 내며 그가 못마땅하게 덧붙였다.

"이런 애교는 어디서 배워서."

목소리가 조금 누그러진 것 같은데, 확실하지는 않았다. 나는 입을 다물고 잠자코 앉아 있었다. 그의 얼굴의 윤곽이 뚜렷하게 보일 정도로 방 안이 밝아져 있었다. 문득 창을 돌아보자 수평선 너머로 노란 것의 둥근 곡선이 올라와 있었다.

"저거…… 해 뜨는 거죠?"

"그럼 지는 걸로 보입니까?"

그가 심드렁하게 대답했다. 커다랗고 둥그런 게 놀라운 속도로 수평선 위로 올라왔다. 둥근 구가 완전히 드러나자 나는 눈꺼풀 안쪽에 쟁한 흔적이 남을 정도로 뚫어져라 하늘을 응시했다.

"해 뜨는 걸 처음 봅니까?"

그가 물었다.

"해가 원래 저렇게 생겼어요?"

"그럼 네모날 줄 알았습니까?"

"그건 아닌데…… 이상하게 크지 않아요?"

고개를 돌리다가 시야 끝에 올라가 있는 그의 입꼬리가 걸렸다. 내가 돌아보자마자 순식간에 무심해진 얼굴로 그가 나를 내려다 봤다.

"나한테 사과하는 중 아니었습니까?"

"……네. 그래도 해돈이 보자고 깨우신 거니까, 일단 보고 나서……."

"최근에 말대꾸만 는 것 같은데."

기분 나쁜 목소리는 아니었다. 입을 다물었더니, 그가 손끝으로 내 턱을 잡아 들어올렸다.

"입 벌려요. 반성할 때까지 키스할 겁니다."

"반성은 벌써 하고……."

말하다가 그의 눈총을 받고 머뭇머뭇 입을 벌렸다. 뒤통수를 잡아 도망치지 못하게 막고 그가 입을 맞췄다. 나는 몸을 내맡기고 질끈 눈을 감았다.

긴장이 무색할 정도로 입맞춤은 부드러웠다. 뾰족한 혀끝이 입천장을 느리게 훑고 혀 아래를 쓰다듬었다. 새어 나간 소리가 전부 그의 입술에 먹혔다. 입안의 열기가 몸 곳곳으로 퍼져 달큼하게 고여들었다. 뒤로 기울어진 몸이 풀썩 눕혀졌다. 몸 위를 찍어 누르는 무게가 기분 좋았다. 결국 얼얼한 입술이 해방됐을 때는 동그란 해가 벌써 높이 올라가 있었다.

나를 놓아주고 일어나며 그가 말했다.

"더 자요. 다 깬 건 알겠는데, 몇 시간 못 잤습니다. 눈 붙여 두는 게 좋아요."

"팀장님은……."

"담배 한 대 피우고 오겠습니다."

일어서서 미련 없이 그가 침대를 빠져나갔다. 청바지만을 걸쳐 입고 담뱃갑과 라이터를 손가락에 챙겨 들었다. 유리문의 걸쇠가 풀리는 소리가 들렸다.

나는 몸을 일으켜 이불을 두른 채로 침대 가장자리에 앉았다. 유리 너머로 검은 그림자 같은 그의 뒷모습이 새벽의 푸른 기를 띠고 서 있었다. 바다가 보였다. 밤사이 물이 빠져나가 하얗게 모래가 드러나 있었다. 그림 같은 풍경이었다.

그의 등을 보고 있는 동안, 뜨끈하고 시린 것이 가슴을 저미고 지나갔다. 이유도 없는데 울고 싶었다.

찬바람을 묻히고 들어온 한 팀장이 앉아 있는 나를 발견하고 걸음을 멈췄다.

"왜 안 자고."

"……차라리 그냥 때리시는 게 나았을 것 같습니다."

아직까지 서먹함이 남아 있는 눈이 무서웠다. 중얼거리듯이 말하자, 그가 내 옆으로 앉으며 한숨을 쉬었다.

"이제 나에게나 이서단 씨에게나 그렇게 쉬운 해결책은 없습니다."

"……."

"이참에 기억해 둬요. 나는 시간이 지나면 분명 예전처럼 이서단 씨를 속박하려 들 겁니다. 안 그러려고 노력한다 해도, 내 입맛대로 안 돌아가는 일이 있으면 온갖 방법으로 이서단 씨의 행동을 통제하려 들 거고. 균등한 관계를 유지하려면 이서단 씨가 나를 밀어낼 줄 알아야 합니다. 잘못하다가는 나한테 다 집어삼켜지고 본인 공간이 남지 않게 됩니다."

"……저는…… 팀장님이, 저를……."

조금은 알 것 같았다. 지하실에 평생 가둬 두겠다 했을 때 그의 눈에 서려 있던 격렬한 갈증이 새벽의 공기처럼 내 안에 푸르게 고여들었다. 눈앞에 있는 남자가 내일이라도 냉정하게 등을 보이고 돌아선다면 나는 다 내버리고 옷자락을 붙잡고 매달릴 것이다. 그건 용기가 아닌 절박함이었다. 애정의 한계를 한참 넘어, 일그러진 영역으로 뻗어 나간 욕심이었다.

말하다가 말자 그가 계속해보라는 듯이 눈썹을 들어 올렸다. 나는 잦아드는 목소리로 중얼거렸다.

"저는…… 팀장님께 집어삼켜져도 괜찮을 것 같은데……."

얼굴을 똑바로 마주하자 극단적인 뜨거움이 명치를 치고 올라왔다. 울음 같기도 했고 통증 같기도 했다. 시야가 흐릿하고 팔다리에 힘이 풀렸다. 가만히 듣고 있던 그가 숨을 뱉어 냈다. 웃음인지 한숨인지 알 수 없었다.

"위험한 생각하지 말고."

"……팀장님……."

스스로 뭘 바라는지 알지도 못하고 그에게 팔을 뻗었다. 그는 그

팔 안으로 걸어 들어와 나를 마주 안아 주었다. 나는 그의 등을 두른 팔에 꽉 힘을 주었다. 감긴 눈꺼풀 안쪽이 뜨겁게 시렸다.

꿈도 감히 꾸지 못했던 일들이 하루 사이 일어났다. 그러자 나는 기뻐하지 못하고 더 겁쟁이가 되었다. 혼자 좋아한다는 것이 끝이 보이지 않는 기다림이었다면, 마주 본다는 것은 끊임없는 불안이었다.

서울에 도착한 것은 저녁 시간을 넘어서였다. 그는 올라오다 말고 찾아 둔 식당에서 저녁을 사 주었다. 나는 휴게소에서 배운 게 있어서 그가 계산을 하는 동안 문밖에 나가 있었다. 여전히 마음이 편한 건 아니었지만, 지금 기분에 실랑이를 하고 싶지는 않았다.

이틀 안에 왕복 열 시간을 운전한 그는 서울에 도착할 때쯤에는 피곤해 보였다. 나는 스쳐 지나가는 가로등을 보면서 처박아 둔 면허를 찾아 놓고 운전을 연습해야겠다고 다짐했다. 해돋이를 보고 몇 시간은 더 잤어도 피곤했다. 진이 다 빠진 느낌이었다. 생각해 보니 그럴 만도 했다. 고작 1박 2일의 여행이었는데, 섹스와 싸움을 번갈아 가며 쉼 없이 한 것 같았다.

서울 언저리에 들어설 때쯤 차가 막히기 시작했다. 한 팀장은 신호등에 차를 세워 두고 내게로 몸을 틀었다.

"어디로 가는 게 좋겠습니까."

"……네?"

그의 목소리가 깔깔하게 잠겨 있었다. 생각을 미처 하지 못했던 나는 뒤늦게 대답했다.

"저 집에 내려 주시고……. 가는 길 아니면 아무 데나 내려 주셔도 괜찮아요. 차 아직 안 끊겼으니까."

"사람 혈압 오르게 하지 말고."

그가 말을 끊었다.

"집에 데려다주는 게 낫겠습니까?"

"……네."

망설이다가 대답했다. 말해 놓고 가슴이 조여 드는 것처럼 지끈거렸다. 집에 가서 혼자 잠을 청하면, 있었던 일들이 전부 형체를 잃고 사그라들 것 같았다. 내일 회사에서 보면 그는 또 내게 시선도 주지 않을 것 같았다.

"알겠습니다."

그는 고저 없이 답했다. 신호등이 초록색이 되었다. 나는 창문 쪽으로 고개를 돌렸다.

내일 출근해야 하는데 그의 집에 따라가겠다고 하는 것은 지나친 어리광이었다. 주말 내내 떨어지지 않고 붙어 지냈으니, 더 많은 것을 바라면 사치였다.

내 집 앞 주차장에 도착할 때까지 그는 별말이 없었다. 아파트 입구 앞에 차를 주차하고 그가 기어를 바꿨다. 손을 올려 미간을 꾹 문지르고, 잠긴 목소리로 말했다.

"이서단 씨."

"네."

안전벨트를 끄르던 나는 그를 올려다봤다. 얼굴이 가려진 채로 그가 무심하게 말했다.

"내가 지금 시동을 끌 생각인데."

"……."

"들어와서 차 한잔 마시라는 말은 안 합니까?"

가슴이 빠르게 뛰기 시작했다. 마른 입술을 축이고 나는 물었다.

"정말 들어오시게요?"

"혼자 쉬고 싶은 거면 그렇게 두고."

"저는 좋은데, 팀장님이 피곤하실까 봐……."

"여기서 운전해서 집까지 가는 게 더 피곤할 것 같은데. 내 칫솔은 버렸습니까?"

고개를 말없이 젓자 그가 시동을 뚝 껐다. 차 안이 조용해졌다.

"다음엔 제가 운전하겠습니다."

조심스럽게 말했다. 문 걸쇠를 푼 그가 어이가 없는지 웃었다.

"운전할 줄은 압니까?"

"……제대로 해 본 적은 없지만, 면허는 있습니다."

"이 차는 커서 무리고, 작은 차로 하나 사세요, 가르쳐 줄 테니까."

"팀장님이요?"

밖이 으슬으슬하게 추웠다. 뒷좌석에서 가방을 꺼내며 그가 대답했다. 왜, 못할 것 같습니까.

"가르치는 건 잘합니다. 그게 무엇이 됐든."

"네…… 그래도."

"틀린 횟수 셈해서 뒷좌석에서 엉덩이 때려 주는 것도 좋은데, ……그건 이제 안 되겠고."

몸이 움칠거렸다. 건물 입구의 센서등이 노랗게 들어왔다. 뒤따라 오던 그가 표정 변화 없이 물었다.

"이런 말은 불편합니까?"

"……그런 건 아닙니다."

최근에는 그의 손자국이 엉덩이에 남아 있던 날이 없던 날보다 더 많은 것 같은데, 지금 와서 관계를 재정립했다고 지난 시간이 사라지는 것도 아니었다. 그래도 엘리베이터를 타고 올라가는 내내 나는 심장이 빠르게 뛰어서 그를 쳐다볼 수가 없었다.

현관문을 열고서야 집안을 치우지 않았다는 게 생각났다. 거실 바닥에 뒹굴고 있는 컵을 보고 그가 눈썹을 들어 올렸다.

"도둑이라도 든 겁니까."

"……치울 시간이 없어서……."

"보나 마나 냉장고는 또 텅 비었겠고."

일주일 만이었다. 그는 익숙한 것처럼 가방을 내려놓고 방석 위로 기대어 앉았다. 오히려 집주인인 내가 현관에 애매하게 서 있었다.

편하게 눈까지 감은 그를 쳐다보다가 부엌으로 향했다. 손을 씻고 주전자에 물을 끓였다. 차를 찾으려고 뒤지던 찬장에서 담뱃갑

두 개를 발견했다. 죽도 몇 개 남아 있었고, 숙취해소제도 있었다. 막대사탕도 두 개가 고스란히 남아 있었다. 왜 샀는지도 기억나지 않았다.

김 주임이 줬던 틴은 찬장 구석에 그대로 있었지만, 여전히 집에 거름망은 없었다. 결국은 오래된 녹차 티백을 담가 차를 끓였다. 잔 두 개와 나머지를 다 들고 거실로 돌아가자 그가 눈을 떴다.

"담배 취향이 나랑 같네."

찻잔 옆에 내려놓은 담뱃갑을 보고 그가 느른하게 말했다. 그 옆에 사탕 두 개와 숙취해소제를 놓으며 나는 대답했다.

"팀장님 드리려고 샀습니다. 지난주 일요일에."

"……이것도 내 겁니까?"

그는 막대사탕을 집어 들어 빙글빙글 돌려보고, 찻잔을 들어 한 모금 마셨다. 나는 습관적으로 무릎 꿇고 앉으려다가 자세를 고쳤다. 손에 든 컵이 흘러넘칠 뻔했다.

"죽도 있습니다. 내일 아침에 드세요."

"사과 받아 내리려고 이러는 겁니까, 지금."

"……네?"

고개를 저었다. 막대사탕을 손바닥 위로 빙빙 돌리던 한 팀장이 내게로 둥근 끝을 툭 내밀었다.

"비싼 겁니다."

200원짜리였다. 거기다가 방금 내가 그에게 준 것이었다. 그가 남은 하나를 테이블 위에서 구출해 주머니에 넣고, 담배와 숙취해소제 병을 챙겨 들었다.

"잘 피우고, 잘 마시겠습니다."

"……네."

"아침에 날 위해서 이걸 사 올 정도로 이서단 씨가 생각해 줬는데, 지난주에는 신세 진 주제에 모진 소리만 해서 미안합니다."

덤덤한 목소리였는데, 불시의 습격을 받은 것 같았다.

"괜찮습니다."

간신히 대답했더니, 그가 나를 물끄러미 보더니 낮게 말했다.

"지금은 괜찮더라도, 나중에 생각나서 화가 나면 그때 또 사과받아요."

그러고는 깔끔하게 비운 찻잔을 내려놓으며 일어섰다.

"칫솔 내놔요. 잠옷이랑."

목소리가 가벼웠다. 나는 컵을 내려놓고 그를 따라 일어섰다. 침실 깊숙한 곳의 서랍에서 그의 칫솔을 발굴하자 그는 눈썹만 치켜올릴 뿐 별말 없었다. 옷장에서 그가 입었던 연두색 바지도 찾아냈다.

나는 먼저 잠옷을 갈아입었다. 욕실에서 샤워기의 물소리가 들렸다. 아까는 죽을 것처럼 위태위태하더니 지금은 또 제정신이 아닌 것처럼 기뻤다. 닫힌 욕실 문 앞에 무릎을 끌어안고 앉았다. 몸을 가볍게 흔들흔들하면서 생각했다. 난생처음 하는 연애는 난이도가 높았다. 이어진 감정의 끈은 폭탄의 전선처럼 복잡하게 꼬아져 있었고, 툭 건드리면 터질 정도로 예민했다. 모든 게 아슬아슬하고 불안했다. 그러면서도 그게 다 괜찮을 정도로 마냥 좋았다. 몸이 높은 열로 들떠 있는 것 같았다.

"문 앞에 앉아서 뭐합니까."

수건을 머리에 대충 두른 그가 문턱에 서서 물었다. 나는 웃고 있는 표정도 미처 지우지 못하고 고개 들어 멍하니 그를 올려다봤다.

"왜 웃어. 내가 좋아서?"

그가 태연하게 말하면서 손을 뻗어 나를 일으켰다.

"씻어요. 알아서 부엌에서 물 꺼내 마시겠습니다."

"……네. 냉장고에 물통 있고, 찬물 싫으시면 주전자……."

붙잡은 손을 그가 놓아주지 않았다. 나도 마찬가지였다. 말없이 욕실 안으로 나를 밀어 넣으면서 그가 벽에 나를 기대어 놓고 입을 맞췄다. 밀어내는 게 아니라 그의 어깨를 붙들려고 손을 뻗었는데, 손목이 잡혀 벽에 짓눌렸다. 다리 사이로 그의 무릎이 파고들었다. 감긴 눈꺼풀 뒤로 발갛게 열기가 몰렸다.

숨이 가빠질 때쯤 결박된 손목이 해방되었다. 맞물린 입술이 다시 짧게 붙었다가 젖은 소리를 내며 떨어졌다.

"씻고 나오면 안을 겁니다."

이마를 맞대고 그가 낮은 목소리로 말했다. 붉어진 눈가를 손끝이 느릿하게 문질렀다.

"싫으면 지금 말해요."

"……안 피곤하세요?"

"나를 걱정할 때가 아닌 것 같은데."

눈가에 입술이 쪽 닿았다가 떨어졌다. 그는 나를 미련 없이 놓아주고 친절하게 욕실 문까지 닫아 주었다. 칫솔을 꺼내다가 나는 거울에 이마를 찧었다. 뺨과 눈가가 발갛게 상기되고 입술이 붉게 부어오른 얼굴은 내가 아닌 것 같았다. 요부 같기도 하고 아이 같기도 한 낯선 얼굴이었다.

일주일 내내 나는 생각했다. 제정신을 차려야 한다. 끌려 다니지 말고 두 발로 서야 한다. 그래야 그가 말한 것처럼 균등한 관계를 유지할 수 있을 것이다.

내 마음대로 안 된다는 게 문제였다. 하루라도 그에게서 몸을 떼어 놓아야 제대로 생각을 할 수 있을 것 같은데, 그는 그러도록 놔두지 않았다.

월요일은 일이 끝나고 퇴근하려는 내게 그가 말했다. *약속 없으면 좀 기다렸다가 저녁 같이하지 않겠습니까?* 망설이니 그가 덧붙였다. *사귀는 사람이 있는데 집에서 혼자 식사하는 것도 이상하지 않습니까.* 말을 듣고 보니 그러긴 했다. 그래서 그의 퇴근을 기다려 저녁을 같이 먹었다. 그리고 어쩌다 보니 그의 집에 갔다. 섹스는 안 했지만 그는 나를 다 벗기고 허리와 허벅지, 무릎 안쪽을 집요하게 깨물고 핥았다. 아침에는 졸린 나를 식탁에 앉혀 놓고 토스트와 달걀을 구워 주었다. 나는 주는 대로 받아먹고 그의 차를 타고 출근했다.

화요일은 텅 빈 부서에 둘만 남을 때까지 야근했다. 코트를 챙기며 그는 혼잣말처럼 말했다. *갑자기 어묵이 먹고 싶은데. 이서단 씨는 어묵 먹고 싶지 않습니까?* 나는 특별히 어묵이 먹고 싶은 건 아니었지만 홀린 듯이 그를 따라갔다. 회사 근처 분식집에서 말끔한 정장을 차려입은 그와 마주 앉아 그와 어울리지 않는 불량스러운 음식을 시켜 놓고 먹었다. 떡볶이가 매웠다. 다 먹고 나자 그가 말했다. *매운 걸 먹으니 아이스크림이 당기는데. 이서단 씨는 아이스크림 먹고 싶지 않습니까?* 그래서 조명이 하얗고 실내가 알록달록한 가게에서 아이스크림을 먹었다. 먹고 나자 그가 시계를 힐끗 보며 말했다. *시간이 늦었는데 내 집에 가서 자고 가지 그래요.*

현관에 들어서자마자 옷이 벗겨지고 현관에서부터 몸이 겹쳐졌다. 그가 나중에 안아 올라가지 않았다면 나는 그날 1층 소파에서 아침까지 잤을 것이다.

수요일 오전에는 그의 옷방에서 내 옷을 꺼내 입으며 다짐했다. 오늘은 꼭 일찍 퇴근해서 혼자 집에 갈 생각이었다. 그의 얼굴만 쳐다봐도 속이 울렁거리고 얼굴에 열이 오르는 현상은 점점 심해지고 있었다. 옆에 있으면 정신을 차릴 수가 없었다.

그는 하루 종일 외근을 나가 있어서, 퇴근하고 지하철을 타고 집에 가는 데까지는 순조로웠다. 반찬을 꺼내 대충 밥을 먹는데 전화가 왔다. *전해 줄 게 있는데 밤에 잠깐 들러도 됩니까?* 라고 그가 물었다. 배경의 소음이 시끌시끌했다. 수화기를 통해 들려오는 목소리는 실제보다 서늘했고 낮았다. 나는 갑자기 하루 종일 못 본 얼굴이 가슴이 저릴 정도로 보고 싶었다.

밤에 그는 주차장에 차를 대 놓고 전화를 걸었다. 달려 내려간 나는 운전석 창문에서 베이커리의 상호가 새겨진 봉투를 건네받았다. 조금 피곤해 보이는 얼굴에 시선이 달라붙었다. 이야기가 길어지자 그는 시동을 껐다.

차와 케이크를 먹고 또 침대에서 뒤엉킨 것은 당연한 순서였다. 나는 세시간밖에 자지 못했고, 그도 마찬가지였다.

🖋

목요일 저녁이었다. 웬일로 하루 종일 자리에 있던 옆자리의 사수가 파티션을 톡톡 두드렸다.

"이서단 씨, 안 바쁘면 복사 좀."

"네, 주세요."

마침 할 일이 없어서 같은 문서를 여러 번 곱씹던 중이었다. 곧바로 일어나 의자를 밀어 넣고 사수가 서류를 챙겨 내밀 때까지 기다렸다. 중얼중얼 페이지 수를 세는 얼굴에는 피곤이 짙게 어려 있었다.

팀에서 진행 중인 두 개의 프로젝트 중에 단기 쪽이 사수의 담당이었다. 도중에 들어온 데다가 업무 파악도 제대로 되지 않은 내가 도움이 될 수 있는 일은 거의 없었다. 장기 프로젝트 쪽도 내용을 파악하는 게 고작이었고, 기본적으로 주어지는 잡일이나 간단한 보고서를 마치고 나면 시간이 오히려 남았다. 신입사원이었을 때 이후로 오랜만에 느껴보는 일 없는 지루함이었다.

"이거랑 이렇게는 똑같이 양면, 이거는 축소해서 A4로. 문제없죠?"

"네, 알겠습니다."

"똑똑한 막내가 들어와서 좋네요."

사수는 손으로 대충 하트 모양을 만들고는 그 뒤로 웃었다. 대답할 말이 마땅치 않아 나는 고개를 숙여 인사하고 뒤돌았다. 입사 1년이 얼마 안 넘은 지금, TF 때의 박 대리까지 포함하면 사수만 세 명째인데 지금처럼 습관성으로 과도한 칭찬을 퍼부어 대는 스타일은 처음이었다.

종이를 뱉어 내는 복사기 앞에 서서 멍하니 기다렸다. 핸드폰을 꺼내 봤지만 그에게서 들어온 연락은 없었다. 최근 외근 나가는 회사가 서울이고 회사에서 그렇게 멀지는 않다고 들었지만, 오늘은 회사로 안 돌아오고 퇴근할 모양이었다.

문자를 보내 볼까 싶어 창을 불러왔다가 다시 핸드폰을 내려놓았다. 어쩌다 보니 매일 얼굴을 봤던 것뿐이지 정해진 약속이 있는 것도 아니었는데, 당연하다는 듯이 그의 시간을 요구하는 것은 욕심이었다. 복사기가 종이를 마저 뱉어 내고 잠잠해졌다.

부서로 들어서는 좁은 복도에서 눈을 들었는데, 한 팀장이 보였다. 다른 곳도 아니고 내 책상에 걸터앉아 팔짱을 끼고 있었다. 나도 모르게 얼굴이 풀어지고 걸음을 재촉하다가, 그 옆에 선 사수의 표정이 뒤늦게 눈에 들어왔다. 이상한 낌새에 걸음이 더뎌졌다. 내가 가까이 오자 한 팀장은 느릿하게 몸을 일으켰다.

"팀장님, 아직 퇴근……."

"이서단 씨."

그가 내 말을 무심히 잘랐다. 나는 우뚝 제자리에 멈춰 섰다.

차갑게 굳어 있는 얼굴이 낯설었다. 아니, 오히려 잘 아는 표정이었다. 회의실에서 지난주만 해도 자주 보던 상사의 얼굴이었다. 눈매가 서늘하고 날카로웠다. 기대에 못 미친 부하 직원을 보는 감정 없는 눈이었다.

입술이 바짝 말랐다. 심장이 쿵쿵 소리를 높여 뛰기 시작했다.

"이게 뭡니까?"

그가 낮은 목소리로 물었다. 내 눈앞에 하얀 종이가 들이밀어 졌다.

나는 몇 번 눈을 깜박이고 나서야 문서를 알아봤다. 오늘 오전에 제출한 보고서였다. 정확하게는 사수에게로 건너가, 그녀가 다른 것과 합쳐 제출했을 서류였다. 단정한 폰트로 인쇄된 문서의 가운데 문단이 통째로 빨갛게 동그라미 쳐져 있었다. 그가 쓰는 펜의 빨간색이었다.

"이 보고서의 문제점이 뭐라고 생각합니까?"

흔들림 없는 목소리로 그가 물었다. 나는 바짝 마른 입술을 겨우 축였다.

"김 대리님."

내가 대답하지 못하자 한 팀장은 시선은 돌리지 않은 채로 사수를 호명했다. 평소의 웃음기가 싹 걷힌 얼굴로 사수가 머뭇거렸다.

"약간은 장황한 면이…… 있는 것 같습니다."

"왜 장황해진 것 같습니까?"

"……필요 이상의 정보가 들어가서."

미적대는 대답이 틀리지는 않았는지 한 팀장의 관심은 다시 내게로 돌아왔다. 내 시선을 잡아 올리는 눈이 무덤덤했다.

"이서단 씨, 여기 TF 아닙니다. 요약해서 내는 보고서에 본인 사견 덧붙이지 마세요. 여기는 한 줄이라도 덜 읽고 빨리 일을 처리해야 하는 사람들이 수두룩하고, 이서단 씨 의견에는 아무도 관심 없습니다."

말끝이 단단했다. 사수는 아예 고개를 수그리고 있었다. 떨리는 손끝을 나는 등 뒤로 감추었다. 대답하려고 입을 열었다가 다시 하릴없이 다물었다.

한 팀장은 그런 나를 무심하게 내려다봤다. 서류를 바닥으로 툭 떨구면서 고저 없이 물었다.

"요즘 일이 재미없습니까?"

"……."

"이렇게 단순한 건 일로도 안 보입니까? 공부는 열심히 하는데 그걸 써먹을 데는 없고, 프로젝트 투입도 안 시켜 주고. 본인 가진 능력에 비해 내가 이서단 씨에게 일을 맡기지 않는다고 생각했습니까?"

"……아닙니다."

그를 쳐다볼 수가 없었다. 바닥에 보고서 종이가 떨어져 있었다. 내가 고개를 숙이고 침묵하자 그가 화살을 옆으로 돌렸다.

"김 대리님도 마찬가지입니다. 이서단 씨가 하는 일이라고 실수 없을 것 같았습니까? 바쁘다고 해도 확인을 제대로 하고 넘기라고 사수가 있는 게 아닙니까. 내가 직접 이 얘기를 이서단 씨와 해야 한다는 것은 중간 역할을 했어야 했을 사람이 제대로 못했다는 거지. 안 그래요?"

"죄송합니다."

김 대리가 잠긴 목소리로 대답했다. 한 팀장은 물끄러미 숙인 내 뒤통수를 보다가 내 의자를 소리 나게 밀어 넣었다.

"정신 제대로 차리고 일합시다."

그가 복도로 사라질 때까지도 부서가 쥐 죽은 듯이 조용했다. 눈 위를 문지르면서 김 대리가 중얼거렸다.

"와, 불시에 나타나서 저러네."

"죄송합니다, 대리님."

고개 숙여 사과했더니, 김 대리는 올려다보고 고개를 좌우로 흔들었다.

"팀장님 말이 맞지, 뭐. 내가 직접 이서단 씨한테 말했어야 하는 건데. 그리고 이게 앞으로는 문제가 될 수도 있는데, 지금 단계에선 의욕적으로 보여서 나는 좋았거든요. 그래서 굳이 얘기하기도 그렇고 그냥 놔뒀던 건데⋯⋯."

"죄송합니다."

"신경 쓰지 마요, 이서단 씨 정도면 희귀할 정도로 안 혼나는 거예요. 방금도 혼난 축에도 안 끼고. 그나저나 이거 끝내긴 글렀네. 복사한 거 그거죠?"

시계를 보고 김 대리가 서류를 마구잡이로 폴더에 밀어 넣었다. 나는 한 팀장이 밀어 넣은 의자를 다시 빼서 걸터앉았다. 목 안쪽이 따끔거리고 배 속이 울렁거렸다.

"내일은 아마 나가 있을 건데, 필요하면 이메일로 연락해요."

김 대리가 의자를 밀어 넣으며 손을 흔들었다. 인사하는 내 얼굴을 들여다보고 콧등을 찡그렸다.

"기운 빠질 일 아니라니까? 이리 연한 마음으로 어떻게 한 팀장 밑에서 일하려고 하시나."

"무사히 들어가세요."

일어서서 두 걸음 정도 배웅했다. 한 번 더 손을 흔들어 준 김 대리의 구두 소리가 복도로 들어서고부터 급하게 멀어졌다. 나는 숙인 고개를 들지 않고 발치를 내려다봤다. 한 팀장이 떨군 종이가 구겨져서 바닥을 굴러다니고 있었다.

TF 때 혼났던 것에 비하면 정말로 방금은 혼난 축에도 끼지 않았다. 어지간한 말은 그냥 넘길 수 있을 정도로 무뎌졌다고 생각했는데, 단 몇 마디에 나 스스로도 이해 못 할 만큼의 서러움이 목을 틀어막았다. 시야가 흐릿하게 잠겼다가 다시 맑아졌다.

그대로 가만히 몇 분을 앉아 있었다. 한 팀장은 돌아오지 않았다. 퇴근 시간이 되자 사람들이 하나둘씩 빠져나갔다. 지나가던 주임님이 내 발치를 뒹굴던 서류를 주워 주면서 말했다.

"이서단 씨도 그만 퇴근해요. 이건 고쳐서 다시 팀장님 메일로 제출하고."

나는 받아 들고 말없이 인사했다. 시계 초침이 째깍째깍 넘어갔다. 정각에 나는 일어서서 물건을 챙겨 넣었다.

엘리베이터를 탔다. 1층 로비에 막 내려섰는데 주머니의 핸드폰이 지잉, 사납게 울렸다. 나는 입을 다물고 꺼내 들어 귓가에 댔다.

―집에 가지 말고 기다려요.

그는 다짜고짜 말했다. 인사도 없었다. 명령조의 목소리에 나는 안에서 무언가 뜨거운 게 끓어 넘쳤다.

"싫습니다."

―…….

내뱉듯이 말했다. 누군가 로비를 지나가다가 나를 돌아봤다. 나는 벽 쪽으로 몸을 붙였다. 수화기 너머로 짧게 침묵한 한 팀장이 말했다.

―뭐라고 했습니까, 방금.

"퇴근하는 중입니다. 내일 뵙겠습니다."

―내가 기다리라면 기다리세요.

화를 억눌러 참은 듯한 목소리였다. 나는 목에 치미는 뜨거운 것을 삼켜 내리고 물었다.

"상사로서 말씀하시는 겁니까?"

-…….

"그럼 말 듣겠습니다. 그게 아니면 저 퇴근합니다."

침묵이 길게 이어졌다. 나는 축축해진 손바닥으로 핸드폰을 받쳐 들었다. 어지러웠다.

수화기 너머로 짧은 한숨이 넘어왔다.

-가지 말고 기다려요.

"……."

-상사로서 말하는 게 아닙니다.

나직한 목소리였다. 나는 입을 열었다가 다시 꾹 다물었다.

-어디 들어가 있어요. 최대한 금방 가겠습니다.

"……."

-끊겠습니다. 얼굴 보고 얘기해요.

뚝, 소리가 났다. 나는 벽에 머리를 기대고 잠시 서 있다가 몸을 일으켰다. 로비를 빠져나가서 계단을 내려갔다.

저녁 시간이었다. 해가 지기 전이었는데도 거리에 사람이 많았다. 나는 역으로 향하는 길목에 서서 회사 건물을 올려다봤다. 툭, 지나가는 사람에게 어깨를 채였다. 빨간 불이 들어온 신호등 앞에 차들이 틈 없이 줄줄이 늘어섰다. 퇴근시간의 번잡한 풍경이 답답했다.

나는 몸을 틀어 반대편으로 걸어 내려갔다. 회사 옆 건물에 있는 카페로 들어갔다. 문에 벚꽃 모양의 장식이 너덜너덜하게 붙어 있었다.

주문판에도 음료가 알록달록한 분필로 그려져 있었다. 여러 번 올려다봐도 글자가 제대로 읽히지 않았다.

"2층에 자리 많아요."

제자리에 가만히 선 나를 보고 카운터 뒤의 알바생이 말했다.

"음료는 가지고 올라가셔야 하고요."

"……네, 그냥 아메리카노로……."

"뜨겁게요?"

"아니요, 아이스로요."

별로 마시고 싶지도 않은 커피를 받기 위해 카운터 옆에 서서 기다렸다. 남녀가 붙어 앉은 근처 테이블에서 웃음소리가 터졌다. 자세히 보니 여자의 얼굴이 낯익었다. 4층 복도를 오가면서 한 번 정도는 본 얼굴이었다. 옆에 붙어 앉은 남자가 화면을 들이밀며 뭔가 빠른 목소리로 설명하고 있었다.

나는 등을 돌려 나갈까 생각했다. 하지만 그때 알바생이 음료를 내밀며 나를 불렀다. 나는 커피를 받아 들고 등을 돌려 계단으로 올라갔다.

2층은 한적했다. 에어컨을 너무 틀었는지 쌀쌀하고 사람이 거의 없었다. 나무로 된 파티션으로 테이블이 나뉘어 있었다. 나는 가장 구석진 자리에 가방을 내려놓고, 벽에 등을 붙이고 앉았다. 창문이 없는 쪽의 벽은 어두웠다. 머리 위로 둥근 공처럼 생긴 희미한 조명이 들어와 있었다.

망설이다가 핸드폰을 꺼냈다. 카페 이름을 그에게 문자로 쳐서 전송했다. 답장은 없었다.

10분 정도가 지났다. 나는 쓴맛이 나는 커피를 반쯤 마시고 이마를 테이블에 찧었다. 에어컨 바람과 찬 음료에 손끝이 차갑게 식었다. 냉정하게 사물이 보이기 시작했다.

"……애도 아니고."

보는 사람도 없는데 얼굴이 화끈거렸다. 회사를 벗어나서 둘이서 뭘 하든, 출근하고 나면 그는 상사였다. 그 구분선을 그는 완벽하게 그어 지키고 있는데, 나는 그게 되지가 않았다. 이성적으로 알고 있으면서도 혼난 게 못내 섭섭했다. 그가 내게 싸늘한 얼굴을 하고 차가운 말을 내뱉은 게 아이처럼 마냥 미웠다.

그러고 보면 늘 그랬다. 그는 선을 긋는 일에 능숙한 사람이었고, 나는 혹여 발끝이 그가 그어둔 선을 넘을까 무서워 늘 움츠러들어 있었다. 그와의 관계뿐만이 아니라, 내가 만들어온 관계는 전부 그랬을 것이다.

차라리 그 어떤 선이든 존재하지 않는 것처럼 천진하게 짓밟고 다닐 수 있는 아이였으면 좋았을 것이다. 나에게는 한 번도 그런 뻔뻔함이 없었다. 허락된 자리, 주어진 역할. 미움받지 않으려고, 넘겨 짚지 않으려고 늘 조심스럽게 발끝을 내려다봤다. 그러다가 바닥을 내려다보면 선명하게 그인 수천 개의 선이 미로처럼 공간을 가르며 사방으로 뻗어 나가고 있었다.

"뭐 합니까, 정신 빼 놓고."

"……."

고개를 들었다. 한 팀장이 의자에 가방을 내려놓으며 나를 내려다보고 있었다.

"팀장님."

멍하니 중얼거렸다. 그의 빈손을 보고 일어섰다. 다리에 힘이 풀려 비틀거릴 뻔했다.

"커피, 뭘로……."

"괜찮으니까 앉아요. 오래 안 있을 겁니다."

그가 내 어깨를 붙잡아 나를 다시 앉히며 반대편 의자에 엉덩이를 붙였다. 나는 일주일 내내 나를 부푼 기분으로 지탱하던 공기가 삽시간에 빠져나간 것처럼 조용하게 테이블을 내려다봤다.

나무로 된 테이블의 표면이 매끈했다. 내 얼굴이 그 위로 흐릿하게 비쳤다. 잠깐의 침묵이 지나고 그가 한숨을 쉬었다.

"미안합니다."

피곤한 목소리였다. 정갈한 손이 테이블을 건너왔다. 벌어진 틈을 넘어 내 팔을 잡았다. 소매의 은색 커프스 단추가 보였다.

나는 정신을 차렸다. 올려다보고 가까스로 답했다.

"아니요, 말씀하신 대로 제가 해이했습니다."

"혼낸 걸 가지고 사과하는 건 아닙니다."

그가 담백하게 말했다. 내가 손을 빼려고 하는데도 놓지 않았다. 손가락이 손목을 감아쥐어 당겼다.

"그 부분은 이서단 씨가 잘못한 게 맞습니다. 내가 사과하는 건 그게 아니라……."

"……."

"……결과에 대해서입니다. 어쩔 수 없는 상황이었지만, 서운하게 해서 미안합니다."

나는 가만히 있었다. 받을 자격이 없는 사과에 오히려 기분이 가라앉았다. 그의 가슴팍에 시선을 고정했다. 무늬가 새겨진 파란색 타이가 멀끔했다.

"이서단 씨가 내 팀에서 일하는 건 아무래도 장단점이 분명한 일인 것 같습니다."

나를 지켜보던 그가 무덤덤하게 말했다.

"내 쪽에서도 조절이 쉽지 않은데, 이서단 씨는 더더욱 그럴 거라고 생각하지만…… 내가 상사로서 내 팀원인 이서단 씨를 대하는 것과, 퇴근한 후에 사적인 공간에서 내 사람인 이서단 씨를 대하는 것은 별개의 문제입니다."

"……네, 이해하고 있습니다."

"표정은 이해한 표정이 아니잖아."

그가 지적했다. 고개를 들자 그의 얼굴이 미묘했다. 화가 난 것 같기도 했고, 아닌 것 같기도 했다.

"서운하면 차라리 서운하다고 말하세요. 그런 표정을 하고 다 이해한다고 말해 봤자 씨알도 설득력이 없으니까."

나는 커피를 들어 한 모금 마시며 입 쪽을 가렸다. 얼음이 녹아 밍밍해진 커피는 이제 차갑지도 않았다.

"그리고."

내 얼굴을 뚫어져라 보던 그가 덧붙였다. 가볍게 이를 악문 듯한 목소리였다.

"말 나온 김에 말하겠습니다. 부서에 있을 때는 내 시선 신경 쓰고 처신하세요. 내가 보는 앞에서 김 대리가 이서단 씨 주물럭거리는 걸 볼 때마다 부서고 뭐고 날려 버리고 싶어지니까."

"……대리님은 그런 의미로……."

생각지도 못한 말에 당황해서 고개를 들었다. 나에게 뿐만이 아니라 사수는 원체 누구에게나 팔짱을 끼거나 볼을 꼬집거나 어깨에 팔을 두르는 사람이었다. 제정신인 만큼 한 팀장에게만 안 그럴 뿐이었다.

"머리 쓰다듬고 귀에 대고 속닥거리고 하는 꼴이 내 자리에서 뻔히 보이는데, 지금 이서단 씨는 내 앞에서 다른 사람 편을 드는 겁니까?"

"……그게 아니라……."

"아니더라도 하지 마세요. 내 눈에 띄기 전에 이서단 씨 선에서 끊어 냈어야 하는 문젭니다."

올려다본 얼굴은 진심으로 짜증이 난 것처럼 보여서, 나는 갑자기 몸에서 힘이 빠져나가듯 웃을 뻔했다. 사수가 들었다면 어지간히 황당해했을 것이다.

"웃어?"

그가 무표정하게 말했다. 날카로운 눈매가 가늘어져 있었다.

"내가 이서단 씨 상사라는 사실을 잊지 마세요. 내가 마음 내키면 이서단 씨 책상은 자료실에 따로 둬서 격리시키거나, 내 옆으로 따로 자리 만들어서 옮겨 놓을 수 있습니다."

"……."

고압적인 말투에 숨을 한 번 들이마시고 입을 열었는데, 테이블 위에 놔둔 핸드폰이 진동했다. 한 번으로 끊이지 않고 여러 번 요란한 진동이 이어졌다.

"받으세요."

그가 고저 없이 말했다. 나는 그의 얼굴을 올려다보고 어쩔 수 없이 핸드폰을 뒤집었다.

전화가 아니었다. 메신저 앱으로 사수로부터의 메시지가 연달아 들어오고 있었다.

[이서단 씨 퇴근했죠? 이제 기분 좀 괜찮아요?]

[아까 얼굴이 너무 안 좋길래]

그리고 움직이는 이모티콘이 대여섯 개 이어졌다. 고양이처럼 보이는 캐릭터가 우는 토끼를 끌어안아 과장된 동작으로 달래 주고 있었다. 눈물이 사방으로 휘날리고 발톱 달린 손은 토닥거리는 게 정신이 없었다. 밑에도 글자가 이어졌다.

[팀장님 말뽄새가 원래 좀 그러니까]

[너무 신경 쓰지 말기!]

[내일 볼 수 있음 보고 아니면 월요일에 봐요!]

손을 열심히 흔드는 고양이를 끝으로 긴 메시지의 행렬이 끝이 났다. 같은 팀원에게 이 정도로 살가운 챙김을 받은 기억이 드물어서 나는 무심코 작게 웃었다. 그리고 고개를 들었는데, 한 팀장의 얼굴이 싸늘했다. 나는 핸드폰 화면을 끄며 다시 테이블 위로 내려놓았다.

"별 내용 아닙니다. 그냥 김 대리님이, 기분 괜찮냐고……."

핸드폰을 그에게 내밀까 생각했지만, 뒤쪽의 메시지가 생각났다. 큰 욕은 아니더라도 사수의 입장이 있으니 그에게 보여 줄 수는 없는 노릇이었다.

"이서단 씨 친화력이 이렇게 대단한 줄 알았으면 영업부 보낼 걸 그랬습니다."

비스듬히 턱을 괴고 그가 내뱉었다. 이지적인 얼굴이 심드렁했다.

"TF 팀원들도 몇 달 봤다고 요즘 이서단 씨 이름을 입에 달고 살던데. 김 대리는 같이 일한 지 이 주도 안 되지 않았습니까?"

"……."

"외근 같이 나와서 나한테까지 그러던데. 이서단 씨 일 잘하고 귀여워서 요즘 회사 다니는 게 즐겁다고. 일 배우라고 사수 붙여 줬더니 귀여움이나 받고 앉아 있고. 내가 짜증이 안 나게 생겼습니까?"

나는 할 말이 없어 그를 올려다봤다. 이게 뭐라고 이렇게 진지하게 대치할 만한 문제였을까. 애초에 내가 카페에서 그를 기다린 것도 이 이야기를 하기 위해서가 아니었는데, 왜 분위기가 이렇게 흐른 건지 알 수 없었다. 그새 그는 내 얼굴을 뚫어져라 보다가 차갑게 물었다.

"내 말이 이해가 안 됩니까?"

"아니요, 무슨 말씀이신지는 알겠지만……. 그렇다고 제가……."

"그렇다고, 뭐."

내 말을 끊는 목소리가 잘못한 부하 직원을 대하듯이 싸늘하고 고압적이었다. 나는 몸이 짓눌리는 것 같은 기분을 애써 밀쳐 냈다.

"그렇다고 제가, 김 대리님께 앞으로 그러지 마시라고 직접 말할 수는 없잖아요."

"왜?"

그는 정말로 이해가 안 간다는 듯이 물었다. 말대답을 예상하지 못했다는 듯이 짜증이 고스란히 스민 목소리였다. 나는 들이쉰 숨을 잠시 멈췄다.

"저는 팀장님이 아니라, 하고 싶은 말을 전부 할 수 있는 위치가 아니니까……."

"……."

"전 앞으로도 팀장님 부서에서 오래 일할 생각이고, 팀원들과 잘 지내고 싶습니다. 제대로 적응하고 싶고……. 김 대리님이 저를 잘 봐주셔서 저는 감사하게 생각하고 있고, 앞으로도 제 쪽에서 관계의 유지를 위해 더 노력할 생각입니다. 제가 여기서 선을 그어 버리면 앞으로 서먹해질 텐데, 그건 싫고……."

그가 무서울 정도로 조용했다. 나는 눈을 빠르게 들어 그의 얼굴을 훑고 시선을 테이블 위로 처박았다. 화난 얼굴도 아니고 무표정이었는데, 가슴이 빠르게 뛰었다.

"팀장님이 왜 말을 꺼내셨는지, 모르겠다는 게 아니라."

"……."

"제 쪽에서는 최대한 조심하겠지만, 그렇다고 김 대리님이 하시는 것까지 제가……."

내 입에서 나온 말 중에 틀린 말은 없는 것 같은데, 말을 하면 할수록 변명을 내뱉는 기분이 들었다. 나는 결국 그냥 입을 다물었다. 다문 채로 테이블을 응시하며 기다렸다.

침묵이 팽팽하고 길었다. 시야 끝에 잡히는 그의 팔에 꽉 힘이 들어가는 것 같았다. 내 숙여진 정수리를 한참 쳐다본 한 팀장이 고저 없는 목소리로 말했다.

"새롭다면 새롭네요."

"……."

"어느 것 하나 내 마음대로 되지 않는 게 굉장히 신선한 기분입니다."

말투가 건조해서 빈정거림인지 아닌지 긴가민가했다. 나는 고개를 들지 않고 숨을 들이쉬고 내쉬는 데만 집중했다. 지금 한 팀장의 얼굴을 보면 정말로 그가 원하는 대로 뭐든 하겠다고 고분고분 대답할 것 같았다.

"알았습니다."

한 팀장이 말했다. 목소리가 한결 차분해져 있었다.

"말을 들어 보니 확실히 내 쪽에서 이서단 씨 입장에 대한 이해가 부족했던 것 같습니다. 이서단 씨 의사를 먼저 묻지 않고 내 입장만 강요하려 해서 미안합니다. 앞으로는 내가 못 본 척하면 되는 일이니까, 이서단 씨는 하던 대로 하세요. 내 눈치 보지 말고."

그가 말끝을 가볍고 산뜻하게 띄웠다. 그의 말을 있는 그대로 받아들일 정도로 순진한 건 아니었지만, 대화를 여기서 끝내자는 의사표현이 확고해서 더 이상 토를 달 수 없었다. 나는 다물었던 입을 열어 작게 말했다.

"팀장님 신경 쓰실 일 없게 제가 가능한 조심하겠습니다."

"그래 주면 고맙고."

그가 깔끔하게 대답했다. 입꼬리가 반듯하고 대칭적인 호선을 그리고 있었다. 그제야 아까부터 도무지 목구멍 너머로 삼킬 수 없던 공기도 조금씩 가벼워졌다. 이어진 침묵은 풀린 올을 잡아당긴 것처럼 느슨했다.

소강상태였다. 막 끝난 대화를 더듬어 봐도 여전히 이게 뭐라고 이렇게까지 분위기가 심각해졌던 건지 알 수 없었다. 나는 몸을 뒤로 물리며 진이 다 빠진 것 같은 기분으로 중얼거렸다.

"팀장님은 저를 회사에서도 혼내시고, 나와서도 혼내시네요."

가방을 챙기고 일어날 채비를 하던 그가 힐끗 내려다보며 말했다.

"그렇게 생각하는 거면 이왕 하루 종일 혼난 거, 집에 가서도 혼나면 되겠네요."

깔끔하고 무덤덤한 목소리가 내 배 속을 갈고리로 휘저어 놓았다. 나는 아무 말도 못 하고 숨을 삼키며 그의 뒤를 따라 일어섰다. 약속이 따로 있었던 것도 아니고, 그와 카페에서 잠깐 얼굴을 보고 각자 퇴근할 것이라고 생각했는데, 막상 이 상황에서 말이 나오자 거절할 명분도 마음도 없었다.

⚜

분명히 어제도 그와 몸을 섞었는데, 이상하게 오늘따라 어색하고 낯선 기분이었다. 내가 씻고 나오자 한 팀장은 나를 침실의 한쪽 벽을 보고 서게 하고 방금 걸친 옷을 다시 벗겼다. 물기가 남은 피부 위를 따뜻한 손바닥이 느리게 쓰다듬었다. 등의 곡선을 따라 내려간 손이 엉덩이의 둥근 구를 잡아 적당한 힘으로 주무르고 문질렀다. 나는 벽에 뺨을 기대고 소리를 참았다. 벌써부터 숨이 가빴다.

"앞에는 만져 주지도 않았는데, 왜 벌써부터 세웠어요."

그가 목덜미를 깨물면서 귀에 대고 낮게 갈라진 목소리로 말했다. 몸 안이 지잉지잉 울려서 나는 어깨를 움츠렸다.

"훗, 으으……."

"엉덩이만 만져 줘도 그렇게 좋아?"

"응, 웃, 흐……."

단단하고 남자다운 손가락. 회사에서 펜을 잡고 회의를 이끌던 가지런한 손이 둥근 살을 힘주어 움켜쥐고, 느리게 주물렀다. 붉게 손자국이 남을 것 같았다. 그의 손에 힘이 들어갈 때마다 눈앞이 흐려지고 숨이 턱턱 막혔다. 벽에 닿은 내 성기는 그의 말대로 반쯤 일어서서 흔들리고 있었다.

"아니면 여기 사이가, 이다음에 뭐가 오는지 알고, 기대하는 겁니까?"

"흣!"

세워진 중지가 엉덩이 골 사이를 한 번 위에서 아래로 쓰다듬었다. 그리고 다시 미련 없이 떨어져, 엉덩이 사이를 넓게 벌리듯 느리게 주무르기 시작했다.

잠깐의 접촉만으로도 몸이 벌벌 떨렸다. 갈증처럼 까끌한 게 입 안에 차올랐다. 입을 열면 뭐라도 말해 버릴 것 같아서 나는 눈을 감으며 벽에 짚은 손에 힘을 주었다.

"이렇게 엉덩이를 옆으로 벌리면."

"윽, 읏."

"구멍이 저항하다가 빼금 벌어지는데. 그래 놓고 다시 오므라드는 게, 꼭 무서워하면서도, 쑤셔 달라고 조르는 것 같습니다."

"읏, 말, 그만, 흐으읏!"

"그게 굉장히 야합니다. 풀어 주지 않고 좆을 박아서, 힘겹게 내 걸 삼키느라 찢기듯 벌어지는 게 보고 싶을 정도로."

거친 숨소리가 섞여 든 낮은 목소리가 내 귀에 대고 말을 계속해서 흘려 넣었다. 귀도 뺨도 화끈거리며 새빨갛게 달아올랐다. 넓게 벌어진 엉덩이 사이로 계속해서 찬 공기가 새어 들었다. 그의 말대로 뒤가 살짝 벌어지고 다시 다물리는 것이 지독하게 생생하게 느껴졌다.

"흐, 으윽……."

"안에 벌벌 떨렸지, 방금."

"그, 흐읏."

고개를 저었더니, 그가 귀에 대고 웃었다.

"확인해 보면 다 알 수 있는데. 손가락 하나만 넣어도, 이서단 씨 안이 얼마나 좆을 받으려고 벌써부터 준비 중인지―"

"말 좀, 그만, 홋……."

"확인해 주면 되겠습니까? 안에 넣어 줄까, 이거?"

단단한 손가락 끝이 다물린 입구 위를 툭툭 두드렸다. 숨이 자꾸만 엉켜 나왔다. 무서움인지 기대감인지 모를 것으로 눈앞이 깜깜해졌다.

"확인해 봐서, 내 말이 맞으면. 오늘 내 좆에 박혀서 얼마나 울려고, 응?"

"아, 아아, 흐."

"말해 봐요. 어떤 손가락으로 넣어 줄까. 취향대로 해 주겠습니다."

벽으로 몸이 점점 붙자 그는 달아나지 못하게 골반을 꽉 잡았다. 슥, 아직 건조하게 말라 있는 주름에 단단한 손마디가 비벼졌다. 엉덩이를 놓아 골이 다물리게 한 채로 그는 땀이 차오른 골 사이에 손가락을 넣어 느리게 위아래로 움직였다. 나는 입을 열었다가 가빠진 숨을 토해 냈다. 다리가 후들거리고 온몸이 경직돼 있었다.

갑자기 그의 손이 떨어져 나갔다. 열 오른 엉덩이를 손등으로 한 번 슥 쓰다듬더니, 벽에 거의 붙다시피 한 내 얼굴 앞으로 그의 손이 들어왔다. 긴 손가락이 간격을 두고 펼쳐져 있었다. 잘생긴 손이었다. 손가락의 가지런하게 불거진 마디까지 전부 눈에 들어왔다.

"골라서 빨아 봐요."

그가 귓가에 입을 맞추며 말했다. 웃음기가 진하게 배어 있는 목소리였다.

"원하는 걸로 쑤셔 줄 테니까. 안쪽까지 제대로 넣어서 쑤실 거니까, 신중하게 고르세요. 한번 넣으면 안 물러 줍니다."

"훗, 흡……."

골반을 꽉 잡은 손가락의 힘이 느껴졌다. 눈앞에 보이는 손목에는 미세한 힘줄이 도드라져 있었다. 나는 눈을 감고 싶었다. 붉게 물든 얼굴이 아니었다면 그를 올려다보고 그만하라고 빌었을 것이다. 적나라한 수치심이 터질 것처럼 배 속을 긁어 댔다.

재촉 대신 그는 주먹을 가볍게 쥐어 중지를 남겨 놓고 손가락 끝으로 내 입술을 문질렀다. 타액이 묻도록 입술 사이로 넣고 느리게 손끝을 비볐다. 턱이 덜덜 떨리는 게 그에게도 느껴졌을 것이다. 등 뒤에서 낮은 웃음소리가 들려왔다.

"무섭습니까? 아니면 기대돼요?"

"……팀장님……."

"긴 걸로 골라야 이서단 씨가 좋아하는 데까지 닿지."

말에도 모양이 있다면, 솜털이 달린 갈고리 같은 말들이 있나. 귓속을 파고들어 느리게 헤집고 몸 안을 달아오르게 했다. 나는 터질 것 같은 긴장감을 못 이기고 입을 벌려 그의 중지를 물었다. 입안에 받아들여 떨리는 혀로 핥고 타액을 묻혔다.

"더 젖어야 안 아플 겁니다."

"읍, 훗……."

긴 손가락이 느리게 목구멍까지 드나들었다. 단단하게 불거진 마디가 입천장에 문질러졌다. 나는 눈을 꽉 감은 채로 손가락의 모양을 덧그리듯 혀로 핥았다. 끈적한 타액으로 범벅이 된 손가락을 그가 느리게 내 입에서 빼냈다.

"왜 울어."

"흡……."

"무서워요?"

젖지 않은 쪽의 손이 내 뺨을 감싸 안았다. 얼굴을 마주하자 시야가 더 뜨겁게 흐려졌다. 왜 울어요, 라고 그가 다시 물었다. 목소리가 다정했다.

쪽, 입술이 가볍게 맞물렸다. 발갛게 된 코끝에 입을 맞추며 그가 낮게 물었다.

"내가 이서단 씨를 아프게 할 것 같아서?"

"……읏, 흡……."

"무서워요, 지금?"

고개를 저었다가 끄덕였다. 눈가가 뜨거웠다. 엉망인 대답에 그가 웃었다. 입안으로 느리게 파고든 혀가 방금까지도 얼얼하게 손가락으로 문대지던 입천장을 달래듯 핥았다.

"왜 이렇게 야하게 생겼어."

"훗, 으, 흐윽."

"집 밖에 내보내는 내가 미쳤지."

내 얼굴을 내려다보던 그가 낮게 말했다. 젖은 눈가에 짧게 맞물린 입술이 목덜미로 미끄러지듯 내려왔다. 뜨거웠다. 여전히 웃음기가 남은 얼굴로 그가 내 어깨를 깨물었다. 시늉만 한 것도 아니었다. 일순간 살점이 떨어져 나갈 것 같은 위기감마저 드는 새빨간 통증이 찾아들었다.

"흐, 아아……."

그가 이를 떼자 붉게 잇자국이 남았다. 나는 눈을 감고 떨리는 숨을 골랐다. 어지러웠다.

한 팀장은 길게 혀를 내어 상처 위를 핥았다. 뜨겁게 젖은 입술이 머리카락으로 이어지는 뒷목을 매만졌다. 빨아들이고 집요하게 잘근잘근 씹었다. 셔츠의 칼라 위로 보일 것도 같은 위치였다.

"으, 읏, 아…… 아아!"

그새 긴 손가락이 희롱하듯 느리게 엉덩이 사이로 들어왔다. 닿아서 문질러지기만 했는데 숨이 가빴다. 젖은 성기 끝이 차가운 벽에 부딪쳤다. 나는 나도 모르게 엉덩이를 들썩이듯 뒤로 들어올렸다. 예민해진 입구 위로 도드라진 손마디가 누르듯 비벼졌다.

"아, 흐으……."

"뭐가 그렇게 급해."

그렇게 말하는 그의 목소리에도 거친 가닥이 섞여 있었다. 떨어져 나간 손가락이 조준하듯 손끝을 주름에 맞물리고 가볍게 눌렀다. 빨려 들어가듯이 손끝이 안으로 삼켜졌다. 나는 덜컥 솟은 울음을 누르며 이마를 벽에 비볐다.

"이건 또…… 씨발."

"흑, 아아, 흐윽!"

입안에 있었던 손가락의 모양이 선명했다. 굵어지는 부분마다 어제의 섹스로 아직 부어 있는 내벽이 엉겨 붙듯이 흡착했다. 안이 덜덜 떨리고 있다는 것은 그가 말해 주지 않아도 알 수 있었다.

한 팀장은 숨을 짧게 내쉬더니 내 골반을 고쳐 잡았다. 엉덩이를 위로 들리게 하고, 나머지 손가락을 접은 채로 중지를 한 번에 뿌리까지 박아 넣었다.

"흐윽!"

"힘 빼세요, 쑤실 거니까."

"팀장님, 흐, 아아, 저."

무슨 말을 하고 싶은지 알지도 못하면서 손을 뒤로 돌려 그의 팔을 잡았다. 울고 있는 얼굴을 말없이 내려다보던 한 팀장이 욕을 짓씹으면서 내 손목을 치워 냈다. 콱, 빠져나갔던 긴 손가락이 안쪽까지 들어왔다. 배 속을 얻어맞는 것 같아 손으로 배를 감싸면서 몸을 웅크렸더니, 그가 거친 숨소리를 섞어 웃었다.

"거기까진 안 들어갑니다. 거기는."

"흐으, 으윽!"

"나중에, 좆으로, 박아 줄 거고."

"흐아악, 아아, 으, 웃! 훗!"

안을 드나드는 손가락이 점점 빨라졌다. 내벽이 딱딱한 마디에 문질러질 때마다 눈앞이 깜박거렸다. 다리의 힘은 풀린 지 오래였다. 그가 잡고 있지 않았더라면 진작에 주저앉았을 것이다.

극점을 정확하게 찾아 짓누르며 그가 벽에 계속해서 부딪치는 내 성기를 한 손으로 쥐었다. 그것만으로도 눈앞이 희게 날아갔다.

"흐윽, 으, 그, 흐으으, 그만⋯⋯!"

사정이 끝나지도 않았는데 뒤를 꽉 조여 문 내벽을 그가 헤집었다. 손가락의 모양대로 달라붙은 살이 끌려다녔다. 신경줄을 직접 잡고 문지르는 것 같은 감각에 나는 울음이 터졌다.

"팀장님, 흐, 흐윽."

더듬더듬 손을 뒤로 해 그의 손목을 잡았더니, 의외로 그는 순순히 멈춰 주었다. 손가락이 뿌리까지 몸 안에 묻힌 채로 나는 울음 섞인 숨을 들썩였다.

"이거, 그만⋯⋯ 너무 힘들어서⋯⋯."

"⋯⋯그만하고 어떻게 해 줄까."

손을 빼지 않은 채로 그가 물었다. 손등이 단단하게 엉덩이에 짓눌려 있었다. 미간이 찌푸려져 있는 얼굴을 올려다보고, 어차피 그가 달리 받아 줄 대답이 없는 것을 알았다.

"빼고, 이제 그냥⋯⋯."

"그냥?"

나는 입은 바지 너머로도 불룩하게 형상이 보이는 그의 성기를 스치듯이 내려다봤다. 오금이 저리고 발끝까지 후들후들 떨렸다.

울음이 엉킨 발음으로, 기어들어가는 목소리로 겨우 내뱉었다.

"넣어 주세요⋯⋯."

더한 말도 그는 따라하라 시켰었고, 평소라면 이 정도로 부탁을 들어주는 일은 없었을 것이다. 하지만 내 얼굴을 쳐다보던 그가 말없이 몸속에서 손가락을 빼 주었다. 질척이는 소리를 내면서 단단한 게 느릿하게 빠져나갔다.

"아, 읏⋯⋯."

한 팀장은 나를 벽에 세워 두고 침대 밑의 서랍을 열었다. 통의 뚜껑을 열고 덜어 낸 차가운 크림을 아무렇게나 치덕치덕 내 엉덩이 사이로 묻혔다. 입구 안쪽으로 밀려들어 간 것 외에도 엉덩이와 허벅지까지 빠르게 녹는 크림으로 범벅이 되었다.

숨을 간신히 고르며 벽을 잡고 서 있었다. 질척이는 소리가 커다랗게 나서 흐릿한 시야로 돌아보자, 한 팀장이 바지에서 꺼낸 성기에 하얀 크림을 치덕치덕 발라 문지르고 있었다. 삽입을 준비하는 무심한 손놀림을 보고 귓불에 열이 올랐다. 눈가가 붉게 달아올랐다. 녹은 크림으로 검붉은 기둥이 번들거렸다. 그는 내 허리를 잡으며 몸을 가까이 붙였다. 꺼떡거리는 성기의 둥근 끝이 엉덩이 사이로 문질러졌다. 오늘따라 저 크기의 것이 안에 들어온다는 건 도저히 불가능한 일처럼 느껴져서, 나는 고개를 돌리면서 울음을 삼켰다.

예고도 없었다. 몇 번 두꺼운 귀두가 젖은 골 사이를 왕복하더니, 콱, 하고 안으로 커다란 기둥이 들이박혔다. 그는 내 허리를 잡아 도망치는 나를 붙잡고 단번에 안쪽까지 쑤셔 넣었다. 배 속을 주먹으로 얻어맞는 것 같은 충격이었다. 눈앞이 깜깜하게 물들 정도로 강렬했다.

"흐윽! 으, 으으, 너무—"

"거칠게, 해 달라고…… 그런 거 아니었습니까."

그가 귓가에 대고 짓씹었다. 목소리가 사포로 문댄 것처럼 거칠었다.

"벽 제대로 잡고 참으세요. 그러게 누가 재촉하래."

"훗, 아아! 흐읏! 으, 으응……."

"몇 번 올라탔다고, 이제 주도권까지 자기 것인 줄 알지. 조르는 건, 누가 가르쳤습니까?"

그렇게 말해 놓고 그가 내 턱을 잡아 입 맞춰 주었다. 하반신은 무자비한데 입천장을 쓰다듬는 혀는 다정하고 부드러웠다. 뒤돌아 그를 끌어안고 싶었는데, 그가 끈적하게 젖은 손바닥으로 내 손등을 벽에 잡아 눌렀다. 땀에 젖은 등이 그의 가슴에 달라붙었다. 그가 살기둥을 박아 넣을 때마다 몸이 벽에 쿵쿵 부딪혔다. 아픔이 느껴지지도 않았다.

다리에 힘이 풀려 몸이 흘러내릴 때마다 그가 허리를 붙잡아 치켜 올렸다 나를 지탱한 채로 아래에서 위로 허리를 들이박았다. 빨갛고 까만 게 눈앞에서 번쩍거렸다. 짓무른 안이 불기둥으로 꿰뚫리고 벌려졌다. 몸 안이 마찰열로 새빨갛게 달아올랐다.

"흐윽, 윽! 아아, 너무, 너무 빠르, 훗!"

몸이 빈틈없이 밀착되어 있었다. 배를 가로지른 팔이 단단했다. 나는 흐느껴 울면서도 몸을 그에게로 붙였다. 깊숙한 안이 진창이 될 때까지 그에게 뒤를 벌려 주었다.

통증이 쾌감이 되고, 쾌감이 통증으로 변질되었다. 열이 올라서 흐느껴 울었다. 그는 눈물을 뜨거운 혀로 핥아 주었다. 멍자국이 남을 때까지 내 어깨를, 허리를 움켜쥐고 쓰다듬었다. 덜덜 떨리고 힘이 풀리는 허벅지를 붙잡아 넓게 벌렸다. 그리고 더 이상의 말도 없이 이를 악문 채로 몸 안으로 단단한 성기를 쉴 새 없이 쑤셔 박았다. 나만큼이나 초조하고, 나만큼이나 강박적인 허릿짓이었다.

"더 조여."

그가 으르렁거렸다. 존댓말은 아까부터 어디로 집어치웠는지 사라져 있었다. 그의 벽지에 하얗게 정액을 묻혀 놓는 내 성기를 손가락으로 꽉 감아쥐면서 그가 내 허리를 치켜올렸다. 무게를 실어 뱃가죽을 뚫을 듯이 밀어 올렸다.

"흐, 흐악, 응……!"

"안이 헐렁거리잖아, 제대로 조여야지. 이래서 언제 끝내려고, 응?"

"흐, 아아, 흐윽! 흐아윽!"

나는 사정하는 것도 아니었다. 높은 곳에서 추락하는 듯한 위험한 절정감이 이어졌다. 점점 심해졌다. 귓가에 이명이 길게 울렸다. 시야가 여러 번 까무룩 하얗게 잠겨 들었다. 엉엉 울면서 허벅지를 안쪽으로 오므렸다. 몸이 말을 듣질 않았다. 그는 달달 떨리는 내 다리를 억지로 젖혀 열었다.

"다리는 벌리고 구멍을 조이라고. 말 안 듣습니까? 뒤가 흐물거리잖아."

"으, 으읏—"

"씨발, 내가 어떻게 해야……."

"흐윽!"

귓불이 거칠게 깨물렸다. 그리고 그의 성기를 물고 있는 엉덩이를 그가 찰싹, 매섭게 내리쳤다.

나는 숨을 토해 내듯이 울었다. 갑작스러운 타격에 몸이 바짝 긴장했다. 신경을 타고 지독한 열기가 치달았다.

뒤를 돌아볼 뻔했다. 하지만 그가 내 목덜미를 깨물면서 내 허리를 억세게 잡아 고정시켰다.

"좀 풀어 줬더니, 어딜 가서, 사람을 홀리고 다녀."

"흐, 아아, 흐윽!"

"제정신이면, 나를 두고 네가 그렇게 못 하지."

이를 꽉 악문 듯한 초조한 목소리였다. 찰싹, 매서운 손바닥이 반대편 엉덩이를 때렸다. 나는 벽을 필사적으로 붙들던 손바닥을 꽉 쥐면서 앞으로 고꾸라지다시피 했다. 벼랑에서 등을 떠밀리듯이, 빳빳하게 일어선 내 성기가 울컥울컥 하얀 물을 토해 냈다.

바닥에 아예 무릎이 꿇렸다. 그는 나를 잡아 일으키려는 시늉을 멈추고 엎드린 채로 엉덩이를 치켜들게 했다. 굵은 살 기둥을 다시 쑤셔 넣었다. 말도 없이 이 악물고 안을 드나들면서 두어 번 더 손바닥으로 엉덩이와 허벅지를 내리쳤다. 아픔과 쾌감이 파도처럼 거대하게 치솟고 섞였다.

나는 눈을 감고 그의 바닥에 뺨을 비볐다. 흐느껴 울었다. 눈물로 바닥이 지저분해졌다. 수직으로 내리꽂히듯 성기가 깊숙이 들어왔다. 단단해진 고환이 벌어진 주름을 뚫고 들어올 듯이 비벼졌다. 그리고 몸 안에 정액이 뜨겁게 터졌다. 깊숙한 데까지 채우고 고여 들었다.

"……흐, 으으, 흐윽……."

여러 번에 걸쳐 사정을 마친 성기가 후회 없이 빠르게 뽑혀 나갔다. 나는 무너지듯이 몸을 웅크리면서 잘게 떨었다.

등 뒤로 그가 옷을 입는 소리가 들렸다. 잘 돌아가지 않는 고개를 돌려 반쯤 감긴 눈으로 올려다봤다. 티슈를 뽑아 젖은 성기를 닦아 낸 그가 바지 지퍼를 대충 올렸다. 성큼 내게로 다가왔다. 훌쩍, 몸이 들렸다. 나는 소리를 꾹 눌러 참았다. 침대 위로 몸이 내려앉았다. 웅크린 내 다리를 펴 주는 그와 잠깐 눈이 마주쳤다.

그리고 그는 먼저 시선을 피했다. 내게서 등을 돌렸다. 문이 닫히는 소리가 들리고, 계단을 빠르게 내려가는 발소리가 잦아들었다.

혼자 남겨진 나는 멍하니 이불에 눈물 젖은 얼굴을 문질러 닦았다. 매 맞은 엉덩이에 따갑게 정액이 말라붙어 있었다.

나는 한참을 제자리에 누워 있었다. 아래층에서는 인기척이 없었다.

누워서 천장을 보다가, 한 손을 내려 욱신거리는 엉덩이를 만지작거렸다. 양쪽 다 그의 손자국으로 붉게 부어올라 있었다. 만져 보니 쓰라리고, 만지지 않을 때는 얼얼하게 욱신거리는 정도였다. 섹스의 막바지를 눈 감고 다시 떠올렸다. 그의 손이 휘둘러졌을 때 나던, 살과 살이 부딪치는 커다란 소리가 귓가에 남아 있었다.

누워 있어도 배가 부글부글 끓듯이 아팠다. 결국 뒤에 힘을 주어 다물고 어기적 몸을 일으켰다. 허벅지를 꽉 맞물린 채로 어찌어찌 방은 가로질렀는데, 욕실 문턱을 넘으면서 배 속이 갑자기 끓어올랐다. 툭 하고 터지듯이 엉덩이골 사이로 뜨겁고 끈적한 액이 흘러내렸다. 보는 사람이 없는데도 얼굴이 확 달아올랐다. 나는 서둘러 욕실 문을 잠갔다. 샤워실 유리 안으로 후퇴해서 레버를 틀었다. 온몸에 찬물이 확 쏟아졌다.

콜록, 물을 잘못 먹어 기침했다. 다리를 후들후들 떨면서 한쪽 구석으로 피신해 물이 덥혀질 때까지 기다리다가, 조심스럽게 집어온 노즐을 다리 사이로 넣었다.

"읏!"

뜨거운 물이 닿자 붉게 부어오른 엉덩이가 소스라칠 정도로 쓰라렸다. 나는 손가락을 어설프게 뒤에 넣어 닦으려는 시도를 그만두고 기진해서 열 오른 이마를 유리에 붙였다. 미지근한 온도로 맞춘 노즐을 다시 걸어 놓고 몸을 벽에 기댔다. 물이 비처럼 머리 위를 무겁게 두드리고 흘러내렸다.

필요 이상으로 긴 샤워였다. 손끝이 건포도처럼 불어 터질 때까지 뜨거운 물을 맞고 서 있다가, 마지못해 샤워기의 레버를 내렸다. 노즐에서 뚝뚝 둥근 물방울 떨어지는 소리만 났다. 밖에서는 인기척이 없었다.

나는 흐늘흐늘하게 풀린 몸을 보송보송한 수건으로 감았다. 거울에도 하얗게 김이 서려 있었다. 욕실을 나서기 전에 손잡이를 잡고 만지작거렸다. 문에도 귀를 대고 기다려 봤다.

빼꼼 문을 열자 방은 서늘하고 깜깜했다. 헝클어진 침대도 건드린 흔적 없이 비어 있었다.

나는 침실 바닥에 떨어진 구겨진 옷을 주워 걸쳐 입었다. 아침에 출근했던 차림새로 다시 그의 침대 위로 기어 올라갔다. 이불을 끌어와서 몸을 둘둘 감았다.

그 상태로 얼마나 시간이 지났는지 모른다. 계단을 올라오는 발소리가 희미하게 들릴 때까지 꼼짝 않고 고치 속에 누워 있었다. 느린 발소리가 멎고 침묵이 지났다. 정확하게 삼 초 정도였다. 그리고 똑똑, 문을 두드리는 소리가 들렸다.

"이서단 씨."

나는 숨을 참았다. 조용한 목소리가 문을 뚫고 말했다.

"깨어 있으면 내려와서 얘기 좀 합시다."

"……"

"싫으면 싫다고 하세요. 강요하는 건 아닙니다."

부스럭거리는 소리라도 들릴까, 나는 움직이지 않았다. 마음을 먹으면 문을 열고 들어올 수 있을 그는 잠잠했다. 침묵이 길어졌다.

"나갈게요. 금방⋯⋯."

목소리가 형편없이 쉬어 있었다. 그는 무덤덤하게 대답했다. 알겠습니다. 계단을 다시 내려가는 발소리가 들렸다.

나는 부스스 몸을 일으켰다. 방문 앞에서 다시 돌아서서 욕실 거울 앞에서 차림새를 점검했다. 코끝이 붉게 물들고 눈가가 부어오른 얼굴은 운 티가 났다. 입술은 언제 씹었는지 붉게 짓이겨져 부어 있었다. 젖어서 뺨에 달라붙는 머리를 한 번 더 털어서 말렸다. 문고리를 잡아 방문을 천천히 열었다.

계단 위에서는 그가 보이지 않았다. 나는 수건을 한 손에 쥐고 계단 난간을 꽉 잡아 한 걸음씩 내려갔다.

한 팀장은 식탁 의자에 앉아 있었다. 계단 중간쯤에서 그와 눈이 마주쳤다. 그는 말없이 반대편의 의자를 향해 턱짓했다. 나는 나머지 계단을 내려가서 의자 끝에 천천히 부어오른 엉덩이를 붙였다.

식탁 조명이 밝게 들어와 있었다. 빛을 뭉근하게 반사해내는 나무를 내려다보는데, 시야각의 끄트머리에 그의 가지런한 손이 나타났다. 김이 모락모락 오르는 잔이 내 앞으로 내밀어졌다. 숙인 정수리에 떨어지는 시선이 느껴졌다.

"뒤처리는."

그가 무감하게 물었다. 나는 대답하기 전에 목소리를 가다듬었다.

"알아서 했습니다."

"약 찾아 뒀습니다. 얘기 끝나고 발라요."

"네."

그리고 또 가파른 침묵이었다. 나는 무릎 위에 내려놓은 수건을 구겼다. 젖은 머리끝에 차가운 물방울이 맺혀서 느리게 떨어졌다. 아랫배가 꽉 뭉친 것처럼 아팠다. 긴장인지 배탈인지도 알 수 없었다.

한숨 소리가 들렸다. 눈을 들어보자 그가 손으로 이마를 감싸 안고 있었다. 관자놀이를 누르는 손끝에 하얗게 힘이 들어가 있었다.

"괜찮으세요?"

나는 망설이다가 조심스럽게 물었다. 어째 매 맞은 나보다 때린 그가 더 상태가 나빠 보였기 때문이다.

그는 곧바로 대답하지 않았다. 손가락 사이로 드러난 눈이 나를 보고 있었다.

"머리 아프세요? 진통제 가져다 드릴까요?"

그가 조용하면 나는 늘 불안해졌다. 식탁 모서리를 만지작거리는데, 그가 웃었다. 바람 빠지는 듯한 희미한 소리였다.

"이서단 씨."

"네."

"이리 와 봐요."

나는 일어섰다. 식탁을 빙 둘러 그가 앉아있는 의자 옆으로 섰다. 한 팀장은 비스듬히 턱을 괸 채로 지시했다. 더 가까이. 한 걸음, 두

396

걸음, 다가가자 그의 허벅지 바로 옆이었다. 그때 넝쿨처럼 그가 팔을 뻗어 내 등을 끌어당겼다.

강한 힘이었다. 앞으로 넘어지다시피 그에게 붙은 나는 소리를 삼키고 몸을 굳혔다. 셔츠 자락을 걷어 올린 손이 위로 파고들었다. 등의 맨살 위를 따뜻한 손바닥이 누르듯 쓰다듬었다. 나를 품에 끌어들인 채로 내 가슴에 그가 무거운 머리를 기댔다.

"……팀장님."

"뭘 그렇게 오래 씻어요. 빠져 죽었나 했네."

그가 잠긴 목소리로 말했다. 뺨이 내 셔츠에 묻혀 있어서 발음이 불분명했다.

"이서단 씨한테서…… 내 샴푸 냄새가 나는데."

"……초록색 통…… 썼어요."

"잘했어요."

자세가 불편했다. 심장이 점점 빠르게 뛰었다. 그의 귀에 다 들렸을 것이다. 나는 그를 밀어내려는 것인지, 끌어안으려는 것인지 모르는 채로 손을 내렸다. 그의 머리 위에 손이 닿았다. 웃음소리가 났다. 그의 코가 닿아 있는 가슴팍이 간지러웠다.

"계속해 보세요, 그거."

손을 떼려던 나는 다시 붙었다. 머던 손가락으로 그의 머리카락을 정돈했다. 기분 나빠할 것이라고 생각했던 그는 내 가슴에 뺨을 대고 잠자코 있었다. 닿아 있는 체온, 체향. 익숙한 스킨향이 희미하게 났다. 마른 풀 같은 담백하고 따스한 체향에 담배 연기의 매캐한 향, 그리고 섹스의 비릿하고 본능적인 내음이 섞여 있었다.

그의 머리카락 사이로 손가락을 집어넣어 쓸어내렸다. 목 뒤쪽, 머리와 이어지는 부분을 손끝으로 쓸었다. 뒷목의 매끄러운 피부는 따뜻했고 체온이 높았다.

타고 오르던 그의 손바닥이 등 위쪽을 쓰다듬었다. 나는 눈을 반쯤 감았다. 소리를 참자 턱 끝이 가볍게 떨렸다.

몸이 바짝 더 가까이 당겨졌다. 한 팀장은 다리를 벌려 그 사이로 나를 힘주어 끌어 들였다. 두 팔과 다리로 나를 묶고, 내 가슴에 얼굴을 묻은 채로, 낮은 목소리로 물었다.

"나한테 실망했습니까?"

"……"

나는 정신이 뒤늦게 들었다. 고개를 저었다가 그가 보지 못한다는 사실을 깨달았다. 아닙니다, 라고 늦게 대답했다. 내 귀에도 어색하고 허전한 답이었다.

"서운했어요?"

그가 재차 물었다. 그가 말할 때마다 닿아 있는 몸이 진동으로 울렸다. 나는 목 끝의 뜨거운 것을 삼켜 내렸다.

"두고 나가신 건…… 서운했습니다."

말을 뱉어 놓고 그 울림에 불안해졌지만, 그는 별말 없었다. 짧은 침묵이 지나고 나직한 웃음소리가 들렸다.

"그러게. 뭐 하는 짓인지 모르겠네."

"……"

"이서단 씨를 만나기 전에는 몰랐는데…… 아무래도 나는 당황하면 일단 자리를 피하고 보는 버릇이 있나 봅니다."

그답지 않은 말이었다. 나는 대답이 생각나지 않아서 입을 다물었다. 그 사이 그는 고개를 들었다. 앞머리가 헝클어져 있었다. 그 사이로 보이는 서늘한 눈매는 평소의 여유를 되찾은 채였다.

등을 꽉 조이던 팔이 풀어졌다. 그가 나를 놓아주자 나는 힘이 풀린 다리로 가까스로 물러섰다. 흘러내린 앞머리를 넘기며, 자세를 바로 한 그가 말했다.

"얘기 좀 합시다."

"……저 다시 앉을까요?"

식탁 건너편의 내 자리를 쳐다봤다. 그는 고개를 짧게 저었다.

"소파로 옮깁시다. 차 다시 타 주면 마실 겁니까?"

"……네."

아까 그가 건넨 잔은 한 모금도 마시지 못하고 식어 있었다. 한 팀장이 별말 없이 내 잔을 집어 들고 일어섰다. 부엌으로 향하는 뒷모습을 시선으로 쫓다가 나는 그의 의자에 주저앉았다. 부엌 조명이 밝게 새어 나왔다. 주전자 물이 끓는 소리, 냉장고를 여닫는 소리가 났다.

그가 어루만지던 등 위쪽이 따끔거리고 쳐전했다. 의기에 그의 것이었을 온기가 남아 있었다. 나는 팔을 식탁에 기대고 그 위에 느리게 뺨을 묻었다.

쟁반과 잔 두 개를 들고 나온 한 팀장은 나를 보더니 소파에 가 있으랬더니, 라고 짧게 말했다.

"피곤합니까?"

"아니요, 괜찮습니다."

그는 소파 앞의 탁자에 쟁반을 내려놓았다. 크기가 일정하게 깎인 사과와 오렌지가 가지런한 간격을 두고 놓여 있었다. 찻잔과 컵 받침을 두며 그가 말했다.

"이서단 씨는 평소 식습관을 좀 개선해야 합니다."

"……"

"혼자 살아도 과일은 챙겨 먹는 게 좋습니다. 깎는 게 귀찮으면 씻어서 바로 먹을 수 있는 종류로."

"저 과일은 먹습니다."

내가 반박했다. 한 팀장은 대답하지 않고 가느다란 포크로 사과를 찍어 내게 건네주었다. 소파에 앉으면서 나는 말을 이었다.

"마트에서 과일은 사서 먹습니다. 바나나 같은 거……."

"썩은 사과 한 알 들어있던 냉장고는 그럼 다른 사람 냉장고입니까."

단칼에 잘린 나는 입을 다물었다. 사각거리는 사과를 베어 물고 한쪽 뺨 쪽으로 옮겨 씹었다. 시선을 든 한 팀장이 물었다.

"입술은 왜 그렇게 됐습니까."

"……아까 깨문 것 같습니다."

혀끝으로 만져 보니 안쪽의 살점이 너덜거리고 있었다. 한 팀장은 비어 있는 내 포크를 다시 가져가 오렌지를 찍었다. 내가 먹는 것을 눈을 떼지 않고 주의 깊게 지켜보았다. 새콤한 즙 때문에 입 안쪽이 따끔거렸다. 표정을 찌푸렸더니, 그가 포크를 다시 받아 갔다. 이번에도 오렌지였다.

그는 찻잔을 들고 소파에 깊숙이 기대어 앉았다. 나를 물끄러미 보다가 입을 열었다.

"그래서 어떻게 하는 게 좋겠습니까."

"……네?"

"내가 사과하고, 앞으로 조심하겠다고 하면. 그걸로 이번 일은 매듭지어집니까?"

나는 시간을 끌기 위해 찻잔을 들었다. 뜨끈한 게 식도를 타고 내려가자 아픈 배가 한결 나아지는 느낌이었다.

눈을 들자 그가 아직도 눈을 떼지 않고 나를 보고 있었다. 그래서 솔직하게 대답했다.

"모르겠습니다."

"나도 모르겠습니다."

한 팀장이 표정 변화 없이 낮게 말했다.

"요즘은 내가 애초에 뭘 알고 있기나 했나 싶을 정도입니다."

과일 접시 옆에는 작은 그릇에 담긴 과자도 있었다. 나는 몸을 앞으로 기울여 과자를 두어 개 집었다. 손바닥 안에 담아 넣고 다시 소파에 기대어 앉았다. 그가 아닌 테이블 모서리 즈음을 보면서 입을 열었다.

"저한테 화가 나시거나, 제가 뭘 잘못해서……."

"아닙니다."

내가 질문을 끝맺기도 전에 그가 대답했다.

"그게 아니면…… 저는 괜찮습니다."

"그건 오늘 일에 대해서는 넘어가자는 겁니까, 아니면 앞으로 섹스 중에 내가 이서단 씨를 때려도 상관없다는 뜻입니까."

말에 빼곡하게 가시가 돋쳐 있었다. 나는 입을 다물었다.

"어느 정도는 각오하고 있는 일이었고—"

"내가 뱉은 말도 못 지키는 사람일 거라고 미리 속으로 생각하고 있었던 겁니까?"

"……그런 뜻이 아닙니다."

고개를 들었더니 눈이 마주쳤다. 내 얼굴을 보고 그가 잠시 눈을 감으며 날선 표정을 갈무리했다.

"이서단 씨에게 화를 내려는 게 아니라."

"……네, 알고 있습니다."

요점은 나오지 않고 대화가 허공에서 헛돌고 있는 것 같았다. 나는 그의 얼굴을 보지 않고 그의 가슴팍을 쳐다보며 입을 열었다.

"팀장님은 저를 만나기 이전에 플레이는 하지 않는 상대가 있으셨습니까? 지금 저희 같은……."

연애라는 단어가 혀에 붙어 차마 나오지 않았다. 한 팀장은 한동안 대답이 없었다. 기억을 더듬듯 미세하게 미간에 골을 판 침묵이 길었다.

"없었던 것 같습니다."

그가 마침내 대답했다.

"BDSM를 시작하고 만났던 상대들은 섭이었지 애인이 아니었고, 그 이전에 가졌던 관계들은 그나마 양쪽을 섞은 형태였겠지만, 나도 상대도 선을 지키는 게 엉망이었습니다. 플레이를 완전히 제한 순전한 관계는 이서단 씨가 처음입니다."

담백한 말끝에 나는 때가 아님을 알면서도 뺨이 화끈거렸다. 잠시 말을 끊었던 한 팀장이 덧붙였다.

"나한테 득이 되는 말은 아닐 것 같은데…… 오늘 상황이 어차피 이렇게 됐으니 그냥 말하겠습니다. 이서단 씨를 만나기 이전에 내가 알던 관계는 내 의사가 상대보다 우선되고, 상대를 내가 멋대로 통제할 수 있는 관계였습니다. 그래서 이서단 씨가 내 마음대로 되지 않고, 내 통제를 벗어나는 것 같을 때마다 나는 반사적으로 그런 이서단 씨를 처벌하고 강압하는 방식으로 반응하고 싶어집니다. 내가 말을 했는데 이서단 씨가 그 말대로 하지 않는다는 것 자체가 납득이 안 가고, 참기 어려울 정도로 극도로 불안해질 때가 있습니다."

목소리가 건조해서 현실감이 없었다. 나는 어지러워져서 잠시 눈을 감았다 떴다. 그는 내게서 눈을 돌린 채로 낮게 말을 이었다.

"이서단 씨가 이번 주 내내 나를 두고 혼자 집에 가려고 했을 때도 그렇고, 오늘 일도 그렇고……. 이서단 씨가 나를 믿어 내거나 기피 하는 게 보일 때마다 나한테는 그게 나를 두고 도망치겠다는 이야기로 들립니다. 나는 이서단 씨가 내 눈앞에 매순간 있었으면 하는데, 이서단 씨는 내가 없는 시간이 필요하다는 게 받아들이기가 어렵습니다.”

“저는 그런 게…….”

“끝까지 들으세요. 나를 이서단 씨가 이해해야 한다는 게 아닙니다. 우리가 하기로 한 건 그런 게 아니니까. 내가 바뀌어야 하는 게 맞고, 뜯어고쳐야 하는 게 맞는데…… 노력을 최대한으로 들여도 시간이 걸릴 수도 있습니다. 그때까지는 내가 더 조심하겠습니다. 오늘 같은 상황이 또 생기면 그땐 이서단 씨를 침대로 끌어들이지 않고 집에 곱게 보낼 테니까, 앞으로 다시는 이런 일은 없을 겁니다.”

서늘하고 무덤덤한 얼굴이었다. 그의 집 거실, 그의 소파 위에서 마주하는 그의 얼굴이 한순간 타인처럼 낯설어 보였다. 머나먼 거리를 넘어 바라보는 것 같은 아득함에 숨이 막혔다.

스물셋. 그가 옷장을 보여 주며 말했던 나이였다. 그가 아는 관계의 형태는 10년이 넘는 시간 동안 굳어진 완강한 것이었다. 그 테두리가 분명하고 날 선 듯 날카로웠다. 연인 관계가 아닌 다른 것. 내가 모르는 다른 규칙과 다른 균형이 존재하는 것.

나는 그의 얼굴을 볼수록 점점 자신이 없어졌다. 우리가 하고 있는 것이 무엇인지 형태조차 불분명했다. 일주일도 되지 않은 바닷가는 오래전 일 같았다.

“저한테는, 왜…….”

“…….”

“왜 저와는, 다른 게 아닌 연애를 하자고 말씀하신 겁니까?”

목소리가 작게 나왔다. 한 팀장은 무표정하게 나를 보다가, 눈이 가늘어졌다.

"솔직한 대답을 원합니까?"

"……네."

"나는 양쪽 다 상관없습니다. 오히려 해 왔던 관계 쪽이 편합니다. 그런데 연애 아닌 다른 걸 하자고 하면, 이서단 씨가 오래 못 버티고 떨어져 나갈 것 같아서."

얻어맞은 것처럼 명치끝이 아렸다. 시선을 아래로 떨어뜨리려는데 그가 덤덤히 덧붙였다.

"그리고 나는 이서단 씨가 내 옆에서 오래 버텨 주기를 바라고 있으니까. 그게 어떤 형태의 관계든 별로 상관없습니다. 가장 가까운 자리에 가능한 오래 묶어 둘 수 있으면 충분합니다. 이서단 씨는 이걸 욕심이라고 불렀고, 세간에서는 이런 걸 연애라고 하는 것 같아서, 연애라고 불렀을 뿐입니다."

말의 무게가 어깨 위로 떨어져 내렸다. 눈을 마주 볼 수가 없어서 소파를 내려다보면서 나는 말했다.

"그래도 팀장님은 여전히 저를 때리고 싶어하시잖아요."

대답이 없었다. 긍정의 침묵이었다. 울렁거리던 아랫배는 기어이 어딘가로 뚝 떨어진 것 같았다 숨을 들이마시고 다시 물었다.

"관계의 명칭을 뭐라고 붙이든…… 팀장님께는 그런 욕구가 있고, 그건 제가 이 자리에 있는 이상 다른 사람이 채우지 못하는 것이고……. 지금은 아니더라도, 팀장님은 저로는 충분하지 않다고 느끼시는 날이 올 텐데."

"……."

"저도 팀장님 옆에 오래 있고 싶습니다. 굳이, 연애가 아니더라
도…… 대등한 게 아니더라도, 어떤 관계든 하고 싶어요. 팀장님이,
필요하신 걸로, 무엇이든……."

말하다가 목이 꽉 틀어 막혔다. 시야가 쉽게도 흐려졌다.

대등한 관계를 가지겠다는 것은 처음부터 틀린 문제였는지도 모
른다. 그는 타인을 내려다보는 종류의 관계가 익숙한 사람이었고,
이미 나는 그를 좋아한다고 깨달은 순간부터 그의 바짓가랑이를 잡
고 매달리고 있었다. 그가 돌아서면 언제든지 모든 걸 내어놓고 빌
준비가 되어 있었다.

"아……."

거칠게 몸이 끌어당겨졌다. 한 팀장은 단단한 팔로 나를 안아 허
벅지 위로 잡아 올렸다. 마주 보는 자세로 안고 내 손을 얼굴에서 떼
어냈다. 젖은 눈가를 손끝으로 닦아 내 주었다.

"혼자 앞서가지 마세요."

화난 목소리는 아니었다. 손바닥이 등을 느릿하게 쓰다듬었다.
나는 미세하게 떨리는 몸을 그의 가슴에 기댔다. 호흡을 들이마시
고 꾹 울음을 참았다.

숨이 천천히 진정되어 갈 때쯤 그가 나를 안은 채로 무심히 말
했다.

"생각이 많은 성격인 것도 알겠고, 어떤 근거에서 나오는 이야기

인지도 알겠는데, 아직 이른 얘기인 것 같습니다. 사귀기로 한 지 일주일도 안 됐고, 내가 섹스하다가 이성이 나가서 예전 손버릇이 한 번 나온 것뿐인데, 관계의 재설정을 논할 필요까진 없어 보입니다. 애초에 나는 이서단 씨와 하는 바닐라 섹스가 한 번도 부족하다고 느낀 적은 없습니다. 오히려—"

입술이 짧게 맞물렸다.

"살면서 별의별 섹스를 다 해 봤지만 이서단 씨와의 섹스만큼 매 순간이 흥미로운 섹스는 없었습니다."

"……웃."

"물론 거기다가 가벼운 스팽 정도를 첨가한다면 내 취향에 더 잘 맞을 거라는 사실을 부정하는 건 아니지만, 그게 반드시 필요하다거나, 없어서는 안 될 정도의 요소는 아닙니다."

나는 눈을 깜박거렸다. 그의 얼굴이 흐릿해졌다가 선명해지는 것을 반복했다. 무덤덤한 말들이 배 속에 끓어오르듯이 고였다.

"저는 그냥……."

"……."

"그게 아니라……."

그게 아니라, 다만. 일주일 내내 발끝이 땅에 닿아 있지 않았기 때문이다. 모든 게 눈 뜨면 사라질 백일몽 같았다. 내가 잘못 히면, 길 못 선느리면, 흩어져 사라질 것 같았다.

나 또한, 당신의 곁에 오래 남고 싶었기 때문이다. 당신이 나를 오래 버텨 주었으면 했기 때문이다. 나를 타인으로 돌리지 않았으면.

모든 끈을 끊어 내고 나를 또 다시 텅 빈 허공으로, 깜깜한 침묵으로 몰아넣지 않았으면.

당신만은 나를 버리지 않았으면.

앞으로도 늘 나의 옆에 머물러 주었으면, 했다.

"무서워서……."

혼잣말처럼 불분명하게 말했다. 말끝이 까마득한 허공을 내다본 것처럼 꼬리를 말고 웅크려들었다. 숨이 가빴다. 들썩이는 어깨를 누르면서 다시 토해 내듯이 중얼거렸다.

"저는 그냥, 무서워서……."

그는 눈물이 흘러내리는 내 눈가를 엄지로 문질러 닦아 내 주었다. 흐릿한 얼굴에 희미한 쓴웃음이 피어났다가 사라지고, 그가 덤덤히 말했다.

"나도 그래요."

"……흐, 흐읏."

"이서단 씨만 그런 게 아닙니다."

등을 감은 팔에 점점 힘이 들어갔다. 나는 떨리는 팔로 그의 목을 끌어안았다. 부서뜨릴 듯이 강하게 나를 조여 오는 품 안에서 어쩔 줄 모르고 바르작거렸다. 더 가까이 붙고 싶어서 몸을 비볐다. 그의 목덜미에 입술을 붙이고 헐떡이는 숨을 쏟아 냈다.

격렬한 갈증으로 몸이 떨렸다. 내 마음을 읽은 것처럼 내 목덜미를 젖은 입술로 핥아 내린 그가 이를 세우고 세게 깨물었다. 힘을 주어 물고 한참을 놓아주지 않았다. 나는 숨을 멈추고 바짝 긴장시킨 몸을 떨었다.

"······아, 흐, 아아······!"

살이 뚫리는 날카로운 고통이 눈앞을 깜깜하게 했다. 그가 입술을 뗀 순간 절정 같은 고양감이 격렬하게 몸을 휩쓸었다. 나는 숨을 토해 내고, 떨리는 뺨을 그의 목에 문질렀다.

붉게 남은 상처 위로 입술을 붙여 핥으며, 악문 잇새로 그가 말했다.

"내가, 이서단 씨를 다치게 해도, 내 옆에 있어요."

"······흐읏."

"내가 어떤 짓을 하든 용서해 주고······ 어떤 모습이든 이해해 주고. 내가, 이서단 씨를 아프게 해도, 견디면서 끝까지 내 옆에 있는 겁니다. 그렇게 하겠다고 약속해요."

짓씹듯 뱉어진 말끝이 거칠었다. 초조했다.

나는 대답 대신 고개를 들어 그에게 입을 맞췄다. 그의 입안으로 더딘 혀끝을 넣고 서툴게, 격렬하게 핥았다. 그가 돌려주는 키스는 남김없이 숨을 앗아갈 정도로 난폭하고 길었다.

어느새 소파 위로 몸이 눕혀져 있었다. 바지를 벗겨 내는 손끝에는 조금의 여유도 없었다. 나는 그를 도와 스스로 엉덩이를 들었다. 미치겠네, 라고 그가 끊어 속삭였다. 뜨거운 혀를 넣어, 내 입술 안쪽의 상처를 짓이기듯이 문지르고 핥았다. 나를 끌어안고, 내 손목을 잡아 결박했다. 몸의 무게로 내가 어디도 가지 못하게 짓누르고 묶었다.

창밖의 유리에 물 같은 깜깜한 어둠이 달라붙었다. 나는 스스로 다리를 벌려 그의 허리에 감았다. 뼈와 살이 녹아들어 하나가 될 수 있을 것처럼 온몸으로 그를 끌어안았다.

☄

새벽이었다. 인기척에 눈을 뜨자 옆에 그가 없었다. 얇은 문틈으로 빛이 희미하게 새어 들어왔다. 계단을 내려가는 발소리가 들렸다.

불이 꺼지고 그가 다시 올라올 때까지 나는 상체를 일으키고 앉아 있었다. 방문을 닫고 들어오던 그가 깨어 있는 나를 발견했다. 푸르스름한 어둠 속에서 눈이 마주쳤다.

"왜 안 자고."

그가 나직하게 물었다. 조용하게 잠긴 목소리였다. 이불이 걷히고, 그가 내 옆으로 몸을 들였다. 나는 허리를 감싸 안는 팔에 나른한 몸을 맡겼다.

"깼는데, 안 계셔서……."

"물 마시러 다녀왔습니다. 이서단 씨는 목 안 마릅니까?"

고개를 흔들었다. 그의 품 안으로 당겨진 몸이 맞춰진 것처럼 쏙 들어맞았다. 맞닿은 맨살이 따뜻하고 매끄러웠다. 그의 어깨에 머리를 기대고 눈을 감았다.

다시 잠이 오지는 않았다. 그도 마찬가지였는지, 나를 안은 채로 상체를 일으켜 침대 머리맡에 등을 기댔다. 나는 그의 품에 매달린 채로 눈을 반쯤 뜨고 커튼 사이로 새어 드는 검푸른 어둠을 가만히 응시했다. 아무도 깨어 있지 않을 것 같은 빛깔의 새벽이었다.

"전화 왔었습니다. 아까."

그가 몸을 기울여 침대 옆에서 핸드폰을 집어, 내게 건네주었다.

"새벽에 전화할 만한 사람 있습니까."

"……아니요."

부재중 통화가 화면에 떠 있었다. 눈이 부셔 가늘게 뜬 채로 내려다본 나는 버튼을 길게 눌러 기록을 삭제하고 핸드폰을 내려놓았다. 지켜보고 있던 그가 물었다.

"여동생?"

"……네."

"이서단 씨의 입장이 나 때문에 곤란해진 건 아닙니까."

나는 녹아든 머리로 그가 무슨 말을 하는지 한참 생각했다. 깨달았을 때는 웃음이 샜다. 그러고 보니 그는 내 어머니를 만났다. 아들이 집에 남자친구를 데려오는 꼴을 보느니 차라리 죽겠다던 어머니에게 애인을 소개시킨 셈이었다.

"독립하고 나와서는 집에 한 번도 안 들어갔습니까."

그가 조용하게 물었다. 머리카락에 부드러운 입술이 내려앉았다. 나는 몸에 힘을 빼고 눈을 감았다.

"한두 번 정도…… 갔습니다. 고등학교 때까지는 그래도 경제적으로 지원을 받고 있어서……."

"학교는 옮겼다고 하지 않았습니까?"

"……네. 학교 앞에서 혼자 살다가…… 수능 끝나고, 대학 가면서 제가 아예 연락을 끊었습니다. 그때 이후로 어머니는 처음 뵀어요."

그는 잠자코 듣고 있었다. 나는 물었던 숨을 천천히 놓았다.

"믿으실지 모르겠지만, 저 사랑도 많이 받고, 기대도 많이 받고 자랐습니다. 장남이고, 보수적인 집안이라…… 그런 일이 없었으면, 끝까지 숨기고 살았을 것 같아요. 이해받지 못할 것은 진작에 알았고, 저도 그때는 제가 어딘가 잘못됐다고 생각해서……."

커튼 밑의 빛이 일렁거렸다. 따뜻하고 편안한 어둠이었다. 등 뒤의 그는 조용했다.

"그때, 그 일이 있고, 경찰서에서……."

"……."

"어머니가, 일이 커지면, 소문이 나니까. ……그냥 합의하자고 하셨어요. 조용히, 없던 일로 넘어가자고……. 그게 나한테도 좋은 거라고. 그런 일로 낙인찍히면, 내 미래도 그렇고 가족에게도……."

허리를 두른 그의 팔에 힘이 들어갔다. 나는 숨을 천천히 들이마시고 다시 뱉어 냈다.

"틀린 말은, 아닌데."

"……."

"그게 왜, 그때는 서운했는지……."

기대했다가, 실망한 것처럼. 왜 그렇게도 억울했는지. 왜 발밑의 땅이 꺼져드는 듯한 절망이 나를 삼켰는지. 삼키고, 내내 놓아주지 않았는지.

목이 아프게 조여 들었다. 숨을 참았다가 조용히 놓았다. 끌어안긴 채로 몸의 떨림을 갈무리했다. 꺼내 놓은 적 없던 이야기들은 빛을 받자 붉게 맥박쳤다. 진물이 흐르는 상처처럼 시리고 아팠다.

숨을 죽이고, 눈을 감았다. 오래전에 사그라들었다고 생각한 질문이 웅크려 있던 곳에서 느릿느릿 떠올랐다. 그래서 듣고 있을 그에게 물었다. 혼잣말 같은 중얼거림이었다.

"가족이니까, 어떤 모습이든 전부 받아들여 주기를 바랐던 것은…… 너무 큰 욕심이었을까요?"

묻고 나서, 후회했다. 아이 같은 질문이었고, 그는 내가 알던 누구보다 어른스러운 사람이었기 때문이다. 이미 알고 있는 것을 확인시켜 주는 대답을 듣고 싶지 않았다. 그때 한 치의 망설임도 없이, 당연하다는 듯이 그가 대답했다.

"아니, 그렇지 않습니다."

"……."

"그걸 바라는 게 당연한 겁니다. 해 주지 못한 사람들이 잘못한 것이고."

천천히 고개를 돌렸다. 눈이 마주치고, 다정한 눈을 한 그는 손을 뻗어 내 뺨을 쓰다듬었다.

"이서단 씨가 틀렸던 게 아닙니다. 주변 사람들 그릇이 부족했던 겁니다. 내가 그때 이서단 씨를 알았더라면, 법원에서 진흙탕 싸움을 하든 내 손으로 칼부림을 하든 끝까지 이서단 씨를 도왔을 겁니다."

몸이 더 가까이 당겨졌다. 그의 허벅지 위로 앉혀졌다. 그의 허리에 다리를 감으면서 나는 숨을 죽였다.

어긋났던 것들이 맞춰지는 기분이었다. 그의 가슴에 뺨을 기대고, 안정적인 박동에 가만히 귀를 기울였다. 처음으로, 한 바퀴 빙 돌아 맞닿은 것처럼. 늘 반대편에 서 있었던 것 같은 그가 지금만은 나와 닮아 있는 것 같았다.

마른 입술을 한 번 축이고, 턱을 들었다.

"저도…… 저도, 그래서……."

"……."

"팀장님이 하시는 거면, 전부 괜찮아요."

그가 한숨을 쉬는 게 맞닿은 몸으로 느껴졌다.

"또 이 이야깁니까."

"……."

"이서단 씨 같은 독종은 평생 처음 봅니다."

잠자코 그를 안은 팔에 힘을 주었다. 나는 독종도 무엇도 아니었다. 단지 그가 좋은 것뿐이었다. 깜깜한 어둠 속을 더듬더듬 헤쳐 나가서라도 그가 있는 곳에 도달하고 싶은 것뿐이었다.

이해하고 싶었다. 소유하고 싶었다. 그가 지닌 음습하고 잔인한 면까지 다 내 것으로 끌어안고 싶었다. 커튼을 열어젖히고 그 뒤의 어둠을 그와 함께 마주하고 싶었다. 그러기 위해서 대가를 치르겠다는 각오는 희생정신이 아니라, 그의 것보다 더 탐욕스러운 욕심이었다.

그의 팔을 잡아, 끌어당겼다. 나를 봐 줄 것을 종용했다.

"모른 척하고 덮어 둔다고 없어지는 게 아니니까…… 저도 한번 해 보고 싶어요. 시행착오가 있을 거라고, 하셨잖아요……."

조용했다. 눈을 들어 그의 얼굴을 살폈다. 어둠에 익숙해진 눈으로 그의 얼굴의 윤곽을 덧그렸다. 피곤하고, 그럭저럭 덤덤한 표정이었다. 눈썹 사이의 반듯한 미간이 가볍게 좁혀져 있었다.

심장이 두근두근 빠르게 뛰었다. 그에게도 들렸을 것이다. 한참 물끄러미 나를 쳐다보던 그가 희미하게 웃었다.

"말만 잘하고. 몸은 왜 덜덜 떱니까."

"……."

목이 꽉 잠겨서 변명도 생각나지 않았다. 그의 허벅지에 올라앉은 엉덩이가 미약하게 욱신거렸다.

"열쇠 그때 어디다 뒀어요."

그가 시선을 맞대고 나직하게 물었다. 나는 떨리는 숨을 한 번 삼켜 내렸다.

"집에……."

"가져가서 버리라고 했잖아."

"그러려고 했는데, 잊어버리고……."

사실이 아니었다. 그날 바닷가에서 싸우고 화해하는 데 정신이 팔려 잃어버린 줄 알았는데, 옷 주머니에서 열쇠가 나왔다. 차에서 그에게 보여 주자 그는 집에 가져가서 버리라고 말했다. 나는 버리는 대신 침실 서랍 깊숙한 곳에 열쇠를 숨겨 두었다. 그의 칫솔이 내 칫솔꽂이에 사이좋게 안착하기 전에 머물던 서랍이었다. 햇빛이 조금도 들지 않는 어둡고 깜깜한 구석이었다.

"……나랑 뭘 하겠다는 겁니까."

그가 중얼거렸다. 여전히 웃음을 띤 채로 내 코끝을 꾹 눌렀다.

"말만 꺼내도 무서워하면서. 혼자만 마음 넓은 척하면 좋습니까. 내가 풀고 싶은 욕구는 전부 받겠다고?"

"……"

"내가 어디까지 할 줄 알고. 엉덩이가 다 터질 때까지 맞아 본 적 있습니까?"

그가 짐짓 엄한 얼굴로 겁주었다. 나는 눈을 피하지 않고 이를 꾹 다물었다.

"맞으면서 느끼는 사람도 많으니까, 저도 노력해 보겠습니다."

"노력으로 될 일입니까?"

그가 웃었다. 접힌 눈이 다정했다. 상처럼 가볍게 입술에 입맞춤이 떨어졌다. 더없이 달콤하고 부드러운 접촉이었다.

웃음기가 짙게 밴 얼굴로 나를 보던 그가 말했다.

"이서단 씨가 섭 기가 약간 있는 건 맞는데."

"……"

"내 섭은 못할 겁니다."

단언이었다. 나는 벽에 가로막힌 것처럼 입을 다물었다. 내 귀 위의 머리카락을 쓰다듬으면서 그가 말을 이었다.

"나는 섭은 봐주는 것 없이 함부로 굴리는 편입니다. 처음부터 그럴 준비가 되어 있는 사람과 합의해서 갖는 관계고, 침대 위에서뿐만 아니라 일상도 남김없이 통제합니다. 내 허락 없이는 나한테 말도 못 붙이고, 나와 있을 때는 밤낮없이 뒤에 바이브를 꽂고 다니고, 내 성기를 빨아야 화장실에 갈 수 있는 생활을 이서단 씨가 할 수 있을 것 같습니까?"

"……."

나는 입을 다물었다. 아랫배가 어지럽게 울렁거렸다. 그는 허벅지를 세워 나를 더 가까이 감싸 안았다. 다정한 입술로 목덜미의 깨물린 상처를 쓸었다.

"무엇보다 나도 이서단 씨에게 너무 무르고."

"웃……."

"그렇게까지 하고 싶지도 않습니다. 이서단 씨와 연애하는 건 나한테는 신선하고, 여러 가지로 머리가 복잡하긴 하지만 그만큼 좋은 점도 많습니다. 이대로도 충분해요."

"그래도."

나는 반박하고 싶었다. 하지만 그는 손바닥으로 내 입을 막았다. 어이없다는 듯이 말했다.

"뭐 이렇게 끈질깁니까."

"……프으."

누르던 손바닥이 치워졌다. 내가 얼얼한 입술을 혀끝으로 축이는 사이에 그가 눈을 감았다 떴다.

"그럼 이렇게 합시다."

"⋯⋯네."

자세를 바로 하고 앉았다. 그는 내 등을 안은 팔을 풀면서 말했다.

"침대를 떠나서 이서단 씨에게 섭 역할을 시킬 생각은 없습니다. 이서단 씨가 느낄 수 있는 선에서, 실험 삼아 섹스에 약한 플레이를 가미해 보는 정도면, 괜찮겠습니까?"

눈이 마주쳤다. 찌푸린 표정을 보고 나는 눈을 깜박였다.

"약한 플레이면⋯⋯."

"가벼운 핸드 스팽 정도."

그가 잠깐 침묵한 후에 대답했다.

"옷장을 열 일은 없으니까 열쇠는 가져올 필요 없습니다. 도구를 쓸 것도 아니고."

눈을 감으니 눈꺼풀 밑의 어둠이 일렁거렸다. 턱을 내려 시선을 침대 위로 고정하고 나는 고개를 흔들었다.

"그런 거면, 그것보다는 더 해야 될 것 같아요."

"이서단 씨."

그의 목소리에 웃음과 짜증이 비슷한 비율로 배어 있었다.

"그런 건 벌써 많이 해 봤으니까⋯⋯ 실험 삼아 해 보는 거면, 그것보다는 더 해야 제가 감이 잡힐 것 같습니다. 저를 만나시기 전에 팀장님이 하시던 것과 비슷하게 해야, 제가 팀장님 취향을 파악할 수 있고, 그래야 앞으로 중간 지점쯤에서 만날 수 있으니까⋯⋯."

그는 말이 없었다. 나는 팔을 올려 그의 등 뒤로 감았다. 몸을 가까이 붙이고 그의 목덜미에 뺨을 문질렀다가 떼어 냈다.

"예전에는 팀장님이랑 아무 사이도 아니어서 힘들었던 거고…… 지금은 괜찮을 것 같아요. 저도 이제 여러 번 해 봐서 뭐가 뭔지 알고 있고……."

짧은 침묵이 지나고, 바람 빠지듯이 그가 웃었다. 단단하게 힘이 들어가 있던 그의 몸이 한 순간에 느슨하게 풀어졌다.

"이서단 씨 때문에 내가 미치겠네요."

"……."

"알았습니다. 나도 이제는…… 알았으니까, 일단 이서단 씨가 말한 대로 해 보고, 그다음에 다시 얘기합시다."

"……네."

나는 그제야 몸의 긴장을 풀었다. 마른 눈가를 그의 손끝이 가만히 쓰다듬었다. 눈을 맞추고 그가 조용히 물었다.

"결국 나 때문에 이러는 게 아닙니까."

"……."

"물에 빠진 사람 구한다고 본인도 들어와서야 되겠습니까."

"……팀장님이…… 뭍으로, 안 올라오시잖아요."

화낼 줄 알았던 그는 조금 웃었다

"내가 악어입니까, 뭍으로 올라가게."

"……제가 하고 싶어서 하는 거니까, 해 보고…… 안 될 것 같으면, 솔직하게 말씀드리겠습니다. 그렇게 되면……."

실망하지 말아 달라는 말을 삼키며 입을 다물었다. 한 팀장은 내 얼굴을 보더니 짧게 숨을 내쉬었다.

"그렇게 되면 칭찬해 줄 겁니다. 잘했다고 말하고 안아 줄 테니까 걱정하지 말아요. ······왜 계속 떨어. 무섭습니까?"

"······그런 것 같습니다."

솔직하게 대답했다. 가늘게 떨리는 손끝으로 그의 어깨를 더듬었다. 매끄럽고 따뜻한 피부를 쥐어 몸을 지탱했다. 그의 가슴팍에 눈을 고정하고 중얼거렸다.

"침대 위에서의 팀장님은······ 원래 좀 무섭습니다."

"압니다."

그가 태연하게 대답했다.

"나를 무서워할 때의 이서단 씨 얼굴이 얼마나 꼴리는지 본인은 모를 겁니다."

"······."

"우리 출근해야 하는 거 알고 있습니까?"

난데없는 말에 나는 눈을 깜박였다. 정말이었다. 커튼으로 새어 드는 빛도 환했다. 그의 말대로 곧 출근을 준비해야 하는 시간이 었다.

한 팀장은 나를 놓아주면서 몸을 일으켰다. 침대 위에 나를 내버려 두고 먼저 밖으로 몸을 내디뎠다. 옷 하나 걸치지 않은 뒷모습이 단단하고 유려했다. 등 가운데의 곧은 선에 그림자가 고여 있었다. 얌전히 앉아 홀린 듯 구경하고 있는데, 그가 뒤를 돌아보며 가볍게 말했다.

"해 봅시다, 그럼."

"……."

"이서단 씨도 본격적으로 플레이할 때의 내가 어떤지 봐야 대화가 가능할 것 같습니다. 오늘은 좀 이르고, 나도 준비를 해야 하니……. 내일은 어떻습니까?"

흐트러진 이불 사이에 앉아서 나는 눈을 깜박였다.

"지금까지 저희가 했던 게…… 플레이 아니었습니까?"

"나를 너무 쉽게 보는 거 아닙니까."

한 팀장이 웃었다. 호선을 그리는 모양 좋은 입술은 다정하고, 나를 바라보는 눈은 진득하고 짓궂었다. 배 속을 울렁울렁 떨리게 하는 음습하고 위험한 욕구가 눈동자에 고여 있었다.

내게서 눈을 떼지 않은 채로 그가 창문으로 다가섰다. 어둡게 펼쳐 두었던 커튼을 걷었다. 바깥의 푸른빛이 환하게 쏟아져 들어왔다. 그 빛을 받으면서 그가 무심히 말했다.

"오늘은 이서단 씨도 회사 끝나면 집으로 퇴근하세요. 가서 잘 자고 제대로 쉬었다가, 내일 오후에 내 집으로 오면 됩니다."

"……."

"내가 진짜가 뭔지 보여 주겠습니다. 각오 단단히 하고 오세요."

눈을 마주칠 수가 없어서 나는 시선을 내렸다. 가슴이 소리 높여 불규칙적으로 뛰었다. 한 팀장은 대화가 끝났다는 듯이 미련 없이 등을 돌렸다. 나를 남겨 두고 먼저 욕실로 들어갔다.

문이 닫히자 나는 이불 밑으로 다시 파고들어 머리 위까지 이불을 올려 덮었다. 웅크리고 누워 발가락을 꾹 움츠렸다. 기대인지 무서움인지 모를 것이 떨림처럼 등줄기를 타고 내렸다.

※

나는 현관을 들어서다가 낯선 기분에 멈춰 섰다. 어둠 속에서 천천히 신발을 벗어 현관 쪽으로 밀어 두었다. 벽을 더듬어 조명 스위치를 눌렀다.

딸깍, 거실 불이 들어왔다. 나는 가방을 든 채로 멈춰 서서 이상하다고 생각했다. 집이 갑갑하고 좁았다. 천장이 낮았고, 어두웠고, 조용했다. 늦은 시간이기는 했지만, 아래층에서도 위층에서도 아무런 소리도 들리지 않았다.

나는 현관 옆에 가방을 내려놓았다. 머릿속으로 셈해 보니, 고작 이틀만이었다. 그 짧은 사이에 집이 낯설어져 있었다.

밀린 빨래를 세탁기에 넣었다. 하얀 세제 가루가 건조하게 손끝에 묻어났다. 물로 씻어 내니 손가락이 미끌거렸다. 청소기도 돌릴까 하다가, 그냥 쪼그려 앉아 빙글빙글 돌아가는 빨래를 응시했다. 차가운 타일 바닥에 아예 엉덩이를 붙였다.

조용했다. 세탁기 안의 빨래가 엉키고 비벼지면서 건조한 소리를 냈다.

나는 그제야 깨달았다. 집이 낯선 것이 아니었다. 그가 옆에 없다는 사실이 낯선 것이었다.

두리번거려 봐도 그가 없었다. 방 안에도 없었고, 집 안에도 없었다. 일주일 내내 밤마다 단단한 팔이 내 허리에 감겨 있었는데, 익숙한 체취와 체온에 바짝 맞닿아 있었는데, 지금은 그가 없었다.

뒤늦게 몰아닥친 상실감은 텅 빈 진공 같았다. 숨을 들이쉬려고 입을 벌렸는데 산소가 없는 것 같았다.

그래서 나는 세탁기 앞에 몸을 말고 앉아 내 집과 그의 집 사이의 물리적인 거리를 가늠했다. 몇 킬로미터 더 떨어져 있는 게 대단한 차이라도 있는 것처럼, 머릿속 지도에 몇 번이나 세심하게 선을 고쳐 그렸다.

부엌에서 잔에다가 찻잎을 하나씩 담고 있는데 반복적으로 짧은 신호음이 울렸다. 세탁기에서 나는 소리인 줄 알고 고개를 돌렸다가, 핸드폰이라는 사실을 깨달았다. 가방을 둔 곳으로 달려가 몇 번의 헛손질 끝에 꺼내 든 핸드폰은 그의 이름으로 환히 불을 밝히고 있었다.

"여보세요?"

목소리에 가쁜 숨소리가 섞여 나왔다. 수화기 너머의 한 팀장은 잠시 침묵하다가 느리게 물었다.

-바쁩니까?

"네? 아니요, 괜찮습니다."

-그럼 왜 그렇게 헥헥거려.

"⋯⋯전화 받으러 뛰어와서⋯⋯."

목소리를 듣자 온몸에 힘이 노곤하게 풀렸다. 이상한 일이었다. 추운 밖에서 오들오들 떨다가 난방이 뜨끈한 방 안으로 들어온 느낌이었다. 나는 바닥의 방석 위로 앉았다가, 아예 둥글게 몸을 말고 누웠다. 딱딱한 가방을 베개 삼았다.

"팀장님은 안 바쁘세요?"

수화기 너머가 조용해서 조바심이 났다.

"통화 괜찮으신 거예요?"

—내 쪽에서 전화했는데, 뭔 소립니까.

그가 대꾸했다. 표정이 눈에 보이지 않아도 선했다. 그건 그러네요, 라고 나는 작게 대답했다.

그래 놓고 그는 더 이상 아무 말도 하지 않았다. 나는 입을 벌렸다가 다시 다물었다. 전화선을 타고 가느다란 침묵이 규칙적으로 전달되었다.

지금 보니 그의 숨소리 뒤로 흐릿한 소음이 끼어 있었다. 멀리서 차량 소리 같은 게 가까워지고 희미해졌다. 집도 아닌 밖인 모양이었다. 머릿속에 그리던 지도의 전부가 쓸모없어진 셈이었다.

"어디세요?"

나도 모르게 물었다. 익숙한 라이터 소리가 났다. 그가 느리고 불분명한 목소리로 대답했다.

—식당 주차장입니다. 이쪽 회사 회식이 끝나서, 다들 보내 놓고…… 이제 집에 들어가려는 참입니다.

"아…… 대리 기사는 부르셨어요?"

-아니, 아직.

귓가에 흩어지는 숨이 나른하고 길었다. 익숙하고 매캐한 향이 내 거실에도 퍼지는 것 같았다.

"직접 운전하시려는 건 아니죠?"

눅눅한 침묵이 불안해서 물었다. 그가 술을 어느 정도는 마신 게 분명했다. 그러자 저쪽에서 바스락, 희미한 웃음소리가 났다. 그가 물었다.

-저녁은 먹었어요?

나는 박자를 놓치고 뒤늦게 대답했다.

"네, 퇴근하고 오는 길에……."

-뭐 먹었습니까?

"그냥…… 김밥이요."

-…….

"편의점 김밥 말고, 재료 많이 들어간 걸로……. 참치랑, 오이랑, 그런 거……."

익숙한 잔소리가 이어질 것 같았는데, 긴 숨소리만 들릴 뿐 그는 더 이상 말이 없었다.

"팀장님은…… 저녁 드셨어요?"

-먹었습니다.

"……뭐 드셨는데요?"

-안주 종류로 적당히 집어 먹었습니다. 음식은 그저 그런 수준이었고, 여기 술은 꽤 괜찮았는데…… 이서단 씨는 술을 안 좋아하니

까…… 별로 소용없겠네요.

그가 나직하게 웃었다. 나는 조바심에 결국 몸을 일으켰다. 방석을 밟고 서서 발가락을 움츠렸다.

"제가…… 계시는 곳으로 갈까요?"

왠지 모르게 그게 정답일 것 같았다. 그답지 않은 용건 없는 전화도, 긴 침묵과 시답잖은 잡담도, 그 뜻인 것 같았다. 그가 있는 곳이 어디인지, 그곳까지 어떻게 하면 갈 수 있는지 알지도 못하면서, 나는 머릿속으로 이미 옷을 갈아입고 가방을 챙기고 있었다. 지하철을 타거나 택시를 잡고 있었다. 불 꺼진 주차장에서 그의 얼굴을 보면 가슴에 번질 뜨끈함이 이미 배 속에서 움트고 있었다.

그때 그가 말했다.

-그 말, 책임질 수 있겠습니까?

"……네?"

까슬하게 보풀이 일어나 있는 목소리였다. 낮고 느리게 뭉그러져서 다른 사람의 목소리 같기도 했다.

-오늘 우리가 만나게 되면 나는 이서단 씨와 섹스할 겁니다. 하루 종일 얼굴도 못 봤고, 지금 나는 이서단 씨가 필요하니까. 그렇게 되면 내일 오후에 하기로 했던 플레이는 자연스럽게 물 건너가고……. 한번 말 나온 게 흐지부지되면, 이서단 씨도 다시 말 꺼내기가 애매할 거고.

"……"

-그리고 나는 그렇게 돼도 썩 나쁘지 않을 것 같은데. ……그래도

내가 오라고 하면, 지금 나한테 올 겁니까?

나는 그의 숨소리를 들으면서 현관 옆 벽에 감각이 무뎌진 등을 기댔다. 뜨거워진 핸드폰에 습한 공기가 차올랐다.

내 침묵에 대고 그는 느리게 덧붙였다.

-이런 말 안 하고, 그냥 적당히 할 생각이었습니다. 도구만 꺼내서 겁만 주고…… 어차피 이서단 씨는 내가 돔답게 굴든 그렇지 않든 비교 대상이 없을 테니까.

"……."

-그래서 이서단 씨가 본 게 내 바닥이라고 생각하고 안심하고 나면, 내 곁에 남아도 되겠다 결정하고 나면, 평생 시치미 떼는 건 별로 어려운 일도 아닐 것 같아서. 원래 그런 건 잘하는 편입니다. 멀쩡해 보이는 것, 멀쩡해 보일 수 있는 수준의 선을 지키는 것……

눈을 감고 있자 그에게 보일 주차장의 까만 하늘이 내 눈앞에도 차올랐다.

-이서단 씨에게는 이상하게 그게 잘 안 됐지만.

희미한 숨소리처럼 그가 웃었다.

-생각할 시간이 필요하면 주겠습니다. 나는 지금 집으로 갈 거니까, 내 집으로 와도 좋고. 그렇게는 못 하겠고, 기어이 내일 오겠다고 한다면, 나도 대충 넘어갈 생각은 이제 없으니까…… 참고해서 결정하세요.

목소리가 덤덤했다. 산뜻했다. 그는 또 한 번 선택권을 나에게로 오롯이 넘겨 놓고는, 그래서 그 책임으로 내 발을 미리 묶어 놓고는,

본인은 어느 쪽이든 미련 없는 것처럼 멀쩡했다.

나는 핸드폰을 든 채로 몸을 틀어 방으로 들어갔다. 침대 위로 웅크린 몸을 눕히고, 눈을 떠 천장을 올려다봤다. 이불에서는 따뜻한 먼지 냄새, 희미한 땀 냄새가 났다. 어렴풋이 그의 체향이 묻어 있는 것 같기도 했다.

"절대 운전하지 마시고, 대리 불러서 집에 들어가시고…… 무사히 도착했다고 연락 주세요."

—…….

"내일 몇 시까지 가면 될까요?"

희미한 웃음소리가 수화기를 타고 넘어왔다.

—점심때까지는 이쪽 회사에서 볼일이 있습니다. 점심 따로 챙겨 먹고, 두 시나 두 시 반 정도까지 집으로 오세요. 내가 늦게 되면 먼저 들어가 있고. 현관 번호는 기억합니까?

"네."

—그래요. 내일 봅시다, 그럼.

깔끔한 끝인사였는데, 전화가 끊어지는 소리는 들리지 않았다. 규칙적인 숨소리가 몇 번 건너왔다.

—전화 끊을 겁니다.

"네, 안녕히 주무세요."

나는 핸드폰을 쥔 채로 가만히 있었다. 멀리서 빙빙 돌아가던 세탁기가 느려지고, 멈췄다. 신호음이 희미하게 울렸다. 5초, 10초. 그는 아무런 재촉도 없었다. 천천히 핸드폰을 내려 통화 종료 버튼을 누르며 나는 흐릿해진 시야를 깜박여 없앴다.

해가 진 창밖이 어두웠다. 핸드폰을 내려놓고 나는 멍하니 두 팔 가득 이불을 끌어안았다.

🖋

출발은 이른 시간이었지만, 중간에 샛길로 빠졌다. 환승역에서 바로 갈아타지 않고 한참을 벤치에 앉아 있었다. 사람들이 둘씩, 셋씩 뭉쳐서 지나갔다. 지하철 칸을 꽉 메울 정도로 많던 인파는 점심 때가 되자 조금씩 잦아들었다. 나는 역 안의 가게에서 초코 칩이 박힌 머핀을 샀다. 항아리 모양의 바나나우유에 가느다란 빨대를 꽂았다.

그의 집 앞에 도착한 시간은 1시 50분 정도였다. 아파트의 정문 게이트 앞에서 한참을 서성인 끝에 문자를 찍었다. [지금 올라가도 괜찮아요?] 말이 이상했다. 지금 올라가도 괜찮으세요? 괜찮을까요? 하고 여러 번 바꿔 누르다가 결국 다 지우고 짧게 적어 보냈다. [팀장님, 지금 어디세요?] 전송 버튼을 누르고 손을 떼자마자 핸드폰이 진동했다. 나는 핸드폰을 떨어뜨릴 뻔했다.

-어디까지 왔습니까?

그가 물었다. 전화로 들려오는 목소리는 늘 평소보다 낮고 서늘했다. 드문드문 들리는 소음으로 봐서 운전 중인 모양이었다.

그때 마침 둔중한 기계음을 내면서 정문 게이트가 열리기 시작했

다. 그의 것이 아닌 차가 멈춰 서서 대기하고 있었다. 옆으로 비켜서
면서 나는 대답했다.

"저…… 팀장님 집 앞이에요."

-지금 가는 중입니다. 먼저 올라가 있어요.

"네, 그럴게요."

전화가 끊겼다. 나는 게이트가 다시 닫히기 전에 주차장으로 들
어섰다. 로비는 에어컨을 틀어 놨는지 바깥 온도보다 시원했다. 여
름이 머지않을 것 같은 날씨였다.

커다란 엘리베이터 안의 에어컨 내음에는 희미한 금속 향이 섞여
있었다. 닫힌 문의 안쪽은 거울처럼 깨끗했고, 그 표면에는 내가 반
사되어 있었다. 하얀 셔츠에 까만 면바지, 까만 운동화. 회사 복장에
서 한 끗 어긋난 어중간한 차림이었다. 소개팅에 나가는 대학생 같
았다.

놀러 가는 것도 아니라 매 맞으러 가면서, 잠이 안 오던 새벽에 나
는 작은 거울 앞에서 옷을 몇 번이나 갈아입었다. 대학생 때 입던 옷
들이 옷장 서랍에서 먼지 냄새를 짙게 풍기며 발굴되었다. 낡은 후
드티나 보풀이 일어난 니트, 색이 바랜 청바지, 곰돌이가 그려진 양
말. 걸쳐 입고 물끄러미 거울을 들여다봤다. 그리고 결국 적당한 셔
츠 하나를 골라잡았다. 상사로서의 그를 만나러 가는 것도 아니면
서, 나는 적응이 느렸고, 아직은 도무지 익숙하지 않았다.

복도에서도 서늘한 에어컨 내음이 났다. 쌀쌀하기까지 했다. 나
는 굳게 닫힌 현관문 앞에 섰다. 불이 꺼져 있는 키패드를 쳐다보다

가, 벽에 등을 기댔다.

엘리베이터는 몇 분에 한 번씩 오르내렸다. 층수를 보여 주는 작은 화면에 B1이 표시될 때마다 나는 엘리베이터의 문틈에 시선을 고정했다. 엘리베이터는 아슬아슬하게 지나쳐 올라가기도 했고, 아래층에서 멈춰 서기도 했다. 그리고 마침내, 차근차근 오르던 숫자가 멈춰 서서 더 이상 움직이지 않았다. 신호음이 울리고, 문이 양쪽으로 드르륵 열렸다.

핸드폰을 내려다보던 한 팀장은 복도로 걸어 나와서야 나를 발견했다. 빤히 쳐다보더니 눈살을 찌푸렸다.

"비밀번호 안다며."

"……네."

일 관련 약속이라더니, 그는 타이까지 맨 정갈한 정장 차림이었다. 눈을 마주칠 수가 없어서 단단한 가슴팍에 시선을 고정했다. 갈색 타이의 매듭을 눈으로 더듬었다. 내가 뒤로 물러서자, 키패드를 쓸어 파란 숫자를 불러 온 그가 익숙하게 번호를 누르며 나를 돌아보지 않고 물었다.

"모르는 사람 집도 아니고. 왜 밖에서 기다려요?"

"그렇게 오래는—"

"이 번호를 알려 준 건 이서단 씨 하나입니다. 급할 때만 쓰라고 준 게 아니고, 스페어 키를 건네는 차원에서 준 겁니다."

눈이 마주쳤다. 그는 나를 위해 문을 잡아 주었다. 몸이 스칠 것 같은 거리였다.

마른 입안에서 대답이 사그라졌다. 드러난 거실이 햇빛으로 환했다. 그가 나를 지나쳐서 겉옷을 벗는 사이에 나는 현관에서 멈춰서서 움직이지 못했다. 뻣뻣하게 굳은 허리를 굽혀서 하얀 신발끈의 매듭을 풀어냈다. 깨끗한 타일 바닥에 시선을 고정했다. 그사이 한 팀장은 나의 굽혀진 등을 물끄러미 보다가, 어이없다는 듯이 웃었다.

"뭘 그렇게 긴장하고 있습니까."

"⋯⋯."

"플레이 때문에?"

그 말에 어깨에서 힘이 쭉 빠져나갔다. 억울할 정도로 그는 평소와 같았다. 무심한 표정과 목소리였다. 서늘한 눈가의 언저리에 가벼운 웃음기가 번져 있었다. 나를 내려다보는 시선이 그럭저럭 다정했다.

단정한 손이 내 쪽으로 뻗어 왔다. 턱이 잡히고 시선이 붙들렸다. 눈을 가늘게 좁히고 나를 보던 한 팀장이 눈살을 가만히 찌푸렸다.

"현관 들어서자마자 내가 무릎이라도 꿇릴 줄 알았습니까?"

"⋯⋯."

"무슨 취급을 기대하고 혼자서 잠까지 설친 겁니까? 눈이 새빨갛네."

뺨을 감싸 안은 손이 느릿하게 눈가를 쓸었다. 떨리는 속눈썹 끝을 쓰다듬는 손끝이 대낮에 어울리지 않게 부드럽고 진득했다. 나는 그의 셔츠 소매를 보면서 웅얼거렸다.

"어떻게 행동해야 할지 몰라서……."

"일단 들어와서 얘기합시다."

그가 내 손목을 잡아 쉽게 집 안으로 끌어 들였다. 나는 가까스로 신발을 벗었다. 한 팀장의 등 돌린 뒷모습이 정장 재킷을 소파에 걸쳐 두고, 타이 매듭을 귀찮다는 듯이 당겨 내렸다.

"아침은 먹었어요?"

"……네."

"점심은?"

"……안 먹었습니다."

"식탁에 앉아 있어요, 차라도 갖다 줄 테니까."

멀어지는 등을 눈으로 쫓다가 느린 보폭으로 거실을 가로질렀다. 식탁 의자를 끌어내 앉았다. 평소의 내 자리였다. 잠이 부족해서인지 얼굴이 열로 뜨끈했다. 배가 찌르듯이 선연하게 아팠다.

돌아오는 발소리에 고개를 들었다. 내 코앞에 잔을 내려놓은 한 팀장이 이번에는 쟁반을 들고 돌아왔다. 크래커와 치즈, 과일 같은 자잘한 간식이 종류별로 놓여 있었다.

"입맛 없어도 일단 먹어요."

마주 앉으면서 그가 말했다. 내 쪽으로 쟁반을 밀어 주었다. 작은 유리병 세 개의 뚜껑을 열고 내 앞에 놓아 주었다.

"치즈도 얹어 먹고, 과일도 먹어요."

"감사합니다."

"관장은 했습니까?"

막 치즈 조각을 삼키려던 나는 기침했다. 웃음기 없는 눈을 피하고, 수그린 채로 고개를 미미하게 끄덕였다. 그는 계속해서 기침하는 나를 보다가, 찻잔을 밀어 주며 그저 없이 말했다.

"내가 세 끼 다 챙겨 먹으라고 했지. 말 어지간히 안 듣는 거 압니까."

"……죄송합니다."

"왜 허락 없이 관장했냐고도 혼낼 수 있고, 트집 잡아 벌주려면 얼마든지 그럴 수 있습니다. 무엇이든 하기 전에 내 눈치부터 보고, 일일이 보고하고 혼나고. 이서단 씨는 그런 걸 원하는 겁니까?"

희롱도 협박도 아니었다. 나는 고개를 들었다. 그는 여전히 무심한 표정으로 유리병의 빨간 뚜껑을 손바닥 위로 빙빙 돌리고 있었다. 눈이 마주치자 그가 물었다. 피곤한 목소리였다.

"뭘 그렇게 기합이 들어갔어요."

"……저는—"

"이서단 씨는 지금 나한테 혼나러 온 게 아니라 나랑 놀러 온 겁니다. 그 노는 방식에 동참하겠다고 말 꺼낸 건 이서단 씨고. 억지로 이 악물고 견딜 각오로 온 거면, 애초에 안 하는 게 낫습니다. 괴롭히자고 부른 게 아니에요."

나는 입에 넣은 치즈 조각을 삼켰다. 뜨거운 차를 한 모금 머금고 그를 올려다보았다.

"죄송합니다."

"사과할 건 없습니다."

미간이 미미하게 찌푸려져 있었지만, 그는 간단하게 대답했다. 잼바른 크래커에 방울토마토 반쪽을 올려 내 쪽으로 밀어 주며 말을 이었다.

"무서워하는 건 알고 있었지만, 이렇게까지 싫어하는 줄 알았으면 하자고 안 했을 겁니다."

"싫은 게 아니라……"

"하얗게 질린 얼굴로 집 안으로 들어가지도 못하고 서 있는데, 그게 싫은 게 아닙니까? 말만 괜찮다고 하면 답니까. 이서단 씨는 왜 매번 솔직하지를 못해서 사람 입장을 난처하게 만듭니까?"

나는 들었던 잔을 내려놓았다. 다그치는 어조가 아니었는데도 뺨이 화끈거렸다.

"그 정도로 싫었던 건 아닙니다. 그리고 제가, 무서워하는 건……마음에 든다고 하셨잖아요."

"그건 침대 위에서의 얘기고."

그가 무심히 되받아쳤다.

"아까부터 나랑 눈도 못 마주치는데, 그건 아무리 나라도 별로 좋진 않습니다. 어제 얘기를 후회하는 거면 그렇다고 솔직하게 말하세요. 없던 일로 해도 상관없습니다."

"……팀장님."

"플레이고 뭐고 관두고, 한가하게 지내다가 저녁 해 먹고, 밤에 평범하게 섹스하고. 그렇게 시간 보내다가 내일 돌아가면 되는 겁니다. 이서단 씨가 원하는 게 그거면 그렇게 하는 게 나도 좋으니까,

다시 한번 잘 생각해 봐요."

완벽하게 달가운 표정은 아니었지만, 피곤한 얼굴로도 그는 눈가를 가볍게 누그러뜨렸다. 내가 어느 쪽을 택하든 화내지 않을 거라는 뜻이었다. 나는 시선을 떨어뜨렸다. 얼굴이 뜨거웠다. 심장 뛰는 소리로 귓불이 얼얼하게 욱신거릴 정도였다.

침묵이 당겨진 실처럼 팽팽했다. 나는 입을 몇 번이나 열었다가 다물었다. 그가 열어 준 탈출로는 넓고 환해서, 자꾸만 눈길이 갔다. 이대로 고개만 끄덕이면 되는 일이었다. 다정한 체온과 다정한 말. 울지도 무서워하지도 않아도 되는 하루가 내게 선택지로서 열려 있었다. 어젯밤에 뒤척이면서 혼자 다졌던 각오도 막상 그가 눈앞에 있자 무용지물이 되어 흩어졌다. 막연하게 상상한 그 어떤 것보다도, 눈앞에 있는 남자가 더 무서웠다.

뺨 안쪽을 송곳니로 깨물었다. 숨을 들이쉬고 한 번에 말했다.

"먹을 만큼 먹었으니까 이제 시작해도 될 것 같습니다."

"⋯⋯고집은."

별로 놀라지도 않은 표정으로 그가 중얼거렸다. 손이 뻗어 와 내 뺨을 가볍게 감싸 안았다. 마른 눈가를 손끝으로 누르며 그가 말했다. 의외의 웃음기가 배인 목소리였다.

"그렇게까지 무서워할 건 없습니다. 용감한 척은 다 하고 이럴 때만 새가슴이네. 대체 뭘 상상하고 온 겁니까."

"⋯⋯."

"그래 봤자 섹스인데. 내가 아무리 험하게 다뤄도 죽이기야 하겠습니까."

"……아."

그 말에 나는 불현듯 생각이 났다. 몸을 뒤로 물리고, 옆 주머니를 더듬었다. 넣어 둔 그대로 딱딱한 것이 잡혔다. 끄집어낸 고리를 나는 손바닥에 얹어 그에게로 내밀었다. 매달린 열쇠가 찰캉, 금속성의 소리를 냈다.

한 팀장은 바로 받아들지 않고 내 얼굴을 물끄러미 응시했다.

"버리라고 줬더니, 그걸 고스란히 가져와서는."

"……필요하실까 봐요."

그가 직접 말을 한 것은 아니었지만, 그래도 혹시나 싶었다. 뜨끈해진 열쇠를 쥐고 있는 것만으로도 손끝이 떨려서, 나는 일단 식탁 위로 내려놓았다. 입맛이 없었다. 찻잔을 반도 비우지 않았는데 차가 식어 있었다.

한 팀장은 알 수 없는 표정으로 느릿한 손을 뻗어 열쇠의 둥근 고리를 집어 들었다. 들어서 달랑거리는 열쇠를 응시하더니, 내 쪽으로 다시 내밀었다. 나는 의아한 눈을 들었다. 그가 고리를 내 손가락에 걸어 주며 말했다.

"일단 가지고 있어요."

"네?"

"아직 좀 이릅니다. 나도 확신이 안 서고. 오늘 어떻게 되는지 봐서 결정합시다."

"그럼 오늘은……."

그가 눈가를 슬쩍 찌푸렸다. 웃는 것 같은 모호한 표정이었다.

"플레이 내용을 대충 짜 두긴 했습니다. 들어가기 전에 미리 알고 싶습니까?"

깔끔한 목소리였는데, 내 심장이 어딘가로 쿵 내려앉았다. 나는 입을 다문 채로 고개를 저었다. 한 팀장은 눈썹 하나 까딱하지 않고 여상히 말을 이었다.

"그럼 스포일러는 안 하겠습니다. 전체적인 내용은 가벼운 스팽, 도구 삽입, 하드 섹스 정도. 이 중에 걸리는 게 있습니까?"

"……팀장님, 저 이런 얘기……."

혀가 마비된 것처럼 발음이 둔하게 나왔다. 귀 끝이 뜨거웠다. 한 팀장은 단정한 손가락으로 크래커를 집으며 말했다.

"이런 얘기는 익숙해져야 합니다."

"그래도."

"상의 안 하면 플레이 들어가서 피 봅니다. 본인 취향 아닌 것만 실컷 하고 끝나면 어쩌려고."

내 얼굴을 쳐다본 그가 미미하게 입꼬리를 틀어 웃었다.

"구체적인 합의는 나중에 봐서 천천히 하도록 하고, 일단 오늘 얘기는 마저 하겠습니다. 강도 조절에는 내가 신경을 쓰겠지만, 그래도 혹시나를 대비해서 안전어를 줄 겁니다."

나도 모르게 그의 입술로 시선이 갔다. 같은 생각을 했는지 그의 입꼬리가 느린 호선을 그렸다. 얼굴이 가까워진다 싶었더니, 따뜻한 입술이 가볍게 맞닿고 떨어졌다. 쪽, 하는 소리가 났다.

"읏."

"이건 앞으로 안전어로서는 폐기하겠습니다. 다른 데 쓸 데가 많아서 플레이용으로는 적합하지 않습니다."

"……"

"……왜. 한 번 더?"

고개를 가만히 끄덕였더니, 떨어졌던 입술이 다시 맞닿았다. 손을 뻗어 내 뒷목을 감싸 안은 그가 혀를 내어 입술 사이의 틈을 부드럽게 핥았다. 입을 얌전히 벌리자, 뜨겁고 말캉한 혀가 미끄러져 들어왔다. 앞니를 톡톡 두드리고 뺨 안쪽을 다정하게 젖은 혀끝으로 쓰다듬었다.

자세가 불편했다. 의자에서 반쯤 일으켜진 상태였다. 허벅지가 식탁 모서리에 아프게 배겼다. 그도 마찬가지였을 것이다. 젖은 소리를 내면서 떨어진 입술은 몇 번이나 다시 맞물렸다. 키스가 점점 진득해질 때쯤 그가 입을 뗐다. 나는 정신을 못 차리고 흐느적거렸다.

"흐으……"

"……빨리 벗겨 놓고 박고 싶네."

나를 뚫어져라 보면서 그가 말했다. 상스럽고 분명한 발음이었다. 나는 다시 의자에 주저앉았다. 몸이 떨리고 심장이 뛰었다.

손등으로 입술을 닦아 낸 한 팀장은 잠시 말이 없었다. 나는 눈을 내려 제대로 손도 대지 않은 쟁반을 쳐다봤다. 유리병 안의 잼이 붉은빛으로 번들거리고 있었다.

"……안전어 설명해 줄 테니 잘 들으세요."

낮아지고 거칠어진 목소리였다. 나는 올려다보지 않고 네, 라고 작게 대답했다.

시야 언저리에 그의 손이 보였다. 그러쥔 손의 약지와 중지가 손바닥을 하얗게 파고들어 있었다. 내 정수리를 내려다보면서 그는 가라앉은 목소리로 말을 이었다.

"고전적인 걸로 가겠습니다. 슬슬 한계가 가깝다 싶으면 노란색. 당장 멈춰야 하면 빨간색. 기억할 수 있겠습니까?"

"네."

내 표정에서 뭘 봤는지 그가 즉시 일갈했다.

"웃을 일이 아닙니다. 막상 상황이 닥치면 생각이 안 날 수도 있어요. 안전어를 잊는다는 게 어떤 일인지 압니까? 뭐라고 말해도 나는 멈춰 주지 않는 겁니다. 괴로워서 아무리 울고 발버둥 쳐도 플레이의 일부라고 생각하고 계속할 겁니다. 그게 이서단 씨가 보기에는 웃을 일입니까?"

"……."

나는 입을 다물었다. 이런 거구나, 라고 어렴풋이 생각했다. 그가 알고 지내온 세상의 희미한 윤곽이었다.

한 팀장은 눈을 가리는 앞머리를 쓸어 넘겼다. 기다리는 나를 똑바로 정면에서 응시했다. 검은 눈동자가 숨어드는 내 시선을 붙들었다.

"더 할 말 있습니까?"

"……없습니다."

"일어나요, 그럼."

대답하는 순간, 발열하듯이 끓어오르는 눈을 보았다. 고스란히 드러난 열기가 나를 집어삼킬 것처럼 뻗어 왔다. 감전된 것처럼 몸이 떨렸다. 그와 동시에 그는 거칠게 내 팔을 잡아 일으켰다. 멍을 남길 정도로 강하게 그의 손가락이 손목을 파고들었다.

2층 계단으로 올라갈 줄 알았던 나는 계단을 지나치자 비틀거렸다. 성큼성큼 빠른 걸음으로 그가 다가선 문은 욕실도 아닌, 서재였다.

&

나를 방 안으로 밀어 넣은 그가 문을 닫았다. 손잡이의 잠금쇠가 찰칵 걸렸다. 어차피 밖에서 구하러 와 줄 사람도 없는데, 닫힌 문을 보며 나는 숨이 목까지 불안하게 차올랐다.

서재 안쪽을 보는 것은 처음이었다. 처음에 집을 구경시켜 줄 때도 그는 서재 문은 열어 주지 않았고, 나도 그가 없을 때 굳이 열어 보지 않았다. 그가 서류를 가지고 나올 때나 가방을 챙길 때 한두 번 스치듯이 봤던 방의 내부는 지금 보니 거실과 마찬가지로 공을 들인 티가 역력했다. 벽을 따라 책장이 촘촘하게 짜여 있었다. 개비잇 하나, 그리고 창문가의 커다란 책상과 의자가 전부였다. 책상은 나무를 통째로 잘라 가져온 듯한 진한 빛깔의 원목이었다. 그 위에는 서류도 책도 없이 깨끗하게 비어 있었다.

내가 방을 구경하게 내버려 두고, 그는 책상 의자를 한쪽으로 치웠다. 커튼을 틈새 없이 꼼꼼하게 치고, 천장의 조명과 책상 위의 노란색 등을 켰다. 어두워졌던 방 안이 노랗고 어둑어둑한 빛으로 채워졌다.

한 팀장은 고개를 돌려, 무심한 눈으로 나를 훑었다. 내게서 눈을 떼지 않은 채로 느릿하게 하얀 셔츠 소매의 단추를 하나씩 풀어 나가고, 소매를 팔꿈치까지 걷어 올렸다. 나는 입이 바짝 말라서 이를 꽉 다물었다. 그는 오른손을 느릿하게 주먹 쥐었다가 풀었다. 굵은 팔뚝에 핏줄이 도드라졌다. 그게 신호라도 되는 것처럼 배 속이 울렁이다 못해 까마득한 곳으로 곤두박질쳤다. 멍한 머리로 생각했다. 아, 큰일 났다.

선을 건너왔음을 직감했다. 이번에도, 여기까지 제 발로 걸어온 것은 나 자신이었다. 결과도 책임도 온전히 내 것이었다.

셔츠 단추를 두어 개 끄른 그가 나를 응시하며 무덤덤하게 말했다.

"서서 뭐 합니까."

"……."

"바지만 벗고 이리 오세요. 관장 제대로 했는지 검사부터 하겠습니다."

귀에 열이 올랐다. 나는 대답도 못하고 떨리는 손끝으로 바지 버클을 풀었다. 지퍼를 내리고 주저하다가 속옷과 함께 바지를 끌어내렸다. 오므린 무릎에 걸린 속옷이 스륵 미끄러져 발목에 걸쳐졌다. 나는 허리를 굽혀 더듬더듬 두 발을 빼내고, 양말을 벗었다.

말없이 지켜보고 있던 그는 책상을 향해 턱짓했다.

"잡고 서세요. 다리 벌리고."

"……읏……."

엉덩이까지 오는 셔츠 길이로는 아무것도 가려지지 않았다. 나는 마비된 기분으로 책상 앞에 섰다. 두꺼운 모서리를 잡고, 떨리는 허리를 뒤로 조금 밀어 올렸다. 툭, 그가 맨 발끝으로 내 발목을 건드렸다.

"더 벌려야지."

"……훗."

한 손을 등 위로 짚고 그는 곧바로 엉덩이골 사이를 비집어 열었다. 따끔거리는 입구에 손끝을 대고 꾹 눌렀다. 나는 간신히 숨을 죽였다. 눈을 질끈 감았다. 빡빡한 안으로 한 마디 정도 파고든 딱딱한 손가락이 다시 빠져나갔다.

찰싹, 엉덩이에 인정사정없는 타격이 떨어졌다. 커다란 소리가 나고, 뒤늦게 따끔한 통증이 찾아들었다. 그는 앞으로 움츠러든 내 허리를 잡아 몸을 원위치시켰다.

"흐읏……."

"자세 유지하고, 힘 빼세요. 손가락 하나 못 받은 거면 찢어져도 본인 책임입니다."

온기라고는 한 점도 없는 목소리였다. 나는 불안정한 숨을 고르며 책상을 힘주어 잡았다. 엉덩이의 살을 쥐어 옆으로 젖힌 그는 다시 단단한 손끝으로 발갛게 물든 주름 위를 꾹 눌렀다. 천천히, 빡빡한 안으로 맞물리듯이 딱딱한 손가락이 파고들었다.

나는 땀으로 미끄러지는 손바닥을 책상에 누르면서 뒤의 힘을 빼려고 노력했다. 그는 사정 봐주지 않고 마디가 불거진 손가락을 뿌리까지 콱 밀어 넣었다. 손마디가 엉덩이에 부딪히고 나서도 더 밀어 넣겠다는 듯이 양옆으로 돌렸다. 삭히지 못한 무서움이 울음이 되어 목을 틀어막았다. 나는 눈물을 깜박여 없앴다. 소리도 내지 않았다.

건조한 소리가 나며 손가락이 빠져나갔다. 옆의 휴지를 뽑아 세운 중지를 닦아 내며 그는 무덤덤한 목소리로 물었다.

"이제 매 좀 맞아야 하지 않겠습니까."

"……."

"며칠은 제대로 앉지도 못하게 때려 주겠습니다. 그럼 앞으로 플레이고 섹스고 자신도 없는 걸 하겠다고 덤벼 들진 않겠지. 안 그렇습니까?"

숨이 떨려 나왔다. 가슴이 미친 듯이 뛰고 있었다. 내가 떨리는 입술을 깨물자, 캐비닛의 윗 서랍을 열면서 그가 등 뒤로 지시했다.

"자세 잡으세요."

"……흐으."

"엉덩이 뒤로 내밀고, 책상 제대로 잡으세요. 자세 풀리면 처음부터 다시 때립니다."

탁, 서랍 안에서 딱딱한 소리가 났다. 이윽고 그의 손에 들려 나온 것은 30센티미터짜리 얇은 플라스틱 자였다. 그는 손바닥 위로 가볍게 튕기듯이 투명한 자를 부딪쳤다. 눈금이 보이고 작은 숫자가 보였다. 그 아래로는 격자무늬가 촘촘하게 그어져 있었다.

이해한 순간 나는 눈앞이 깜깜해졌다. 울음처럼 말이 터져 나왔다.

"저 그건, 그걸로, 팀장님, 저······."

"시끄럽습니다."

그가 눈살을 찌푸리며 잘라 냈다. 나는 책상에서 손이 떼어진 것도 눈치 채지 못했다. 두어 걸음 뒷걸음질 쳤다. 무릎이 사정없이 떨려서 넘어질 뻔했다.

한 팀장은 눈썹을 들어 올렸다. 책상 옆에 선 채로 한 자 한 자 눌러 뱉었다.

"이리 와요. 오늘 여기서 살아나가기 싫습니까."

"저, 싫······ 싫어요, 그건."

"두 배로 늘리기 전에 손 짚으세요. 다시 경고 안 합니다."

기껏해야 손바닥으로 맞을 거라고 생각한 내가 어리석은 셈이었다. 옷장 안의 도구들을 떠올리기도 했지만 상상한 것 중에 이런 건 없었다. 머릿속이 발갛게 달아오르고 시야가 흐릿해졌다. 내 얼굴을 지켜보던 그가 느리게 읊조렸다

"울기엔 좀 이르지 않나 싶은데."

더듬더듬 다시 책상에 몸을 붙였다. 땀에 젖은 손바닥으로 딱딱한 모서리를 그러쥐었다. 지켜보던 그가 자세, 하고 칼같이 지적했

다. 나는 아까처럼 다리를 벌리고 허리를 숙였다. 벌벌 떨리는 엉덩이에 딱딱하고 차가운 것이 닿았다. 그는 플라스틱으로 된 자를 맨살 위로 느릿하게 문질렀다.

모서리가 날카롭게 서 있는 것처럼 느껴졌다. 긁는 것처럼 아래로 문질러질 때마다 나는 소리를 삼켰다. 얇은 플라스틱의 표면은 매끄럽고 차가웠다. 닿는 감촉이 선연했다. 그리고 자가 떨어져 나갔다. 끝없이 이어질 것 같은 팽팽한 침묵이었다.

짝― 예고도 없었다. 그는 허공에 들린 팔을 그대로 내렸고, 타격음이 커다랗게 났다. 소리가 먼저였고, 그다음에 몸이 크게 떨렸다. 나는 꾹 다물고 있던 입술도 잊고 숨을 내뱉었다.

"아……?"

무서움을 뚫고 어렴풋이 생각했다. 따갑고 간지러웠지만, 겁먹은 만큼의 아픔은 아니었다.

찰싹, 또 매가 떨어졌다. 쓰라렸지만 견딜 수 있을 정도였다. 눈을 깜깜하게 가리던 무서움이 약간 물러가자, 아래만 벗고 그의 책상을 짚은 채 스스로 엉덩이를 들어 매를 맞는 내 모습이 사진처럼 뇌리에 선명하게 그려졌다. 아픔이 아닌 수치심이 끓어올라 울음이 새었다.

"소리 내지 말고."

내 허리를 잡아 다시 엉덩이를 들게 하며 그가 잘라 냈다. 짝, 좀더 세게 자가 떨어졌다. 맞은 부위가 발갛게 따끔거렸다. 간지럽고 뜨거워서, 손을 뒤로 뻗어 문지르고 싶었다. 나는 차오른 눈물을 깜박여 없애며 책상을 꽉 붙들었다. 치켜올려진 엉덩이 위로 획, 가벼운 바람 소리가 들렸다. 찰싹, 하고 내리쳐지자, 엉덩이의 살이 짓눌리듯이 바르르 떨리는 것이 느껴졌다. 따끔거리는 아픔이 층처럼 쌓였다.

그가 뜸을 들이며 소매를 한 번 더 걷어 올렸다. 책상 옆에 자세를 잡고 서서 자를 엉덩이에 대고 조준한 후, 떼어서 매섭게 내리쳤다. 쉴 틈도 주지 않고 연달아 세 대가 떨어졌다. 나는 소리를 먹어 삼키면서 책상 위로 축축해진 이마를 비볐다. 그러면서도 그가 자세를 탓할까 점점 부어오르는 엉덩이를 뒤로 내밀었다. 지켜보던 그가 무심히 물었다.

"많이 아픕니까."

"……흣, 으…… ."

"내가 만져 주면 좀 낫겠습니까?"

"흑, 으읏…… 으, 그—"

발갛게 부어오르는 엉덩이를 그가 한 손으로 감싸 안았다. 따갑게 부어오른 곳을 부드럽게 문질렀다. 머릿속의 전선이 뒤엉켰다. 등줄기를 타고 차갑고 뜨거운 소름이 내달렸다. 책상 위로 엎드리다시피 자세가 흐트러진 나를 내려다보던 그가 찰싹, 손바닥으로 가차 없이 엉덩이를 내리쳤다. 아윽, 목 안에서 숨이 터졌다.

"자세 얘기 다시 나오게 만들면 뒤에 바이브 채워 넣고 때립니다."

다리가 말을 듣지 않았다.

"저, 무릎이, 자꾸…… ."

447

"힘을 더 주면 되잖아. 어디서 변명입니까."

더듬더듬 목소리를 겨우 냈지만 그는 무심히 대꾸할 뿐이었다.

"오십 대만 더 때릴 겁니다. 잘 참으면 끝내 주겠습니다."

"……흐읏, 그렇게…… 저, 아파서……."

"아프라고 때리는 겁니다. 이 정도도 못 견디면서 나랑 플레이를 하겠다는 겁니까. 내가 그렇게 만만하게 보였습니까."

그리고, 라고 덧붙이면서, 그가 내 벌어진 다리 사이로 손날을 집어넣었다. 회음부를 긁듯이 지나간 손이 축축한 고환을 손바닥으로 굴리듯이 만지고, 용서 없이 성기 밑동을 움켜쥐었다.

"흐악!"

"누가 맞으면서 발정이 나래."

"흐, 으응, 읏! 놓!"

"엉덩이는 새빨갛게 부어서 앞은 좋다고 질질 흘리고 있고. 지금 본인 꼴을 알겠습니까?"

터뜨릴 것처럼 성기를 짓누르던 손이 미련 없이 떨어졌다. 나는 숨을 토해 내면서 나도 모르게 허리를 앞으로 붙였다. 갈증에 이끌려, 단단하게 달아오른 기둥을 책상의 표면에 문질렀다. 짜악, 지체 없이 그가 엉덩이를 거칠게 내리쳤다. 이번에는 용서 없는 타격이었다. 맞은 부위로부터 뻗어나가는 뜨거운 통증에 시야가 흐릿해졌다.

"흐, 으윽."

"이서단 씨는 나랑 놀려면 예의부터 배워야 할 것 같습니다."

손바닥이 땀으로 미끌거렸다. 나는 울음을 눌러 삼키면서 자꾸만 미끄러지는 손으로 책상을 꽉 잡았다. 뒤로 내민 엉덩이를 그는 가볍게 한 번 쓸어 주었다. 차가운 플라스틱이 문질러지고, 떨어졌다. 그리고 찰싹, 어김없이 매가 떨어졌다. 아까보다는 훨씬 강도를 높인 벌이었다.

스무 대 정도에 울음이 터졌다. 나도 모르게 울먹였다. 죽을 것 같아. 뜨끈해진 플라스틱 모서리로 엉덩이를 문지르며, 그는 태연하게 대답했다.

"죽으면 안 되지. 어디가 아픕니까. 여기?"

"흐윽, 하으윽…… 윳!"

새빨갛게 얼룩지어 부어오른 엉덩이를 그가 세게 움켜쥐었다. 식은땀으로 젖은 등을 손바닥으로 쓸어 주고, 축축한 목덜미에 입을 맞춰 주었다. 접촉이 닿을 때마다 나는 소스라쳤다. 온몸이 피부를 한 겹 벗겨 낸 것처럼 뜨겁고 예민했다. 그가 세게 쥐어 문지르는 엉덩이는 열기로 달아올라 몸의 일부가 아닌 것처럼 욱신거렸다. 몽롱한 정신으로 그를 돌아보고 생각나는 대로 빌었다.

"제발, 아파요. 아파서 더 이상……."

한 마디씩 쥐어짜 내 애원할 때마다 배 속이 어지럽게 울렁거렸다. 열기가 뺨에 뜨겁게 몰렸다. 그는 짧게 웃었다.

"엄살은. 아직 반도 안 왔습니다."

"으, 흐읏……."

매가 또 떨어져 내렸고, 나는 더 이상 참을 여력이 없었다. 몸을 벌

벌 떨면서 겨우 자세를 지탱하고, 흐느낌을 섞어 빌었다. 발을 동동
구르면서 따끔거림을 참았다. 턱에 매달린 눈물이 떨어져서 나무
위로 동그랗게 맺혔다. 눈물, 콧물로 엉망일 내 얼굴이 거울이라도
본 것처럼 선명하게 떠올랐다.

그리고 나는 멀찍이서 상황을 들여다보듯이 어렴풋이 깨달았다.
정말로 참을 수 없었다면 안전어를 썼을 텐데. 결국은 엄살이었다.
과장이었다. 못 참겠다는 말은 사실이 아니었다.

그 사실을 깨닫는 순간 몸이 붕 뜨는 것 같았다. 놀이라는 말의 의
미를 처음으로 자각한 것처럼 나는 그에게 매달렸다. 제정신이라면
하지 못했을 애원을 쏟아 냈다. 그 모든 것은 나였고, 동시에 내가
아니었다. 머릿속이 새빨갛게 달아올라 정신을 차릴 수가 없었다.

서른 대는 넘어간 것 같았다. 가까스로 뒤를 돌아보자 혹사당한
엉덩이는 불그죽죽한 선이 가득 그어져 있었다. 매가 떨어질 때마
다 충혈된 살이 바들바들 떨렸다. 나는 더 볼 수가 없어서 눈을 돌리
고, 책상을 그러쥔 채로 더듬더듬 빌었다.

"더 하면, 더 하면 찢어져요."

"찢어져도 어쩔 수 없지."

그가 대답했다. 낮게 가라앉아 금속 향이 나는 목소리였다. 올려
다본 눈동자에서 탁한 욕망이 읽혔다. 등줄기가 쉴 새 없이 떨렸다.
나는 목소리를 쥐어짜 내 빌었다.

"그럼, 만져 주세요, 흐, 으읏, 만져서."

"입 다물고 매나 맞읍시다."

그가 한마디로 일축했다. 마찰열로 뜨거워진 자가 충혈된 살에 느릿하게 비벼졌다. 모서리로 긁듯이 나른하게 쓸어내린 그가 망설임 없이 세차게 내리쳤다.

"흐윽!"

"참읍시다. 이서단 씨는 나를 좋아하니까 참아야지."

"흐, 흐으, 아파, 아파요……."

울면서 떨리는 무릎에 힘을 주었다. 연달아 두 대. 소리가 너무 컸다. 아무리 방음이 좋다 해도 누군가 듣고 있을 것 같았다. 발갛게 달구어진 엉덩이 위로 짝, 세차게 세 번째를 내리치며 그가 거칠어진 숨소리로 뱉었다.

"이걸로 마흔 대. 이제 열 대 남았습니다."

"흐읍, 웃…… 흐, 으으……."

떨어진 눈물로 책상이 더러웠다. 미칠 것처럼 손을 뒤로 뻗고 싶었다. 주저앉아 따갑고 쓰라린 뒤를 문지르고 싶어서 책상에 댄 젖은 손이 움칠움칠 떨렸다. 차라리 묶여 있는 게 나을 것 같았다.

내가 울음을 삭히는 동안 책상에 기대어 서 있던 그가 내 어깨 위로 가볍게 입을 맞췄다. 목덜미에, 귓불에, 단비 같은 입맞춤이 떨어졌다.

"잘 참네. 거의 다 왔습니다."

"읍, 흐, 윽……."

"손 뒤로 해서 엉덩이 벌리세요. 사이가 잘 보이게. 남은 열 대는 구멍으로 맞읍시다."

나는 처음에는 그의 말이 제대로 이해가 가지도 않았다. 단어가 따로따로 분리돼서 귓속에서 뒤섞였다. 내가 눈을 깜박이면서 쳐다보고 있자 그가 들어 올린 손바닥에 자를 문지르면서 부드럽게 독촉했다.

"뒤 벌리세요."

"저, 그, 싫, 싫어요, 거긴."

"엉덩이가 찢어질 것 같다면서. 예쁘게 빌길래 다른 데로 때려 주겠다는데, 뭐가 또 불만입니까."

다정한 목소리였다. 눈앞이 새까맣게 물들고 점점이 붉어졌다. 나는 울음을 눌러 삼키면서 뺨을 내 눈물과 땀으로 축축해진 책상의 표면에 기댔다. 땀으로 미끌거리는 손을 뒤로 돌려, 엉덩이의 가장자리를 스치듯 만졌다.

"흐읏!"

스치는 것만으로도 쓰라리고 아팠다. 내 손으로 힘을 주어서 열오른 볼기짝을 양쪽으로 젖힐 자신은 없었다. 울면서 그를 올려다봤다.

"못 벌리겠어요, 아파서……."

"어리광은 그쯤 하지."

그가 표정에서 완전히 웃음기를 걷었다. 차갑게 굳은 얼굴은 봐줄 기미가 보이지 않았다. 두어 번 머릿속으로 안전어를 삼키던 나는 매가 덜 닿았던 가장자리 부분에 가까스로 손바닥을 붙였다. 덜덜 떨리는 손으로 눌러서 양옆으로 당겼다.

드러난 골 사이를 그는 손가락으로 대충 어루만졌다. 축축하게 묻어나는 땀을 윤활제 삼아 주름 위를 장난처럼 들쑤셨다. 헤집듯이 손가락으로 벌리고 한 마디 정도를 넣어 잘게 흔들었다.

"안이 뜨거워."

귓가에 대고 그가 중얼거리듯이 말했다.

"쑤셔 주지도 않았는데, 맞는 것만으로 이렇게 헐렁해지면 어떻게 합니까."

"웃, 흐웃……."

"여기는 왜 이렇게 바들거려. 벌써 조르는 겁니까?"

느릿하게 그가 손가락 하나를 끝까지 밀어 넣었다. 깊숙이 넣고 손가락으로 다그치듯이 연약한 내벽을 문질렀다. 나는 책상에 뺨을 누르고 헐떡이는 숨을 뱉었다. 손가락을 빡빡하게 받아 내던 내벽 안쪽이 젖어 든 것 같았다. 단단한 손가락이 느리게 드나들수록 뜨거운 살이 움칠거리고 달라붙었다.

갈증이 물처럼 차올랐다. 나는 수치도 모르고 허리를 뒤로 들었다. 더 깊숙이 삼키려는 듯이 몸을 그의 손등에 밀어붙이며 소리 없이 안달했다. 뱉지 못하고 삼킨 애원을 아는 듯이 그가 짧게 웃었다. 미련 없이 질척이는 손가락을 뽑아냈다.

"흐윽……."

"제대로 벌리세요. 이제 때려 줄 테니까."

열기에 밀려났던 두려움이 왈칵 몸을 불렀다. 나는 몇 번이나 엉덩이를 고쳐 잡았다. 그는 등 가운데에 손을 눌러 자세를 교정해 주었다. 엉덩이를 더 들게 하고, 양옆으로 더 활짝 벌리게 했다. 차가운 공기에 그가 헤집어 둔 주름이 벌름거렸다.

나는 달아오른 뺨을 책상에 누르고 눈을 꽉 감았다. 앙다문 구멍 위로 단단하고 매끄러운 플라스틱이 문질러졌다. 지독했다. 비현실 적일 정도의 무서움은 흡사 악몽 같았다.

그리고 찰싹, 그가 깔끔하게 매를 휘둘렀다. 살에 딱딱한 것이 부 딪히는 커다란 소리가 났다. 나는 자각도 없이 울음을 토해 냈다. 나 도 모르게 엉덩이를 벌린 손을 놓고, 얻어맞은 주름 위를 울면서 문 지르고 있었다. 젖은 손바닥에 닿는 열이 무서울 정도로 화끈거렸 다. 손으로 뒤를 가리고 도리질 치는 나를 보고 그가 나른하게 말했 다. 방금 건 다시 맞아야겠는데.

"흐윽, 이거 아프, 너무 아파요."

"열 대 맞고 끝내겠습니까, 아니면 헤져서 너덜거릴 때까지 때려 줄까. 손 치우세요. 어딜 가려, 버릇없게."

"흐, 흐윽…… 으으……."

울음을 삼키면서 나는 힘겹게 손을 떼었다. 벌벌 떨리는 손으로 엉덩이를 잡아 벌리고, 맞아야 할 부위를 다시 그에게 내밀어 보였 다. 빌 수도 없어 눈물만 뚝뚝 흘렸다. 짝, 그는 조여든 구멍 위를 정 확하게 조준해 가차 없이 매질했다. 짜악, 짝, 짝. 쉬어 주지도 않았 다. 움츠린 몸이 덜덜 떨리고 경련했다. 입술을 물어도 자꾸 울음소 리가 터져 나갔다.

마지막 세 대는 이 앞의 매질이 장난이었다는 듯이 무자비했다.

자가 바닥으로 떨어지는 소리가 들리기도 전에 무릎이 꺾였다. 바닥에 주저앉아 새빨갛게 부은 구멍 위를 덜덜 떨리는 손으로 문지르면서 흐느껴 울었다. 몸이 어떻게 된 것만 같았다. 끅, 끅, 들이쉰 숨이 서럽게 목에서 걸렸다. 시야 끝에 바닥을 볼품없이 뒹구는 자가 보였다. 저게 뭐라고 그렇게 끔찍한 체벌의 도구가 되었을까. 시야 끝에는 닫힌 문으로 새어 드는 대낮의 빛이 잡혔다. 스스로도 이해할 수 없는 설움에 흐느낌이 새었다.

내려다보던 그는 내 머리채를 잡아 숙인 머리를 끌어 올렸다.

한일자로 굳게 다물어진 입술이 보였다. 이를 꽉 문 채로 그는 말도 없이 나를 거칠게 끌어왔다. 바지의 사타구니 부분에 코가 문대어졌다. 끅끅 숨을 들이쉴 때마다 비릿한 살 냄새가 폐에 들어찼다. 그는 지퍼를 내렸다. 튕겨지듯이 나온 성기를 내 젖은 뺨에 치대듯이 문질렀다.

"입 벌려서 빨아."

목소리가 낮게 쉬어 있었다. 나는 눈물로 젖어 든 입술을 벌렸다. 커다랗게 부푼 귀두가 빠듯하게 입술을 누르며 입안을 쑤셔 들어왔다. 오랜만이라 어떻게 해야 하는지 알 수 없었다. 나는 입을 크게 벌린 채로 헛구역질했다. 눈을 크게 뜨고 그를 올려다봤다.

머리채를 잡은 채로 그가 성기를 주욱 뒤로 물렸다 붉게 번들거리는 기둥가 빠져나가자 타액이 실처럼 길게 늘어졌다. 기침하는 나를 무표정하게 내려다보면서, 그가 내 뒷머리를 한 손으로 잡고 사타구니 사이로 거칠게 밀어붙였다.

"흑, 커억!"

목구멍을 뚫을 것처럼 굵은 게 파고들어 왔다. 나는 그의 허벅지를 붙잡고 필사적으로 매달렸다. 몸을 물리려 할 때마다 그가 머리를 처박게 했다. 입술을 손가락으로 잡아 벌리고, 퍽퍽 소리가 날 정도로 포악하게 삽입했다.

비릿하고 시큼한 맛이 입안을 온통 채웠다. 턱이 질질 흘러넘치는 타액으로 진창이었다. 나는 입술을 열고 눈물을 줄줄 흘렸다. 그가 느리게 성기를 빼 줄 때마다 허겁지겁 숨 조각을 삼키고, 더딘 혀로 미끌거리는 기둥을 어떻게든 빨고 핥았다.

산소가 부족해서였을 것이다. 생존을 위해 시야는 바늘구멍처럼 좁아졌다. 입안을 천천히 유린하는 성기의 경도, 맥박, 끈적하고 음란한 냄새. 다 없어지고 그런 것밖에 남지 않았다. 성기가 뽑혀 나갈 때마다 나는 입술을 벌리고 헐떡이는 숨을 쉬었고, 파고들면 길쭉한 기둥을 혀로 조이고 문질러 댔다. 그러다 보니 내가 어느 쪽을 애타게 기다리는 것인지 알 수 없게 되었다.

"훗, 으응……."

스륵, 그가 목구멍 끝까지 처박았던 기둥을 느릿하게 빼 주었다. 젖은 입술에 문질러지는 선단을 나도 모르게 혀를 내밀어 핥았다. 그의 허벅지에 매달리며 스스로 굵은 성기를 입안에 넣었다. 뜨거웠다. 질척거리는 소리가 커다랗게 났다. 입이 있는 대로 벌려지고, 입안은 틈 하나 없이 가득 채워져 있었다. 그때 그가 내 머리채를 잡았다. 새빨갛게 상기된 입술 사이로 성기가 쑥 뽑혀 나갔다.

"으, 흐아……."

그도 숨이 거칠었다. 나는 백치처럼 새하얘진 머리로 다시 입술을 벌렸다. 뺨에 문질러지는 성기를 입에 넣으려고 고개를 틀며 끙끙거렸다. 그는 몸을 멀찍이 물렸다. 턱을 잡아 입을 다물게 하고, 오므려진 입술에 딱딱한 선단을 찔렀다.

"으, 읍…… 흐읏……."

"먹고 싶으면 더 졸라야지."

탁한 눈으로 그가 낮게 으르렁거렸다.

"못 하겠다고 울더니, 왜 이렇게 보채, 오늘따라."

"으응, 으…… 싫, 흐읏……."

그는 턱은 놔주었으나, 머리채를 헤집어 잡은 손에 힘을 주었다. 안간힘을 써도 눈앞에 꺼떡거리는 두꺼운 기둥에는 입술이 닿지 않았다. 입안이 바짝 말랐다. 열기로 제정신이 아니었다. 단단한 허벅지를 손으로 그러쥐고 올려다보며 끙끙거렸다.

"어디다 넣고 싶어."

"……으, 입에…… 으응, 읏……."

입술을 벌리고 가쁜 숨을 내쉬었다. 그는 무자비하게 내 뒷머리를 당겨 떼어 냈다. 커다란 성기가 배에 올라붙을 듯이 흉포하게 일어서 있었다. 그는 한쪽 손으로 기둥을 잡아 질척질척 문질렀다. 기다랗게 부푼 귀두를 아슬아슬하게 내 입술 바로 앞에 내밀고 여유롭게 다그쳤다.

"똑바로 얘기를 해야 내가 알아듣지."

"……훗……."

장난처럼 툭, 하고 귀두가 인중에 문질러졌다. 비릿하고 음란한 냄새. 흉기처럼 부푼 검붉은 기둥에 핏줄이 굵게 도드라져 있었다. 제대로 쳐다보지도 못했던 것이 고작 몇 달 전인데, 이제는 익숙한 냄새에 머릿속이 끓어올랐다.

생각할수록 배 속이 벌벌 떨리고, 귀 끝이 뜨겁게 물들었다. 툭 끊어지는 것 같은 체념이었다. 더듬더듬 마비된 혀로 내뱉었다.

"하게 해 주세요……."

"뭘 하고 싶은데."

"입에 넣고……."

흔들리는 것이 내 목소리가 아닌 것 같았다. 그는 눈썹 하나 까딱하지 않고 냉정하게 물었다.

"입에 물려 주면 제대로 빨 자신 있습니까?"

"응, 으읏."

"싸 주는 것도 다 먹을 겁니까?"

"으웅, 읏, 흐으……."

고개를 끄덕거렸다. 바닥에 닿은 발을 움츠리면서 어떻게든 그의 성기에 입을 가까이 붙이려 했다. 입안이 음탕한 냄새로, 끈적한 마찰열로 지끈거렸다. 그가 남겨 놓은 맥박처럼 욱신거렸다. 아무리 숨을 들이켜도 식지 않았다.

"흐으으, 으윽……."

"여기 찢어졌는데. 그만하는 게 낫지 않겠습니까?"

그가 커다란 성기로 찢어 놓은 입가를 손끝으로 문질렀다. 따끔거리는 아픔이 오히려 갈증을 부추겼다. 나는 울면서 고개를 저었다.

"웃, 그냥."

"더 찢어질 수도 있는데. 그래도 괜찮겠어요?"

"으, 응…… 흐윽, 응, 빨리……."

"……허리는 지금 흔들어도 소용없습니다. 버릇은 없고 몸만 야해진 걸 보면 내가 잘못 가르쳤지."

상처를 아프게 헤집는 손에 입술을 붙였다. 벌벌 떨면서 그의 손가락에 입을 맞췄다. 젖은 혀를 길게 내어 필사적으로 핥아 올렸다. 물끄러미 나를 들여다보던 그의 눈이 가늘어졌다. 색이 새까맣게 탁해졌다.

붉게 상기된 입술을 그가 손가락으로 헤집어 벌렸다. 찢어진 상처가 당길 때까지 턱을 잡아 벌리고, 속삭였다.

"목구멍에 힘 빼."

"훗, 응…… 흑!"

콱, 크게 벌린 입술 사이로 길쭉한 기둥이 삽입되었다. 뭉툭한 귀두는 목젖을 누르며 들어와 숨구멍을 완전히 틀어막았다.

"흐웃, 큭! 으, 으윽!"

"빼고 싶냐면서. 제대로 해야지."

숨이 막히자 본능적으로 그의 허벅지를 밀어내는 손목을 그가 잡아챘다. 겹쳐 잡아 머리 위로 들게 하고, 사타구니에 내 머리를 꽉 밀어붙였다. 까슬한 음모가 코에 따갑게 비벼졌다. 울컥대며 터지는 헛구역질을 즐기듯이 그는 목구멍을 힘주어 짓누르고 헤집었다.

질식할 것 같았다. 입이 막혀 있어서 안전어도 불가능했을 것이다. 시아에 까만 점이 일렁거리고, 몸이 경련했다. 발버둥 치는 대신 나는 줄줄 울면서 그에게 몸을 내맡겼다. 용서 없는 성기가 입안을 유린하고 목구멍을 뚫는 것을 허용했다. 해 본 것 중 가장 지독한 오럴 섹스였다.

이를 악물고 말없이 허리를 움직이던 그가 양손으로 내 머리를 붙잡아 확 앞으로 당겨왔다. 지퍼의 금속이 입술에 아프게 눌렸다. 그리고 목 안에서 뜨거운 것이 찢어발기듯 폭발했다.

"흐, 커윽, 흐…… 흐아윗!"

"흘리면 안 되지. 입 다물고 삼키세요."

성기가 뽑혀 나갔다. 숨을 들이키려고 급하게 벌어진 입술을 그가 잡아 다물렸다. 끈적하고 뜨거운 액체가 목구멍을 채웠다.

입안이 진창이었다. 목에서 억억거리는 흐느낌이 새었다. 나는 뜨겁게 부어오른 눈을 감고 힘겹게 목을 울렸다. 몇 번 삼켜 내리고 나서야 그는 입을 벌리게 해 주었다. 입가에 질질 흐른 것을 느리게 쓸어 올리며 벌어진 입술에 문대었다.

나는 콜록거리는 기침을 토해 냈다. 바닥에 점점이 지저분한 액체가 떨어졌다. 팀장님은 아직도 단단하게 일어서 있는 번들거리는 성기를 바지 밖으로 꺼내 놓은 채로 느리게 물러섰다.

숨을 가쁘게 쉬면서 어지러운 시야로 올려다봤다. 내려다보는 시선을 마주쳤다. 서늘하고 단정하던 얼굴이 음습하고 잔인한 욕망으로 뒤틀려 있었다. 그 어디에도 내가 아는 남자는 없었다.

그 순간 까마득하게 생각했다. 끝나도, 돌아오지 않으면 어떻게 할까. 나를 집에 데려다주고, 늦은 밤 전화해 주고, 입 맞춰 주고 밥을 챙겨 먹으라 잔소리하는 남자는, 지금은 어디로 없어져 있는 것일까. 그를 떠나보낸 것처럼, 그가 사라진 것처럼 갑자기 가슴이 아팠다. 텅 빈 구멍이 생긴 것처럼 시려서, 헐떡이는 울음이 끊임없이 차올랐다.

한 팀장은 말없이 내 팔을 잡아 일으켰다. 손바닥으로 얼굴을 훔쳐내 주었다. 소용이 없었다. 눈물이 턱에 매달렸다가 힘없이 뚝뚝 떨어졌다. 멈추지 않을 것처럼 계속해서 새었다.

"그만 울어요, 탈진합니다."

물끄러미 지켜보다가 그가 말했다. 비틀거리는 내 팔을 잡아, 나를 커다란 가죽 오피스 체어 위로 깊숙이 앉혔다. 발목을 움켜쥐어 다리를 크게 벌리게 했다. 양쪽 다리가 의자의 팔걸이에 걸쳐졌다.

얼굴이 가까워진다고 생각했다. 찢어진 입가에 말캉한 입술이 가만히 닿았다. 그리고 젖은 눈가를 핥아 주며, 발갛게 부어오른 엉덩이 사이의 구멍에 그가 손끝을 눌렀다.

"흐윽!"

"잔뜩 부었네. 아픕니까?"

느릿하게, 손가락 두 개로 그가 입구를 벌렸다. 도톰하게 부푼 주름의 상태를 확인하듯이 얕게 헤집었다. 따갑고 쓰라려서 몸이 벌벌 떨렸다. 대답도 할 수 없어 고개를 내저었다. 손가락을 빼낸 그가 주머니에서 작은 튜브를 꺼냈다. 뚜껑을 돌려 열고 그 끝을 쓰라린 주름에 삽입해, 꾹 눌렀다. 점성이 높은 하얀 크림이 꾸역꾸역 몸 안을 채웠다.

"흐, 흐으으, 흐악⋯⋯."

"좀 낫네."

다시 손가락을 넣어 본 그가 말했다. 안쪽까지 파고들어 갈고리처럼 굽힌 손가락으로 내벽을 긁었다. 잘게 털듯이 흔들었다. 나는 몸에 힘이 풀려 움직일 수가 없었다. 질척이는 안을 꾹, 꾹 누르면서 그가 말했다.

"조여 봐요. 망가졌나 봅시다."

"⋯⋯으, 흐읏!"

"더. 그렇지, 안쪽도."

그가 지시한 대로 힘을 주었다. 몸이 간헐적으로 떨렸다. 미끌거리는 손가락은 딱딱하고 두껍게 느껴졌다. 도드라진 마디를 쥐어짜듯이 안이 꿈틀거렸다. 충혈된 입구는 힘을 줄 때마다 시야가 검게 물들 정도로 쓰라렸다. 바들바들 조여 드는 주름을 쓰다듬던 그가 장난스럽게 말했다.

"아직 망가지진 않았네. 더 때려도 될 뻔했습니다."

"흐윽⋯⋯."

"힘 빼 봐요. 하나 더 넣읍시다."

굵어진 것이 안을 파헤쳤다. 느리고 부드러운 움직임이었다. 나는

462

숨을 삼키면서 턱을 젖혔다. 나머지 한쪽 손으로 그가 반쯤 일어선 내 성기를 잡아 문질렀다. 셔츠 안쪽으로 젖은 손바닥이 미끄러져, 안을 헤집는 손가락의 형체를 찾아내려는 듯이 납작한 배 위를 눌렀다.

"으, 웃, 훗!"

철벅, 철벅, 안을 드나드는 움직임이 빨라졌다. 아픔과 쾌감이 쉴 틈 없이 차올랐다. 빠듯하게 배 속을 긴장시키는 절정감에 어깨가 떨렸다. 의자 등받이의 가죽에 젖은 뺨을 문대다가, 결국 쥐어짜듯이 입을 열었다.

"팀장님, 저, 으, 흐웃."

"왜."

뾰족하게 선 유두 끝을 쓰다듬으며 그가 답했다. 허리가 들썩여서 몸을 가만히 둘 수 없었다.

"저, 앞…… 앞, 만지게, 흐윽, 으."

"뒤로만 가는 것, 내가 가르쳐 줬잖아."

세 번째 손가락의 끝이 주름을 밀어 올렸다. 쓰라린 곳을 팽팽하게 당기며 안으로 느리게 파고들었다. 충혈된 엉덩이에 그의 손바닥이 닿을 정도로 깊숙이 손가락이 삽입되었다. 손을 비틀어 엄지로 회음부를 꾹 누르면서, 그가 말했다.

"뒤로 가면 허리애 구셌습니다."

"그, 흐윽, 윽, 아아……! 웃."

"여기도 만져 줄 테니까, 해 봐요."

젖은 손끝이 유두를 꼬집듯 문질렀다. 셔츠 안쪽을 밀어 올리면서 달아오른 살점을 힘주어 짓눌렀다. 저항 없이 열린 뒤에서 커다랗게 질척거리는 소리가 났다. 젖은 살이 부딪히는 마찰음이 났다. 가쁜 숨이 목에 차올랐다. 흐느낌 같은 것이 벌어진 입술 사이로 새었다.

하얀 것이 시야를 덮고 몸집을 불려갔다. 확, 터지듯이 몸이 경련했다. 몸 안이 깊숙이 박혀 있는 손가락들을 꽉 조였다. 만져 주지도 않은 성기가 실금하듯이 정액을 질질 흘려 냈다. 안에 박아 넣은 손가락을 힘주어 비틀며, 그는 내가 경련하다가 축 늘어질 때까지 한순간도 집요한 시선을 얼굴에서 떼지 않았다.

스륵, 뒤를 벌리던 게 빠져나갔다. 의자의 가죽이 흘러내린 크림으로 엉망이었다. 정신이 들자 신경이 쓰여서 나는 몸을 움츠렸다. 한 팀장은 두어 걸음 물러서서 셔츠를 벗고 있었다. 단단한 가슴의 근육이 눈에 들어왔다. 나는 멍한 눈을 깜박거렸다.

"삼 분 휴식."

그가 깔끔하게 말했다.

"끝난 게 아닙니다. 아직 자지 말아요."

"……으…… 흐읏."

가라앉지 않은 울음으로 몸이 들썩였다. 그는 다시 서랍장을 열고 있었다. 뭔가 꺼내는 것을 봤는데, 내 쪽에서는 제대로 보이지 않았다.

"나머지 벗읍시다."

앞으로 성큼 다가온 그가 셔츠 단추를 끌러 주었다. 친절하게 팔을 들게 해 옷을 벗겨 내 주었다. 바닥으로 구겨진 셔츠를 던지고, 다시 몸을 굽혔다. 내 손에 차가운 것이 쥐어졌다.

"만져 봐요. 익숙해지게."

"훗……."

그가 나열했던 목록의 나머지를 생각했다. 스팽, 도구, 섹스. 예상했어야 하는데 그래도 시야가 깜깜하게 물들었다. 손에 쥔 도구는 난생처음 보는 것이었다. 탁구공보다 조금 작은 쇠구슬 다섯 개가 굵은 검은 끈에 일정한 간격으로 꿰어져 있었다.

방을 나갔던 그는 컵을 들고 돌아왔다. 주스로 보이는 노란 액체가 가득 들어 있었다.

"목 안 마릅니까?"

입을 열려 했는데 입안이 아팠다. 작게 벌리자, 그가 컵을 건네주는 대신 직접 들어서 마셨다. 부드럽게 입술이 맞닿았다. 입안으로 차가운 액체가 따끔거리며 흘러들어 왔다.

키스에 정신이 팔려 있는 사이 그는 내 손에서 구슬 달린 끈을 가져갔다. 뺨을 감싸 안고, 몇 번 더 모이를 주듯이 다정하게 입으로 주스를 옮겨 주었다. 나는 받아 마시면서 그의 입술을 몰래 혀로 가만히 핥았다. 제대로 키스하고 싶었지만, 안 될 것 같다

"……너무 오래 쉬었네."

빈 잔을 내려놓은 그가 시계를 힐끗 보며 말했다. 입술이 붉어져 있었다.

"빨리 해서 끝냅시다. 다리 제대로 벌리세요."

회의 중의 그가 자연히 연상되었다. 차갑게 말끝이 떨어지면, 스위치가 내려온 것처럼 즉시 분위기가 정리되었다. 여기서도 마찬가지였다. 잠시 누그러졌던 분위기는 언제 그랬냐는 듯이 당겨지고 팽팽해졌다. 한 팀장은 더 이상의 말도 배려도 없이 내 발목을 잡아 벌렸다. 나는 팔걸이를 그러쥐고 심호흡했다.

"으, 윽!"

붉게 부푼 입구에 차가운 구슬이 문질러졌다. 그는 손바닥으로 꾹 밀어 눌렀다. 억지로 벌어지듯이 느리게 구슬이 파고들었다. 손가락을 넣은 그가 구슬을 짚어 안쪽으로 밀어 올렸다.

차가웠다. 눈을 감고 숨을 천천히 내쉬었다. 이물감이 겁이 날 정도로 뚜렷했다. 구슬 한 개의 크기가 예전에 넣었던 로터와 비슷한 것 같았다.

구슬이 밀어 넣어질 때마다 입구가 크게 늘어나고 다시 오므라들었다. 세 개가 들어가자 더 이상 평정심을 유지할 수가 없었다. 달아오른 얼굴을 숨기려고 가죽에 뺨을 기댔다. 고개를 돌리고 소리 없이 가쁜 숨을 쉬었다.

"으…… 흐, 흐으…… 아, 아파……."

구슬이 더 들어올수록 먼저 밀어 넣어진 것이 깊숙이 파고 들어갔다. 숨을 쉬면 뱃가죽 아래 고스란히 느껴졌다. 내장이 꽉 찬 기분이었는데, 그는 대꾸도 않고 다음 구슬을 입구에 눌렀다. 질척하게 젖어 있어 힘을 주어도 쓸모가 없었다. 꾸욱, 느리게 파고든 구슬이 안쪽에서 다른 구슬과 부딪혔다. 호흡에 숨 가쁜 울음이 묻어났다.

"더, 더 못 넣어요……."

엄살이 아니었다. 눈물을 억지로 깜박여 없애면서 그를 올려다보았다. 그는 크게 벌어진 내 다리 사이를 뚫어져라 지켜보고 있었다. 얼룩덜룩한 자국으로 덮인 엉덩이와 까만 끈을 물고 있는 구멍을 얼결에 나도 내려다보았다. 잊었던 수치심이 뺨을 물들였다. 고개를 돌리면서 불안정한 목소리로 작게 애원했다.

"정말로, 웃, 더 안 들어갈…… 흐읏!"

무거운 구슬이 튀어나올 것처럼 입구가 볼록하게 부풀었다. 쓰라린 주름이 빠끔 벌어지는 것이 느껴졌다. 그는 손가락 두 개로 안을 확 찔러 올렸다. 구슬이 연달아 부딪히며 와르르 밀려 올라갔다. 나는 악, 하고 뻣뻣하게 굳은 몸을 뒤틀었다. 배 속에서 덜컥 걸리는 느낌이 들었다. 무서움에 울음이 터졌다.

"아프— 아파요. 배가…… 배 안쪽이 아파서……."

"어디가 아파."

그가 물으면서, 배 위를 손바닥으로 꾹 짓눌렀다. 나는 소리도 낼 수 없어서 팔걸이를 꽉 붙들었다.

"어디까지 들어갔는지 궁금하지 않습니까."

"흐, 흐윽, 그만…… 빼 주세요……."

노랑, 빨강. 그 둘 중 하나라도 나는 말할 수 있었을까. 한계에 부딪히면 반드시 뱉어 내리라 다짐하고 혀 밑에 묻어 뒀던 말들은, 그의 얼굴을 올려다보자 다시 잠재워졌다. 소리도 못 내고 우는 내 얼굴에 그는 입을 맞췄다. 끈을 당겨 구슬을 하나 빼내 주었다.

입구를 커다랗게 벌리며 걸쳐져 있던 구슬은 소름 끼치도록 느리게 빠져나갔다. 몸이 떨렸다. 오므라든 입구를 손바닥으로 쓰다듬으며 그가 말했다.

"어차피 다 넣을 겁니다. 숨 쉬고, 준비되면 말하세요."

"……흐으, 하으……."

내려다보는 것이 무서워서 눈을 돌렸다. 느리게 주름을 매만지듯 쓰다듬는 손길이 부드러웠다. 이물감이 잊힐 정도의 다디단 감촉에 몸에서 힘이 빠져나갔다. 그는 손을 떼며 짧게 말했다.

"숨 참지 말고. 한 번에 넣읍시다."

구슬의 둥근 표면이 다시 입구에 닿아 왔다. 나는 이를 꽉 물고 눈물을 흘려 냈다. 힘을 빼려고 필사적으로 노력했다. 안으로 느리게 구슬이 밀려들었다. 빈틈없이 몸 안을 메웠다. 그리고 그다음 것이 벌어진 주름에 닿았다. 기다려 주지 않고 그는 손바닥으로 꽉 짓눌렀다. 다섯 개째의 구슬이 안을 억지로 벌리고 들어왔다.

소리 없이 입을 벌리고 간신히 숨을 쉬었다. 몸이 뻣뻣하게 굳어 있었다. 볼록 부푼 입구를 툭 두드린 그가 손을 떼며 말했다.

"기껏 먹여 줬는데 흘리면 혼납니다."

"흐읏—"

끈 끝의 둥근 고리를 그가 잡아, 가볍게 당겼다.

"하나라도 흘리면, 이걸 잡아서 한 번에 당겨 버릴 겁니다. 뒤에 힘주고 참아요."

"……으, 으읏, 하윽."

"일어서요. 위층으로 올라갑시다."

잘못 들은 건가 싶어 눈을 들었지만, 그는 벌써 등을 돌리고 있었다. 서재 문을 활짝 열고 나를 돌아보고 있었다.

"기어가도 상관없어요. 안 흘리고 올라가면, 안 아프게 빼 주겠습니다."

열린 문으로 대낮의 환한 빛이 쏟아져 들어왔다.

"못 하면 오늘 구멍이 다 헤질 때까지 내 좆에 뚫리는 겁니다. 일어나요, 언제까지 거기 있을 겁니까."

숨만 쉬어도 입구를 부풀리는 마지막 구슬이 빠져나갈 것 같았다. 힘을 주면 배 속이 겁이 날 정도로 당기고 아팠다. 울음을 눌러 삼키면서 나는 떨리는 손으로 팔걸이에 걸쳐진 내 발목을 잡아 끌어 내렸다. 힘을 줄 때마다 목에서 소리가 새어 나갔다. 벌어져 있던 허벅지가 당기고 아팠다. 양쪽 다리를 힘겹게 모으고 일어서려 했다.

"흐윽!"

힘을 주는 순간 무게가 쏠렸다. 나는 넘어지듯이 주저앉았다. 더듬더듬 손을 뒤로 돌려 정신없이 구슬이 빠지지 않은 것을 확인했다. 작게 빼금 벌어진 입구가 느껴졌다. 주름 사이로 맞물린 끈과 고리가 꼬리처럼 달랑거리고 있었다.

"손은 떼고."

문턱에 기대어 서서 지켜보던 그가 짧게 말했다. 나는 무릎을 꿇은 채로 벌벌 떨리는 상체를 숙였다. 마룻바닥의 무늬를 어지럽게 내려다보았다.

알 것 같았다. 어차피 이건 내가 기어가도록 만들어진 것이었다. 그가 지켜보는 동안 뒤에 가득 구슬을 넣은 채로 울면서 위층까지 네 발로 올라가도록 그가 미리 짜 놓은 플레이였다. 알고 있는데, 알게 되었는데, 그래도 호흡이 떨리고 뺨이 붉어졌다. 시야가 깜깜하게 물들었다.

하고 싶지 않았다. 내가 왜 이렇게까지 해야 되는지 알 수 없었다. 일어서서 내 손으로 뒤에 든 것을 뽑아내고, 안전어를 내뱉고, 그를 내버려 두고 현관을 나서고 싶었다. 그렇게 한다고 해도 그는 아무 말 없이 보내 줄 것이었다. 내가 원망하면 말없이 들어 주고, 다시는 비슷한 일을 강요하지 않을 것이었다.

그걸 알게 된 지금은 더더욱 일어설 수 없었다. 내가 여기서 못하겠다는 말을 내뱉고 나면, 그는 다정한 눈으로 내게서 문 하나를 닫아 걸 것 같았다. 넘어갈 수 없는 선, 내가 끌어안지 못한 만큼의 거리가 평생 우리 사이에 남을 것이었다.

나는 심호흡을 했다. 서러운 울음이 들썩거렸다. 벌거벗은 몸으로 바닥을 한 걸음씩 힘겹게 기어갔다. 그는 내 추잡한 꼴을 비웃지 않았다. 무표정한 얼굴로 서서 나를 지켜보고 있었다.

크지 않은 서재는 어느새 운동장처럼 불어난 것처럼 느껴졌다. 한 걸음 옮길 때마다 안에서 묵직한 구슬이 입구를 밀어 댔다. 나는 떨리는 다리를 오므리고, 따갑고 쓰라린 주름에 힘을 주었다. 그가 서 있는 문턱까지 도달하자, 그는 발치를 지나가는 나를 말없이 보내 주었다.

더 이상 아무 생각도 나지 않았다. 시야가 좁아진 것처럼 2층의 침실 문만을 생각했다. 거실을 가로지르는 동안 몇 번이나 눈앞이 깜깜해졌다. 등이 식은땀으로 축축하게 젖어 있었다.

계단 앞에 멈춰 서서 생각했다. 그를 좋아하는 것이 아니었다면 그 어떤 이유로 내가 이 계단을 올라가야 했을까. 등에 박혀 있는 시선이 느껴졌다. 나는 떨리는 손을 뻗어 계단을 잡았다. 각 계단 사이에 하얗게 질린 손끝을 밀어 넣고, 지탱한 채로 몸을 끌어올렸다.

그대로만 올라갔다면 충분히 할 수 있었을 것이다. 배 속은 돌덩이가 든 것처럼 아팠고, 뒤는 감각이 없었지만, 오기로라도 버틸 수 있었을 것 같았다.

할 수 있겠다는 생각에 긴장이 풀린 탓이었다. 감각이 없는 무릎이 계단의 중간쯤에서 헛디뎌 미끄러졌다. 나는 뒤로 떨어지려는 몸을 붙잡으려고 필사적으로 계단을 잡았다. 반들거리는 모서리 끝을 손톱으로 그러쥐었지만, 젖은 손은 쉽게 미끄러졌다.

눈을 질끈 감았다. 그때 굴러 떨어지려는 몸이 멎었다. 허리에 단단한 팔이 꽉 감기고, 몸 위에 묵직한 체온이 드리워졌다.

"……쓸데없이."

그가 가라앉은 목소리로 말했다. 단단한 가슴이 깔아 누르듯이 내 등을 덮었다. 계단과 그의 몸 사이에 눌려서 나는 숨을 가쁘게 내쉬었다.

눈이 마주쳤다. 가볍게 내 입술 위로 입을 맞춘 그가 조용하게 말했다.

"계단, 잡으세요."

나는 무의식적으로 말을 들었다. 두 팔을 뻗어 계단 사이의 틈에 넣고 나무를 단단하게 붙들었다. 그의 말뜻을 이해한 것은 그가 내 허벅지를 벌리고, 엉덩이 사이를 스치듯이 만졌을 때였다. 입구를 밀어 내던 구슬 한 개가 빠져나와 있었다.

나는 한마디 항의도 하지 않았다. 죽을힘을 다해 계단을 붙들고 입술을 깨물었다. 뚝뚝 눈물을 흘려 내면서 이를 악물었다. 팀장님은 끈 끝의 둥근 고리를 잡아, 손가락에 감았다. 그리고 한 치의 망설임도 없이 확 당겨 내렸다.

"흐아아악! 흐으, 흐으윽! 으으……."

그가 허리를 붙들고 있지 않았다면 떨어졌을지도 모른다. 눈앞이 검고 하얗게 물들었다. 얼룩지고 멍울졌다. 몸의 어느 부분에도 힘이 들어가지 않았다. 경련하는 팔다리를 그가 붙들었다. 나를 고정시키고, 다리를 잡아 벌리고, 커다랗게 부푼 성기를 엉덩이 사이에 맞췄다. 새빨갛게 벌어져 벌름거리는 주름에 귀두가 눌렸다. 꿰뚫듯이 거친 삽입이었다.

계단의 나무에 무릎이 아프게 눌렸다. 나는 손톱으로 매끄러운 나무 위를 긁으면서 덜덜 떨었다. 머릿속이 잘게 흩어졌다. 말도 하지 못하고 엉킨 혀로 흐느꼈다. 픽, 픽, 인정사정없이 빠르게 그가 안을 쑤셔 댔다. 뜨거운 살기둥으로 짓무른 속살을 문질렀다. 벌벌 떨리는 손을 잡아 그가 손가락을 얽었다. 힘을 주어 잡은 채로 성기를 완전히 빼내고, 오므라드는 구멍을 귀두로 헤집듯이 문질렀다.

"넣어 달라고, 말하세요."

호흡이 거칠었다. 눈가에, 콧등에 입맞춤이 떨구어졌다.

"넣고, 쑤셔 달라고, 네 입으로 말해."

입술이 맞닿았다. 여유가 없는 초조한 표정이었다. 그는 마비된 혀를 독촉하듯이 찢어진 입가를 혀끝으로 끈질기게 핥았다. 나는 엉킨 발음으로 간신히 말했다.

"넣어서, 안에……."

그도 나도 제정신이 아니었다. 입술이 거칠게 맞물리면서 그가 두꺼운 성기를 밀어 넣었다. 내 몸을 깔아 꼼짝 못 하게 고정시킨 채로 엉덩이를 치켜들게 하고 드나들었다. 머리카락에, 귓불에 뜨거운 입술이 닿았다. 아프게 깨물리고 핥아졌다. 너는 대체, 라고 그가 불분명한 발음으로 내뱉었다. 말을 잇지 않고, 내 허리를 잡았다. 뿌리까지 밀어 넣은 성기로 안쪽을 뭉개듯이 짓눌렀다.

나는 허우적거렸다. 울면서 계단에 매달렸고 그에게 매달렸다. 배속의 감각이 감당할 수 없는 홍수처럼 터져서 나를 휩쓸었다. 끔찍하게 달콤한 고통이었다. 그는 내 부어오른 눈가를 입술로 부드럽게 쓸었다. 손바닥으로 나의 등과 엉덩이를 쓰다듬었다. 목덜미와 등 위쪽을 빨아들이고 깨물었다.

"……저, 가도, 으읏!"

입맞춤 사이에 겨우 물었다. 그는 대답 대신 내 성기를 잡았다. 어루만지면서 깊숙이 삽입했다. 뭉툭한 귀두 끝이 극점에 닿고, 비벼졌다. 이를 악물려 했지만 소리가 새었다. 어두운 곳으로 홀로 곤두박질치는 것 같은 절정이었다. 의식이 까마득하게 멀어졌다. 입술이 맞물리면서, 그가 내 울음을 먹어 치웠다. 더 이상 들어갈 데가 없을 정도로, 고환이 주름에 바짝 맞닿을 때까지 성기를 밀어 넣었다. 배 속에서 뜨거운 것이 터졌다. 사정하면서 그는 아직 부족하다는 듯이 안을 느리게 쑤셨다. 끈적이는 액을 골고루 묻히고 밀어 넣듯이 나를 다그쳤다.

한번 시작된 절정감이 끝나지 않고 지속되었다. 나는 무서워서 그에게 매달렸다. 까맣게 떨구어지고 또 솟구쳐 오르는 것을 반복했다. 헐떡이는 입술을 그가 깨물고, 핥아 주었다. 힘겹게 경련하는 몸을 손바닥으로 쓰다듬어 주었다.

느리게 성기가 빠져나갔다. 다물리지 않는 구멍에서 하얀 정액이 질질 새어 나오고, 계단 위로 뚝뚝 떨어져 내렸다.

한 팀장은 숨 가쁜 울음으로 와들와들 떨리는 내 몸을 꽉 감싸 안았다. 훌쩍 몸이 안아 올려졌다. 그가 나를 든 채로 내가 끝내 올라가지 못했던 계단을 올랐다. 내가 열지 못한 문을 밀어 열었다. 커튼이 드리워진 침실은 서늘했다. 조심스러운 팔이 침대에 나를 눕혀 주었다.

허리에 단단한 팔이 감겨 있었다. 따끔거리는 눈동자를 천천히 굴려 나를 쳐다보고 있는 눈을 마주했다.

"……."

내가 아는 얼굴, 내가 아는 눈이었다. 나는 숨을 가라앉히며 다시 천천히 눈을 감았다. 그의 가슴에 뺨을 기댔다.

졸음이 무섭게 쏟아졌다. 수마가 내 발목을 붙잡고 수면 아래로 끌어 내렸다. 시야에 마지막으로 잡힌 것은 나를 내려다보는 남자의 얼굴이었다. 미간이 찌푸려져 있었고, 입가가 단단하게 비틀려 있었다. 손을 뻗어 그의 표정을 펴 주고 싶었지만, 몸이 말을 듣지 않았다. 물처럼 까만 어둠이 시야의 가장자리를 적시고, 천천히 스며들었다.

❦

흐릿한 시야 위로 따뜻한 어둠이 덮였다. 그의 손바닥이었다.

무게를 신고 있지 않을 뿐 그는 내 몸 위로 올라타 있었다. 그의 손가락 사이 작은 틈으로 방 안의 어둠이 내다보였다. 어두운 음영이 진 그의 얼굴이 있었다.

나는 천천히 다시 눈을 감았다. 몸이 아팠다. 무릎도, 엉덩이도, 허리도, 제각각의 통증으로 욱신거렸다. 얼굴이 뜨겁고 머리가 지끈거렸다. 눈꺼풀 안쪽이 따끔거리는 걸 보니 눈도 붕어처럼 부어올랐을 것이다. 움직이지 않고 누워 있자 눈두덩이 위이 온기가 치워졌다. 흐트러졌던 이불이 가슴께까지 걷어졌다.

"뭐라도 먹고 자는 게 나을 것 같은데, 잠깐 일어나는 게 어떻습니까."

무덤덤한 목소리였다. 내가 대답하지 않고 누워 있자 매트리스가 무게로 가볍게 출렁거렸다.

"거실에 있을 테니까, 더 쉬고, 배고프면 내려와요."

팔을 뻗다가 나는 침대 밖으로 떨어질 뻔했다. 귓가에 희미하게 이명이 울리고, 천장이 한 바퀴 빙글 돌았다.

곧바로 내 어깨를 받아 안은 그가 침대 밖으로 반쯤 걸쳐졌던 몸을 잡아 바로 눕혔다. 코가 맞닿을 거리에서, 가볍게 혀를 차는 소리가 들렸다.

"마셔요, 남기지 말고."

등을 그의 팔이 받치고, 내 손에 유리잔이 들려졌다. 입술을 벌리자 미지근한 물이 마른 혀를 적시고 목구멍을 타고 넘어갔다. 단맛이 나는 물을 조금씩 핥아 마시면서, 나는 차갑고 달콤한 액체를 입 안으로 넘겨주던 그를 생각했다.

잔을 비우자 그가 받아서 다시 치웠다. 내 머리 옆의 매트리스가 그의 무게로 묵직하게 내려앉아 있었다. 이번에는 나를 두고 일어날 생각은 없는 모양이었다.

숨소리가 들렸다. 새액, 새액 귓가로 새는 내 불안정한 호흡이었다. 시야 끄트머리에 허벅지 위로 놓인 그의 오른손이 보였다. 포개어진 손가락은 길었고 선이 유려했다. 다듬어진 손톱의 반달, 손등을 가로지른 얇은 핏줄. 회의실에서 마커를 잡는 것도, 침대에서 매를 잡는 것도 어울리는 단정하고 커다란 손이었다.

시선을 느낀 것처럼 손이 시야 끝을 넘어 사라졌다. 이윽고 뒷머리에 손길이 닿았다. 스치듯이 닿고, 쓰다듬었다.

"열이 좀 있었습니다…… 아까부터."

귓불 아래를 더듬는 손끝이 미지근했다.

"집에 해열제가 없는데, 자는 동안 나가고 싶진 않아서……."

낮은 목소리가 잦아들었다. 머리카락을 파고들어 느릿하게 헤집던 손이 멎었다. 짧은 숨소리가 들렸다.

"후회합니까?"

앞뒤를 잘라먹은 무딘 말이었다.

"어려울 거라고 여러 번 얘기했는데 그렇게 고집을 부려 놓고. 해보니 괜히 그랬다 싶습니까."

"……."

"이런 게 이서단 씨가 말한 시행착오입니까?"

억양 없는 느린 목소리였다. 시야에 잡히는 허벅지도, 무릎으로 이어지는 선도 딱딱하게 경직되어 있었다. 내가 잠들어 있던 동안의 시간이 그의 갈라진 목소리에 응고되어 있었다.

나는, 이라고 그가 말했다. 그리고 뚝 멈췄다. 길게 누른 숨이 느리게 뱉어졌다. 그 끝에서 그가 설핏 웃었다.

"뭔지 제대로 알고 싶다면서. 그래서 알게 되니 어떻습니까. 이제는 속이 시원합니까?"

쓰디쓴 목소리였다. 오래된 피곤과 괴로움에 절어, 한 자 한 자 모래 먼지가 까끌까끌하게 묻어나는 말들이었다.

한평생 처음 좋아하게 된 사람에게 대낮부터 매를 맞고, 벌거벗고 개처럼 기어 다니고, 쓰러져 일어나자마자 걱정 대신 원망을 들은 나는, 올려다보고 작게 입을 열었다.

"죄송합니다."

"……누가 사과하라고 했습니까."

그는 도리어 신경질적으로 되물었다. 나는 피곤한 몸을 천천히 일으켰다. 기어서 그의 무릎 위로 올라갔다.

그는 나를 밀쳐 내지 않았다. 나는 단단한 허벅지 위로 올라타서, 팔을 그의 목에 감았다. 그제야 그가 내 허리를 붙잡아 가까이 끌어당겨 주었다. 맞춘 것처럼 몸이 품 안에 쏙 들어맞았다. 따뜻했다.

어깨에 뺨을 묻고 나는 천천히 호흡했다. 맞닿은 가슴의 맥박이 열처럼 욱신거렸다.

"밥은."

내 머리카락에 코를 묻고, 그가 짧게 물었다.

"저녁 먹어야 약 먹을 게 아닙니까."

"……약 안 먹어도 괜찮아요."

정말로? 그가 되물었다. 나는 고개를 끄덕거렸다.

"그래도 밥은 먹어야 합니다. 속은 괜찮아요?"

"……네."

"긁어 낼 수 있을 만큼 긁어 냈는데, 그래도 밤에 관장 한 번 합시다."

잠긴 목소리가 사무적이었다. 귀가 뜨거워져서 나는 잠자코 품 안을 파고들었다. 등을 한동안 느릿하게 쓸어 올리던 손바닥이 멎었다.

"내려갑시다. 걸을 수 있겠어요?"

"네."

떨어진 체온을 탓하지 않고 나는 고분고분 몸을 일으켰다. 침대를 붙들고 다리를 하나씩 내렸다. 한 팀장은 문을 붙들고 서서 나를 기다려 주고 있었다. 허벅지에 셔츠 끝이 스쳤다. 어쩐지 크다 싶었더니, 내 것이 아니었다. 내려다보는 시선을 눈치 챘는지 한 팀장이 말했다.

"불편하면 갈아입으세요. 옷방에 남은 옷 있을 겁니다."

문턱을 지나다가 발끝이 걸렸다. 휘청거리자 허리를 잡아 주며 그가 덧붙였다.

"조심하세요. 계단에서 또 미끄러질라."

눈가에 스민 희미한 웃음기가 아니었으면 놀리는 줄 몰랐을 것이다. 어이가 없어서 돌아보지도 않고 나는 계단 난간을 잡았다. 아까 올라오다가 넘어졌던 계단 중간쯤은 흔적도 없이 깨끗했다. 올라갈 때 한없이 가파르게 느껴졌던 계단은 내려갈 때는 아무것도 아니었다.

거실은 생각보다 어둡지 않았다. 막 해가 떨어진 것 같은 하늘이 넓은 창으로 내다보였다. 생각보다 오래 잔 것은 아닌 모양이었다.

"지금 몇 시예요?"

"아직 여덟 시 안 되었습니다."

조명 스위치를 누르며 한 팀장이 대답했다. 나는 닫힌 서재 문을 지나쳐서, 옷방에서 속옷과 반바지를 찾아 입었다. 결국 셔츠는 그대로 두었다. 길이 때문에 내려다봐도 바지가 보이지 않았다. 소매를 접어 올리며 거실로 나오자 한 팀장은 테이블 아래의 서랍을 뒤지고 있었다.

"맛있는 건 내일 해 먹읍시다. 재료는 사 놨는데, 시간이 늦어서."

한참 찾은 끝에 반쯤 구겨진 책자가 그의 손에 딸려 나왔다.

"팀장님은 시켜 먹는 건 안 좋아하시잖아요."

"안 좋아하는데, 오늘만."

소파에 나를 앉히고 옆에 앉으면서 그가 대답했다.

"골라 보세요. 국물 있는 게 나을 것 같은데."

허벅지가 붙어 있었다. 펼쳐진 책자가 반으로 나뉘어 갈매기의 날개처럼 부드러운 곡선을 그리면서 그 사이로 들어맞았다.

"왜."

책자를 들여다보던 그가 고개를 들며 물었다. 가까이에서 시선이 맞닿았다. 닿아 있는 몸에서 익숙한 바디워시 향이 났다.

"나가서 먹는 게 낫겠습니까? 마음에 드는 게 없어요?"

"……아니요, 그게 아니라."

일교차가 심한 계절이었다. 발코니 문을 열면 지금도 호시탐탐 유리를 핥는 쌀쌀한 바람이 쏟아져 들어올 것이다. 그래도 반바지를 입어도 될 정도로 집 안은 따뜻했고, 거실은 노랗고 부드러운 빛으로 환했다. 천장이 높아서 내가 좋아하는 거실이었다.

"기분이 이상해요."

"뭐가."

얼버무린 말꼬리를 붙잡을 정도로 그는 집요했다. 하는 수 없이 눈을 내리깔며 말했다.

"음식 배달시켜 먹으니까…… 친구 집에 온 것 같아서."

하고 싶은 말은 비슷해도 아마도 그게 아니었을 것이다. 침묵이 길어질수록 생경하고 따뜻한 게 가슴께에 울렁거렸다. 내 얼굴을 뚫어져라 보던 그가 설핏 웃었다.

"우동 좋아합니까?"

"……네."

"그럼 그것도 괜찮고."

단정한 손끝이 사진 위를 짚으며 내 시선을 끌어갔다.

"맥주도 한잔할까. 그 정도는 마십니까?"

"네."

"집에 있긴 한데…… 일본 맥주가 나을 것 같습니다. 디저트는 있으니 괜찮고. 또 다른 건 필요 없습니까?"

고개를 가로젓자, 한 팀장은 일어서서 거실을 가로질렀다. 식탁에서 핸드폰을 가져와, 다시 내 옆에 앉았다.

나는 그가 주문하는 것을 흘려들으며 눈을 깜박였다. 창밖이 어두웠다. 피곤한 눈을 감자, 끝도 없이 치솟을 것 같은 고양감이 들었다.

결국 나는 맥주를 마시지 못했다. 막상 음식이 도착하자 한 팀장이 내 이마에 손등을 눌러 열을 재고 맥주캔을 압수해 갔다. 그가 부엌에 다녀와서 손에 들려 준 주스는 오후의 것과 같은 노란색이었다.

밥을 다 먹고, 그가 깎아 준 과일을 먹고, 그가 담아 준 아이스크림을 먹었다. 입으로는 배가 부르다고 말하면서 그가 내밀어 주면 또 받아먹었다. 차도, 과일도, 유리그릇에 동그랗게 퍼 담긴 아이스크림도, 익숙지 않은 손님 대접이었다.

"왜."

찻잔을 내 앞으로 밀어 준 한 팀장이 물었다. 나는 정신을 차리고 올려다봤다.

손이 넘어와 내 이마를 가볍게 짚었다. 나는 입을 다물고 눈을 깜박거렸다. 열은 내렸네, 라고 그가 침착하게 말했다. 그리고 손가락이 쓸고 간 곳에 가볍게 입술이 머물렀다. 성적인 함의가 없는 부드러운 접촉이었다.

"무슨 생각 하고 있었습니까."

찻잔을 들면서 그가 물었다. 나는 뒤늦게 대답했다.

"팀장님 생각이요."

"그걸 새삼스럽게 말해야 할 정도로 평소에 내 생각을 안 하는 겁니까."

그렇게 말하면서도 그는 희미하게 웃었다. 저녁을 먹을 때보다도 분위기가 많이 누그러져 있었다. 밥을 먹고 과일을 깎는 동안 그가 되찾은 여유는 내게도 익숙했다.

그 태연함에 편승해서, 밝은 거실의 불빛 아래 나는 입을 열었다. 찻잔을 만지작거리면서 물었다.

"이제 주말마다, 이렇게 하면 되나요?"

목소리가 덤덤하게 나왔다. 자고 일어나 보니 검붉은 것들이 얇은 막으로 감싸여 덮여 있었다. 눈살을 희미하게 찌푸린 그는 말이 없었다. 나는 차를 한 모금 마시고 말을 이었다.

"별일 없으면 오늘처럼 팀장님 집에서 뵙고, 저녁 먹고……. 아무래도 팀장님이 바쁘시고 다른 일 있으실 땐 매주 주말은 안 되겠지만……."

한 팀장은 대답 대신에 짧게 호흡을 내쉬었다. 머리가 아픈 것처럼 관자놀이를 꾹 누르고, 찻잔을 옆으로 치워 내며 말했다.

"이서단 씨가 먼저 말 꺼냈으니, 얘기 마저 합시다. 괜찮습니까?"

나는 자동으로 따라서 허리를 세우며 고개를 끄덕였다. 팔꿈치를 테이블에 기댄 한 팀장이 서론 없이 물었다.

"이서단 씨는 오늘 한 것을 매주 하고 싶습니까?"

말만 들어서는 마치 2층의 옷장이 내 소유고, 내가 복잡하고 위험한 섹스에 그를 끌어들인 것 같은 느낌이었다

내가 곧바로 대답하지 못하자 한 팀장은 그럴 줄 알았다는 듯이 입꼬리를 틀었다.

"맞으면서 느끼도록 노력해 보겠다는 이서단 씨의 각오는 잘 진

행되고 있습니까?"

"……확실히 지난번보다는."

"하는 동안의 기분은? 서럽거나 서운하지는 않았습니까?"

망설이는 사이 침묵이 그대로 긍정이 되어 버렸다. 서재에서 봤던 그의 표정을 기억해 내며 나는 미지근하게 식은 찻잔을 만지작거렸다.

그리 놀라운 답은 아니었는지, 한 팀장은 평온하게 말을 이었다.

"나도 오늘 해 보니 확실히 알겠는데, 오늘 정도로 본격적인 플레이는 이서단 씨에게 아직 벅찬 감이 있는 것 같습니다. 그게 내 눈에 보이니까 나도 집중이 어려웠고."

"……네."

"이서단 씨가 해 보고 싶다고 했고, 나도 한번은 제대로 보여 주는 게 좋을 것 같아서 감행했지만, 비슷한 걸 매주 해 대다가는 이서단 씨가 적응하기 이전에 우리 둘 중 하나는 나가떨어질 것 같습니다."

고개를 숙인 채로 건조한 평가를 들었다. 안심이 되면서도 한편으로는 가슴이 따끔거렸다. 한 팀장은 나를 뚫어져라 보더니 물었다.

"왜 서운한 표정입니까."

"……연습하면 더 잘할 수 있을 것도 같은데…… 팀장님 마음에는 안 차신 것 같아서요."

턱 밑으로 그가 손끝을 넣어 들어 올렸다. 어쩔 수 없이 마주하게 된 그의 얼굴은 비스듬하고 부드러운 웃음이 걸려 있었다.

"이서단 씨는 내 마음에 드는 섹스를 하고 싶습니까?"

"……네."

"내 취향이라면 힘들더라도 참아 주고 싶고?"

갑자기 말이 나오지 않아 고개를 끄덕였더니, 그의 손이 머리를 헝클어뜨리듯 가볍게 쓰다듬어 주었다. 마주한 눈이 사랑스러운 것을 보듯이 다정했다.

"내가 그동안 뭘 잘하고 살았다고 이서단 씨를 만났는지 모르겠네요."

희미한 웃음기가 묻어났다. 천천히, 조금씩, 그의 얼굴이 내게로 가까워졌다. 코끝이 먼저 맞닿고 가볍게 비벼졌다. 그리고 내 아랫입술을 머금어 빨아들인 그가 말랑한 입술을 맞댄 채로 잘게 떼었다가 붙였다. 쪽, 쪽, 하는 간지러운 소리가 났다. 파고드는 혀도 없는 온순한 키스였다.

단단한 손가락이 머리카락을 느리게 쓰다듬었다. 떨리듯 감았다 뜬 눈에 그의 감긴 눈꺼풀이 보였다. 뺨에 내려앉은 속눈썹이 한 올 한 올 시야에 박혔다. 심장이 어딘가로 뚝 떨어져 내리는 것 같았다.

입술이 젖은 소리를 내며 천천히 떨어졌다. 잠시 말이 없던 그가 뒤로 몸을 물리며 말했다.

"입장 바꿔 생각해 보면, 이서단 씨 취향을 맞춰 주고 싶은 건 나도 마찬가지입니다. 그게 다른 걸 다 뺀 철저한 바닐라라면 그것도 상관없고. 이서단 씨가 서럽지 않을 정도의 타협점을 찾을 수 있으면 그것도 좋습니다."

"……네."

"시간을 두고 생각해 봅시다. 나중에 강도를 낮춰서 다시 도전해 보거나. 이서단 씨는 일단 공부 좀 해 오세요. 시청각 자료를 참고하거나. 나와 침대에 있을 때 뭘 어떻게 하고 싶은지, 어떤 체위가 좋고 어떤 도구가 궁금한지, 취향을 확립한 다음에 다시 얘기합시다."

거리 때문에 뒤로 물러나기도 여의치 않았다. 간신히 고개만 끄덕이고 망부석처럼 굳은 채로 기다렸더니, 이만하면 말로 하는 고문은 됐다 싶었는지 한 팀장이 몸을 일으켰다.

"피곤합니까?"

"아니요, 괜찮아요."

"밖에 나가기에는 시간이 애매해졌고, 집에 있는 영화라도 볼까 하는데. 괜찮습니까?"

나는 기꺼이 예전에 한 번 열어 봤던 TV 아래의 장을 열었다. 내가 빽빽하게 꽂힌 DVD의 제목을 살피는 동안 한 팀장은 스탠드 불빛을 남겨 두고 거실의 조명을 끄고, 부엌에서 팝콘을 튀겨 커다란 볼에 담아 가져왔다. 그의 취향이라고는 생각할 수 없는 카라멜맛의 팝콘이었다. 덥힌 우유에 탄 핫초코도 있었다.

영화는 많았다. 본 것도 있지만 처음 들어 보는 것이 훨씬 많았다. 내가 좀처럼 결정을 못 내리고 팝콘만 집어 먹자 한 팀장은 말했다.

"뭘 보고 싶은지 말해 봐요. 골라 줄 테니까."

"……자극적이지 않은 걸로요."

하루치 자극은 오후에 다 받은 기분이었다. 낯익은 영화 제목을 보다가 덧붙였다.

"대사도 적고, 시끄럽지 않고, 사람은 많이 안 나오고, 영상 위주인 걸로……."

그는 잠자코 DVD 몇 개를 골라 빼 주었다. 전부 처음 보는 제목이어서 나는 아무거나 가리켰다. 어차피 별로 상관없을 것 같았다.

"집에서 영화 안 봅니까?"

그가 물었다. 소파에 앉아 그에게 한쪽 자리를 양보하려던 나를 막 다리 사이로 끌어당긴 후였다. 몸이 그의 위로 겹쳐지고, 등이 그의 가슴에 닿았다. 내 허리에 한 팔을 감은 채로 한 팀장은 리모컨을 눌러 커다란 화면에 파란 스크린을 띄웠다.

"어렸을 때는 좋아했던 것 같은데…… 독립하고 나서는 TV가 계속 없었어요."

영화관에서 영화를 본 것도 까마득하게 오래전의 일이었다. 채널이 돌아갔다. 까만 화면이 나타나더니, 영화사의 이름이 커다란 글자로 떴다. 한 팀장은 리모컨을 내려놓았다. 거실이 부드러운 어둠 속에 잠겼다. 머리가 그의 목덜미에 기대어져 있었다. 그가 말을 할 때마다 울리는 목울대가 느껴졌다.

"십 년 정도 전의 저예산 영화인데 볼만 합니다. 나도 오랜만에 보는 거긴 한데…… 언어는 영어와 이탈리아어가 섞여서 나오는데, 밑에 자막 뜰 겁니다. 어차피 대사가 별로 없으니 안 읽어도 상관없고."

"네."

"심야 영화도 좋고, 자동차 극장도 좋은데……. 이서단 씨와 앞으로 갈 곳이 많네요."

그가 내 머리 위로 단단한 턱을 기댔다. 화면에는 파랗게 바다가 떴다. 첫 장면이었다. 어두웠던 거실이 푸른빛으로 환해졌다.

나는 허리를 두른 그의 팔 위로 손을 올렸다. 그가 숨을 들이마실 때마다 기대어 있는 가슴이 오르락내리락했다.

화면에는 사람들이 나왔다. 작게 점처럼 나와서 점점 커졌다. 대화 소리가 웅웅 울렸다. 그의 말대로 화면 아래에는 자막이 하얗게 떴다. 곁눈질로 살핀 한 팀장은 무심한 얼굴로 영화에 집중하고 있었다. 어둠 속에서 단정한 얼굴의 윤곽이 선명하게 드러났다. 영화의 장면이 바뀌면 다른 빛깔의 빛이 그의 뺨 위로 일렁였다. 건조한 음영이 눈가에 스미고 옅어졌다. 자막이 보이지 않자 귓가에 들리는 이탈리아어는 느리고 부드러운 음악 같았다.

그때 허리를 타고 내려온 손이 엉덩이 한쪽을 아프지 않게 움켜쥐었다.

"읏!"

"영화 안 보고 나를 보면 어떻게 합니까."

"으, 으읏……."

말랑거리는 감촉을 즐기듯이 그가 손바닥을 넓게 펼쳐 둥근 구를 주물렀다. 강약을 조절해 가며 손아귀에 잡아 굴렸다. 등허리를 타고 찌르르 소름이 달렸다.

"핸드 스팽을 했어야 하는데."

시선을 영화에 두고 그가 무심히 읊조렸다. 허벅지까지 내려오는 셔츠를 걷어 올리게 하고, 엉덩이를 몇 번 어루만지다가 바지 위로 가볍게 도닥도닥 손을 내렸다. 닿는 속도가 느려서 때리는 것 같지도 않았다. 그래도 숨이 가빠졌다. 고개를 돌려 화면을 봤지만, 이제는 자막이 올라와도 집중이 되지 않았다.

어루만지다가 그의 손이 바지 밑으로 미끄러져 들어갔다. 얇은 속옷 위로 다시 엉덩이를 느리게 문질렀다. 예민해진 피부에 손바닥의 온기가 고스란히 전해졌다.

"흐, 웃."

"야한 소리 내도 소용없습니다."

"웃, 팀장님이야말로, 손, 으……."

손끝을 뻗어, 속옷 위로 그가 엉덩이 사이의 틈을 가볍게 훑었다. 몸이 파르르 경직되었다. 엉덩이가 그의 손가락을 붙잡듯이 조여 물자, 내 목덜미에 입술을 붙였다 뗀 그가 손을 깔끔하게 떼어 내고 다시 셔츠를 내려 주었다. 가쁜 숨을 고르며 돌아보자 무심한 얼굴이 나를 응시하고 있었다.

"내일은 나가서 놀 생각인데, 지금 이서단 씨가 발정이 나면 곤란합니다."

"제가 언제……."

"이제 안 만질 테니까 고개 돌리고 영화나 보세요."

엉덩이를 쓱 문지르고 떨어지는 손등에 나는 몸을 늘어뜨렸다. 닿아 있는 몸이 따끈하고 단단했다. 그의 어깨에 머리를 기대고 화면을 응시했다.

집중이 어려울 것이라고 생각했는데, 아니었다. 불을 끈 거실은 어두웠고, 맞닿은 몸의 적당한 체온은 기분 좋았다. 안전벨트처럼 허리를 가로지른 팔 때문에라도 움직일 수 없었다. 화면을 보고, 등 뒤의 숨소리를 들었다. 내 일상의 풍경이라고는 상상할 수 없는 주말 저녁이었다.

영화의 마지막 장면은 또 다시 바다였다. 거실이 푸른 어둠에 물들고 느리게 일렁였다. 등 뒤의 그의 숨소리가 규칙적으로 가라앉았다. 귓가에 대고 그가 나직하게 입을 열었다.

"대학생 때 본 영화입니다. 개봉한 지 얼마 안 되어서 봤으니…… 십 년 전 일입니다. 그래 놓고 무작정 저 바다가 보고 싶어서 배낭 하나 메고 비행기를 잡았습니다. 외우는 이탈리아어라고는 저 영화 대사밖에 없었는데……. 그때는 젊으니까 그런 무식함도 괜찮다고 생각했습니다."

화면 속의 사람이 점점 작아졌다. 검푸른 색의 물이 천천히 화면을 메웠다. 하얗게 치솟고 잠잠히 가라앉았다.

"그때는 하루가 멀다 하고 배낭만 메고 비행기를 탔는데…… 지금 생각해 보면 여행을 좋아한 것도 아닙니다. 가서는 항상 돌아오고 싶었고, 돌아오면 다시 나가고 싶었습니다. 당장 눈앞에 있는 곳이 아니면 어디가 됐든……."

화면이 검게 점멸했다. 하얀 이름들이 어둠 속을 타고 올라가기 시작했다. 나는 고개를 돌렸다. 어둠 속에서 손이 올라와 내 뺨을 감싸 쥐었다. 눈이 마주치고, 그의 입술이 느린 호선을 그렸다. 팔을 풀어 나를 고쳐 안으며 그가 말했다.

"내일은 바람 쐬러 갑시다. 맛있는 것도 먹고, 내키면 멀리도 가고."

가만히 고개를 끄덕거렸다. 입술 위로 잘게 입맞춤이 내려앉았다. 그의 시선이 창밖으로 잠시 향했다가, 품 안의 나에게로 돌아와 머물렀다.

"상반기 프로젝트 끝나면 시간이 좀 여유로워질 것 같은데, 여름 휴가 때 어디 가고 싶은지 생각해 두세요. 여권도 지금 미리 만들어 놓고."

"……네."

"나도, 나중에 이서단 씨와 가고 싶은 곳이 많습니다. 혼자 갔던 곳들……. 가까운 곳도 좋고, 먼 곳도 좋습니다. 그때 봤던 풍경들을 다시 보고, 이서단 씨가 거기 있어 준다면……."

느릿하게 내 뺨을 쓸어내린 손바닥이 내 눈가를 가볍게 문질렀다.

"지금은 그때의 나를 이해할 수 있을 것도 같습니다."

화면이 하얗게 떴다. 영화사의 로고가 커다랗게 머물렀다. 그 빛을 받은 그의 얼굴을 올려다보면서, 나는 함께 볼 많은 풍경들을 어렴풋이 떠올렸다. 지나갈 봄, 다가올 여름, 계절이 몇 바퀴를 돌도록 그의 옆에 머물러, 내 모양대로 닮은 그 자리가 나의 자리가 되었으면 좋겠다고 생각했다.

그래서 따뜻한 저녁에 손잡고 해질녘의 동네를 걷고, 아침에 눈을 떴을 때 당연하게 그의 잠든 얼굴이 보일 어느 날에는, 나 또한 이전의 나를 덤덤하게 마주할 수 있을 것 같았다.

한낮의 회사에서, 밤의 침대에서 그를 마주하면. 몸에는 그가 내리친 매의 흔적이 남고, 핸드폰에는 주고받은 문자가 남고, 텅 빈 내 집의 거실이 함께 다녀온 곳의 풍경으로 조금씩 채워지면. 그러면 시간과 역할로 이루어진 단단한 사슬이, 끊어지지 않는 목줄이 나를 그에게 묶을 것이었다. 끈끈하고 어지러운 것들이 얽혀 맞물리고, 말로도 마음으로도 쉬이 끝낼 수 없는 관계가 될 것이다. 그때는 더 이상 무서워할 필요가 없을 것이라고, 아무것도 불안하지 않을 거라고 생각했다.

상사이자 주인이자 애인인 남자의 품속을 파고들어, 규칙적인 심장의 맥박 위로 뺨을 기댔다. 화면이 검게 물들었다. 느리고 미지근하게 흐르던 음악은 사그라들었다. 어둠과 침묵, 그리고 닿아 있는 체온이 남았다.

〈토요일의 주인님 3권에 계속〉

토요일의 주인님 2

초판 1쇄 인쇄 2020년 9월 2일 **초판 1쇄 발행** 2020년 9월 10일

지은이 섬온화
펴낸이 연준혁

웹소설본부 본부장 이진영
책임편집 최은정
디자인 하은혜

펴낸곳 ㈜위즈덤하우스 **출판등록** 2000년 5월 23일 제13-1071호
주소 경기도 고양시 일산동구 정발산로 43-20 센트럴프라자 6층
전화 031)936-4000 **팩스** 031)903-3893 **홈페이지** www.wisdomhouse.co.kr

ⓒ 섬온화, 2020

ISBN 979-11-6525-341-7 04810
ISBN 979-11-6525-339-4 (세트)

이 도서의 국립중앙도서관 출판예정도서목록(CIP)은 서지정보유통지원시스템
홈페이지(http://seoji.nl.go.kr)와 국가자료종합목록시스템(http://www.nl.go.kr/
kolisnet)에서 이용하실 수 있습니다. (CIP제어번호: CIP2020036391)